中华人民共和国电力行业标准

架空输电线路电气设计规程

Code for electrical design of overhead transmission line

DL/T 5582—2020

主编部门：电力规划设计总院
批准部门：国　家　能　源　局
施行日期：2 0 2 1 年 2 月 1 日

中国计划出版社

2020　北　　京

国 家 能 源 局

公　告

2020 年　第 5 号

国家能源局批准《水电工程生态流量实时监测系统技术规范》等 502 项能源行业标准(附件 1)、《Series Parameters for Horizontal Hydraulic Hoist(Cylinder)》等 35 项能源行业标准英文版(附件 2),现予以发布。

附件:1. 行业标准目录

2. 行业标准英文版目录

国家能源局

2020 年 10 月 23 日

附件 1

行业标准目录

序号	标准编号	标准名称	代替标准	采标号	出版机构	批准日期	实施日期
……							
471	DL/T 5582-2020	架空输电线路电气设计规程			中国计划出版社	2020-10-23	2021-02-01
……							

前　　言

根据《国家能源局关于下达2015年能源领域行业标准制（修）订计划的通知》（国能科技〔2015〕283号）的要求，标准编制组经深入调查研究、计算分析，认真总结了我国架空输电线路电气设计经验，全面、系统地梳理和整合了现行输电线路相关标准成熟条文及工程实践经验，参考有关国际标准及最新科研成果，并在广泛征求意见的基础上，制定本标准。

本标准的主要技术内容有：总则、术语和符号、路径、气象条件、导线和地线、绝缘配合、防雷和接地、绝缘子和金具、导地线布置、交叉跨越与对地距离、附属设施等。

本标准由国家能源局负责管理，由电力规划设计总院提出，由能源行业电网设计标准化技术委员会负责日常管理，由电力规划设计总院负责具体技术内容的解释。执行过程中如有意见或建议，请寄送电力规划设计标准化管理中心（地址：北京市西城区安德路65号，邮政编码：100120，邮箱：bz_zhongxin@eppei.com）。

本标准主编单位：电力规划总院有限公司
中国电力工程顾问集团华东电力设计院有限公司
中国电力工程顾问集团西南电力设计院有限公司
本标准参编单位：中国电力工程顾问集团西北电力设计院有限公司
中国电力工程顾问集团中南电力设计院有限公司
中国电力工程顾问集团华北电力设计

院有限公司
中国电力工程顾问集团东北电力设计院有限公司
中国能源建设集团广东省电力设计研究院有限公司
中国电力建设集团河北省电力勘测设计研究院有限公司
中国电力建设集团上海电力设计院有限公司

本标准主要起草人员：李永双 薛春林 温作铭 贾江波 梁 明 唐 剑 袁志磊 张新奇 李会超 江 岳 张 瑚 施 芳 张广玉 汪晶毅 王延杰 王婧倩 夏 波 王志强 尹 鹏 许 泳 李小亭 李 健 李奇峰 程克娜 潘春平 周 乾 朱景林 钱广忠 胡 全 张小力 刘文勋 董飞飞 王莹莹 王 晶 刘 晨 朱永平 王子瑾 柏晓路

本标准主要审查人员：李勇伟 杨 林 袁 骏 苏朝晖 赵江涛 李 晋 李本良 王俊刚 张国良 叶鸿声 王 劲 吴庆华 陆家榆 马志坚 江卫华 李 力 廖 毅 赵全江 黎 智 陈 黎 章东鸿 郎需军 姜海生 刘利林 刘 岩

目　　次

Contents

1 总　　则

1.0.1 为了在架空输电线路的电气设计中贯彻国家的基本建设方针和技术经济政策，做到安全可靠、先进适用、经济合理、资源节约和环境友好，制定本标准。

1.0.2 本标准适用于交流110kV～1000kV架空输电线路、直流±500kV～±1100kV架空输电线路的电气设计。

1.0.3 架空输电线路电气设计，应结合工程特点，积极采用成熟的新技术、新材料、新工艺，推广采用节能、降耗、环保的先进技术和产品。

1.0.4 对重要线路和特殊区段线路宜采取适当加强措施，提高线路安全水平。

1.0.5 架空输电线路电气设计除应符合本标准的规定外，尚应符合国家现行有关标准的规定。

2 术语和符号

2.1 术 语

2.1.1 架空输电线路 overhead transmission line

用绝缘元件和杆塔将导线架设于地面上的电力线路。

2.1.2 特高压架空输电线路 ultra-high-voltage overhead transmission line

交流标称电压为 1000kV 及以上、直流标称电压为±800kV 及以上的架空输电线路。

2.1.3 紧凑型架空输电线路 compact overhead transmission line

交流线路三相导线间无接地构件，通过对导线的优化排列，达到提高自然输送功率，减少线路走廊宽度，提高单位走廊输电容量的架空输电线路。

2.1.4 电信线路 telecommunication line

架空明线、架空或埋地电缆、架空或埋地光缆等型式的通信线路，铁路信号线路，有线广播电视（信号、馈电、用户）线路以及遥控遥信线路。

2.1.5 大跨越 large crossing

线路跨越通航江河、湖泊或海峡等，因档距较大或铁塔较高，导线选型或铁塔设计需特殊考虑，且发生故障时严重影响航运或修复特别困难的耐张段。

2.1.6 轻、中、重冰区 light/medium/heavy icing area

设计覆冰厚度为 10mm 及以下地区为轻冰区，设计覆冰厚度大于 10mm 且小于或等于 20mm 地区为中冰区，设计覆冰厚度为 20mm 及以上地区为重冰区。

2.1.7 基本风速 reference wind speed

根据当地空旷平坦地面(大跨越应取历年大风季节平均最低水位)上10m高度处10min平均最大风速观测数据，经概率统计得出30年、50年、100年一遇最大值后确定的风速。

2.1.8 设计冰厚 design ice thickness

根据设计规定的重现期、折算为冰密度0.9g/cm^{3}的冰厚。

2.1.9 稀有风速、稀有覆冰 rare wind speed、rare ice thickness

根据历史上记录存在，并显著超过历年记录频率曲线的严重大风、覆冰。

2.1.10 耐张段 section

两耐张杆塔间的线路部分。

2.1.11 平均运行张力 everyday tension

年平均气温情况下，弧垂最低点的电线张力。

2.1.12 等值附盐密度 equivalent salt deposit density(ESDD)

溶解后具有与从给定绝缘子的绝缘体表面清洗的自然沉积物溶解后相同电导率的氯化钠总量除以表面积，简称等值盐密。

2.1.13 不溶物密度 non-soluble deposit density(NSDD)

从给定绝缘子的绝缘体表面清洗的非可溶性残留物总量除以表面积，简称灰密。

2.1.14 居民区 residential area

工业企业地区、港口、码头、火车站、城镇等人口密集区。

2.1.15 非居民区 non-residential area

居民区以外地区。

2.1.16 交通困难地区 difficult transport area

车辆、农业机械不能到达的非居民区。

2.1.17 间隙 electrical clearance

线路任何带电部分与接地部分的距离。

2.1.18 对地距离 distance to ground

在规定条件下，单导线或分裂导线中心与地面之间的距离。

2.1.19 保护角 shielding angle

地线对导线的保护角指杆塔处，不考虑风偏，地线对水平面的垂线和地线与单导线或分裂导线最外侧子导线连线之间的夹角。

2.1.20 采动影响区 mining affected area

受矿产开采扰动影响的区域。

2.1.21 易舞动区 galloping region

冬春季节，在冰、风的作用下，线路易于发生舞动的地区。

2.1.22 地面标称场强 nominal electric field strength above ground

直流线路中由导线表面所带电荷产生的地面电场强度。

2.1.23 地面合成场强 total electric field strength above ground

直流线路中由导线所带电荷产生的电场和由空间电荷产生的电场合成的地面电场强度。

2.1.24 离子流密度 ion current density

在直流电场的作用下，空间电荷不断移动，单位面积所接收到的电流。

2.1.25 相间间隔棒 spacer between phases

支撑在两相导线间，控制两相导线间距离的绝缘间隔棒。

2.1.26 垂直距离 vertical distance

单导线或分裂导线中心与线路下方建筑物或其他设施垂直方向的投影距离。

2.1.27 水平距离 horizontal distance

单导线或分裂导线中心（或杆塔外缘、或塔位）与线路侧方建筑物或其他设施水平方向的投影距离。

2.1.28 净空距离 space distance

单导线或分裂导线中心与线路侧方建筑物或其他设施的空间距离。

2.2 符　　号

2.2.1 作用与作用效应

T——绝缘子和金具承受的荷载；

T_{max}——导地线在弧垂最低点的最大张力；

T_p——导地线设计拉断力；

T_R——绝缘子和金具的额定机械破坏负荷；

v_0——基本风速；

W_0——基准风压；

W_x——导地线风荷载风偏设计值；

W_I——绝缘子串风荷载风偏设计值。

2.2.2 电工

n——海拔高度不超过 1000m 时每联绝缘子所需片数；

n_H——高海拔地区每联绝缘子所需片数；

U——线路电压，对于交流线路取标称线电压，对于直流线路取标称电压；

U_{ph-e}——相(极)对地最高运行电压；

I——档距中央的耐雷水平；

U_W——单片绝缘子污耐受电压；

λ——统一爬电比距。

2.2.3 计算系数

B_1——导地线覆冰风荷载增大系数；

B_3——绝缘子串覆冰风荷载增大系数；

K_a——空气间隙放电电压海拔高度修正系数；

K_c——导地线设计安全系数；

k_i——悬垂绝缘子串系数；

k_u——电压系数；

k_f——弧垂系数；

K_I——绝缘子和金具机械强度的安全系数；

K_e——绝缘子爬电距离的有效系数；

m——海拔修正因子；

m_1——特征指数；

α_L——档距折减系数；

β_c——导地线阵风系数；

μ_{sc}——导地线体型系数；

μ_z——风压高度变化系数；

γ_c——导地线风荷载折减系数；

ε_c——导地线风荷载脉动折减系数；

g——峰值因子；

I_z——导地线平均高 z 处的湍流强度；

I_{10}——10m 高度名义湍流强度；

δ_L——档距相关性积分因子；

e——自然常数；

α——地面粗糙度指数；

μ_{SI}——绝缘子串体型系数；

n_I——垂直风向绝缘子联数；

λ_I——顺风向绝缘子风荷载屏蔽折减系数。

2.2.4 几何参数

A_I——单联绝缘子串承受风压面积计算值；

D——导线水平线间距离；

D_x——导线三角排列的等效水平线间距离；

D_p——导线间水平投影距离；

D_z——导线间垂直投影距离；

d——导地线外径或覆冰时的计算外径；

f_c——导线最大弧垂；

H——海拔高度；

L——档距；

L_k——悬垂绝缘子串长度；

L_{01}——单片悬式绝缘子的几何爬电距离；

L_p——杆塔的水平档距；

S——导线与地线间的距离；

z——导地线平均高度；

θ——风向与导地线方向之间的夹角；

L_x——水平向相关函数的积分长度。

3 路　　径

3.0.1 路径选择应综合考虑线路长度、地形地貌、地质、冰区、交通、施工、运行及地方规划等因素，进行多方案技术经济比较，做到安全可靠、环境友好和经济合理。

3.0.2 路径选择宜采用卫片、航片、全数字地理信息系统和红外测量等新技术；在地质条件复杂地区，必要时宜采用地质遥感技术。

3.0.3 路径选择宜避开军事设施、大型工矿企业等重要设施，并应符合城镇规划。当无法避让时应取得相关协议，并采取适当措施。

3.0.4 路径选择宜避开自然保护区、风景名胜区等，当无法避开时应做好评估、报批工作。

3.0.5 路径选择宜避开不良地质地带和采动影响区，宜避开重冰区、易舞动区及影响安全运行的其他地区，当无法避让时，应采取必要的措施。

3.0.6 路径选择应考虑线路与地磁台站、电台、机场、电信线路、油气管线等邻近设施的相互影响。

3.0.7 路径选择宜靠近现有国道、省道、县道及乡镇公路，充分使用现有的交通条件，方便施工和运行。

3.0.8 大型发电厂和枢纽变电站的进出线、两回或多回路相邻线路应统一规划。在走廊拥挤地段宜采用同杆塔架设。

3.0.9 轻、中、重冰区的耐张段长度分别不宜大于10km、5km、3km，且单导线线路不宜大于5km，无冰区可参照轻冰区的取值。当耐张段长度较长时应采取防串倒措施。在高差较大或档距相差悬殊的山区或重冰区等运行条件较差的地段，耐张段长度应适当缩短。输电线路与主干铁路、高速公路交叉时，应采用独立耐张段。

3.0.10 山区线路在选择路径和定位时，应注意控制使用档距和相应的高差，避免出现杆塔两侧大小悬殊的档距，当无法避免时应采取必要的措施，提高安全度。

3.0.11 有大跨越的输电线路，路径方案应结合大跨越的情况，通过综合技术经济比较确定。

3.0.12 大跨越线路跨越位置应符合跨越所在区域的规划、民航、部队、航道、海事、水利、环保等相关部门的规定。

3.0.13 大跨越线路跨越位置的选择应综合考虑水文、地质条件，宜避开河道不稳定、地震断裂、崩塌滑坡和山洪冲刷等影响线路安全运行的地带，对于无法避开的，应采取可靠措施。

3.0.14 大跨越塔应符合下列规定：

1 宜设置在5年一遇洪水淹没区以外，并应符合表3.0.14-1要求的最小年限考虑堤岸冲刷变迁影响；

表3.0.14-1 大跨越塔需考虑堤岸冲刷变迁影响最小年限(年)

电压等级	堤岸冲刷变迁影响最小年限
交流110kV～330kV	30
交流500kV～1000kV、直流±500kV～±1100kV	50

2 在水中立塔，应考虑河床稳定和避开主航道，水文数据应符合表3.0.14-2要求考虑塔基冲刷深度及基础高度；塔基应考虑漂浮物和流水面积受阻的影响，必要时可采取防护措施；

表3.0.14-2 水中大跨越塔的水文数据重现期要求(年)

电压等级	考虑塔基冲刷	考虑基础高度
交流110kV～330kV	30	30
交流500kV～750kV、直流±500kV～±660kV	50	50
交流1000kV、直流±800kV～±1100kV	100	100

3 对于重要通航河流，跨越塔基础外缘应根据水利主管部门

相关规定，与堤防坡脚保持安全距离。

3.0.15 大跨越的跨越方式应根据地形、地质、施工和运行等条件，通过技术经济比较确定，并应自成一个耐张段。

3.0.16 大跨越线路应结合系统规划，宜按同塔双回路或多回路设计。

3.0.17 大跨越应对工程所在地及周边地区进行舞动调研，存在舞动可能性的应合理选择跨越方案，尽量避开易舞动区以及减小大跨越线路走向与冬季主导风向的夹角。

4 气象条件

4.0.1 架空输电线路设计气象条件应根据沿线气象资料的数理统计结果及附近已有线路的运行经验确定，当沿线气象与本标准附录A中的典型气象区接近时，宜采用典型气象区所列数值。

4.0.2 架空输电线路的设计气象条件应符合下列重现期规定：

1 1000kV交流、±800kV及以上直流输电线路及其大跨越应取100年；

2 500kV～750kV交流、±500kV～±660kV直流输电线路及其大跨越应取50年；

3 110kV～330kV交流输电线路及其大跨越应取30年；

4 不同电压等级同塔线路应按最高电压等级确定。

4.0.3 确定基本风速时，应按当地气象台站10min时距平均的年最大风速为样本，并宜采用极值Ⅰ型分布作为概率模型。统计风速的高度应符合下列规定：

1 一般线路应取离地面10m；

2 大跨越应取离历年大风季节平均最低水位10m。

4.0.4 山区输电线路宜采用统计分析和对比观测等方法，由邻近地区气象台站的气象资料推算山区的基本风速，并应结合实际运行经验确定。当无可靠资料时，宜将附近平原地区的统计值提高10%。

4.0.5 大跨越工程的基本风速，当无可靠资料时，宜将附近陆上输电线路的风速统计值换算到跨越处历年大风季节平均最低水位以上10m处，并增加10%，考虑水面影响再增加10%后选用。大跨越基本风速不应低于相连接的陆上输电线路的基本风速。

4.0.6 在有足够的覆冰观测资料情况下，宜采用极值Ⅰ型分布概率模型确定线路设计冰厚；甚少或无覆冰观测资料时，可在搜集覆冰资料的基础上，结合线路周围地形、地物、相对高差、路径走向、覆冰气象等要素及附近已建线路运行情况综合分析确定设计冰厚。

4.0.7 各类架空输电线路的基本风速不宜低于表4.0.7的规定，必要时还宜按稀有风速条件进行荷载设计。

表4.0.7 各类架空输电线路的基本风速最小值(m/s)

电压等级	线路类别	
	一般线路	大跨越
交流 110kV～330kV	22	25
交流 500kV～750kV、直流±500kV～±660kV	25	27
交流 1000kV、直流±800kV 及以上	27	30

4.0.8 轻冰区宜按无冰、5mm、10mm设计，中冰区宜按15mm、20mm设计，重冰区宜按20mm及以上设计，必要时还宜按稀有覆冰条件进行荷载设计。

4.0.9 大跨越线路的设计冰厚，除无冰区段外，宜较附近一般线路的设计冰厚增加5mm。

4.0.10 除无冰区段外，地线设计冰厚应较导线设计冰厚增加5mm。

4.0.11 应加强对沿线已建线路设计、运行情况的调查，设计时应考虑微地形和微气象条件、易舞动区等的影响。

4.0.12 设计用年平均气温应符合下列规定：

1 当地区年平均气温在3℃～17℃范围内时，取与年平均气温值邻近的5的倍数值；

2 当地区年平均气温小于3℃和大于17℃时，分别按年平均气温减少3℃和5℃后，取与此数邻近的5的倍数值。

4.0.13 常年荷载工况应采用年平均气温工况。

4.0.14 设计大风工况的气温宜采用与最大风速月的平均气温邻

近的 5 的倍数值。

4.0.15 设计覆冰工况的气温宜采用−5℃，风速对轻、中冰区宜采用 10m/s，对重冰区宜采用 15m/s，当有实测资料时也可按实测风速选取。

4.0.16 不均匀覆冰工况的气温宜采用−5℃，风速宜采用 10m/s，有不均匀冰。

4.0.17 雷电过电压工况的气温宜采用 15℃，当基本风速折算到导线平均高度处的风速值大于或等于 35m/s 时，雷电过电压工况的风速宜取 15m/s，否则取 10m/s；校验导线与地线之间的距离时，风速应采用无风，覆冰厚度应采用无冰。

4.0.18 操作过电压工况的气温可采用年平均气温，风速宜取基本风速折算到导线平均高度处风速值的 50%，但不宜低于 15m/s，覆冰厚度应采用无冰。

4.0.19 带电作业工况的气温可采用 15℃，风速可采用 10m/s，覆冰厚度应采用无冰。

4.0.20 舞动工况的气温宜采用−5℃，风速宜采用 15m/s，覆冰厚度宜采用 5mm。

4.0.21 稀有气象条件可按历史上有记录的稀有大风及稀有覆冰资料选定。

4.0.22 稀有覆冰工况的气温宜采用−5℃，风速可采用 10m/s。

4.0.23 稀有大风工况的气温宜采用与该工况发生时的气温减少 3℃后邻近的 5 的倍数值，覆冰厚度应采用无冰。

4.0.24 断线工况的气温应采用−5℃，风速应采用无风，覆冰厚度应采用设计冰厚；对于无冰区，可采用 5℃、无风、无冰。

4.0.25 断联工况的气温应采用−5℃，风速应采用无风，覆冰厚度应采用无冰；对于无冰区，可采用 5℃、无风、无冰。

5 导线和地线

5.1 导线和地线选择

5.1.1 输电线路的导线截面和分裂形式，宜根据系统需要按照经济电流密度选择，并应根据系统输送容量，结合不同导线的材料结构进行电气和机械特性等比选，通过年费用最小法进行经济比较后确定。年费用最小法计算见本标准附录B。

5.1.2 大跨越导线的允许载流量应满足系统极限输送容量的要求；大跨越导线应通过综合技术经济比较确定，宜采用已有运行经验的型号或线型。

5.1.3 输电线路的导线截面和分裂形式应满足电磁环境限值要求。导线表面最大电位梯度可按照本标准附录C的公式计算。当采用现行国家标准《圆线同心绞架空导线》GB/T 1179中的钢芯铝绞线时，在海拔高度不超过1000m的地区，导线最小外径和分裂根数应符合下列规定：

1 交流线路导线最小外径和分裂根数应符合表5.1.3-1的规定。

表5.1.3-1 交流线路导线最小外径和分裂根数

标称电压(kV)	110	220	330		500		750	1000
分裂根数×导线外径(mm)	9.6	21.6	33.8	2×21.6	2×36.2	4×21.6	6×23.9	8×30.0（单回路） 8×33.8（双回路）

2　直流线路导线最小外径和分裂根数应符合表5.1.3-2的规定。

表5.1.3-2　直流单回路线路导线最小外径和分裂根数

标称电压(kV)	±500		±660		±800		±1100	
分裂根数×导线外径(mm)	2×44.5	4×23.8	4×36.2	6×30.0	6×33.8	8×27.6	8×44.5	10×38.4

5.1.4　输电线路无线电干扰限值应符合下列规定，电晕无线电干扰场强可按照本标准附录D的公式计算。

1　交流线路在海拔高度不超过1000m时，距边相导线对地投影外20m、对地2m高度处，在80%时间、具有80%置信度，频率为0.5MHz时的无线电干扰限值应符合表5.1.4的规定。

表5.1.4　无线电干扰限值

标称电压(kV)	110	220～330	500	750	1000
限值[dB(μV/m)]	46	53	55	58	58

2　直流线路在海拔高度不超过1000m时，距正极性导线对地投影外20m、对地2m高度处，在80%时间、具有80%置信度，频率为0.5MHz时的无线电干扰不应大于58dB(μV/m)。

5.1.5　输电线路可听噪声限值应符合下列规定，电晕可听噪声可按照本标准附录E的公式计算。

1　交流线路距边相导线对地投影外20m处，雨天条件下的可听噪声不应超过55dB(A)；

2　直流线路距正极性导线对地投影外20m处，晴天时由电晕产生的可听噪声(L50)不应超过45dB(A)，当线路海拔高度大于1000m且经过人烟稀少地区时，由电晕产生的可听噪声应控制在50dB(A)以下。

5.1.6　直流线路下晴天时地面合成场强和离子流密度限值应符合表5.1.6的规定。直流线路地面标称场强、合成场强和离子流密度可按照本标准附录F的公式计算。

表 5.1.6 地面合成场强和离子流密度限值

区域	合成场强(kV/m)	离子流密度(nA/m²)
居民区	25	80
一般非居民区	30	100

5.1.7 750kV、1000kV交流线路的耐张塔跳线以及进线档导线的选型应对电磁环境进行校验。

5.1.8 导线允许载流量可按照本标准附录G的方法计算,计算中导线的允许温度宜按下列规定取值:

1 钢或铝包钢芯铝绞线、钢或铝包钢芯铝合金绞线、铝合金芯铝绞线以及铝合金绞线宜采用+70℃,必要时可采用+80℃;大跨越宜采用+90℃;

2 铝包钢绞线以及钢芯铝包钢绞线可采用+80℃,大跨越可采用+100℃,或经试验确定;

3 镀锌钢绞线可采用+125℃。

注:环境气温宜采用最热月平均最高温度;风速应采用0.5m/s(大跨越应采用0.6m/s);太阳辐射功率密度应采用0.1W/cm²。

5.1.9 交流紧凑型线路导线选型应符合下列规定:

1 应使每根子导线电荷基本平衡;

2 为提高线路自然输送功率,紧凑型线路应采用多分裂导线,子导线宜采用对称均匀布置。每相子导线分裂根数应符合表5.1.9的规定。

表 5.1.9 紧凑型线路每相子导线最少分裂根数

标称电压(kV)	220	330	500
导线分裂根数	4	4	6

5.1.10 地线应满足电气和机械使用条件要求,可选用镀锌钢绞线或复合型绞线。验算短路热稳定时,计算时间和相应的短路电流应根据系统条件决定,地线的允许温度宜按下列规定取值:

1 钢芯铝绞线和钢芯铝合金绞线可采用200℃；

2 钢芯铝包钢绞线和铝包钢绞线可采用300℃；

3 镀锌钢绞线可采用400℃；

4 光纤复合架空地线的允许温度应采用产品试验保证值。

5.1.11 地线应按照电晕起晕条件进行校验。交流线路地线表面最大场强与起晕场强之比不宜大于0.8，直流线路地线表面最大场强不宜大于18kV/cm。

5.1.12 光纤复合架空地线结构选型应考虑耐雷击性能。

5.1.13 大跨越地线应通过综合技术经济比较确定，宜采用铝包钢绞线。

5.1.14 地线选用镀锌钢绞线时的最小截面宜符合表5.1.14的规定。

表5.1.14 地线采用镀锌钢绞线时最小截面要求

电压等级		交流					直流	
		110kV	220kV	330kV	500kV～750kV	1000kV	±500kV～±660kV	±800kV及以上
镀锌钢绞线最小标称截面（mm^2）	无冰区	35	50	80	80	170	80	150
	覆冰区	50	80	100	100	170	100	150

5.1.15 导地线在弧垂最低点的设计安全系数不应小于2.5，悬挂点的设计安全系数不应小于2.25。地线的设计安全系数不应小于导线的设计安全系数。

5.1.16 导地线在弧垂最低点的最大张力应满足：

$$T_{max} \leqslant \frac{T_p}{K_c} \tag{5.1.16}$$

式中：T_{max}——导地线在弧垂最低点的最大张力（N）；

T_p——导地线设计拉断力（N）；

K_c——导地线设计安全系数。

5.1.17 在稀有大风或稀有覆冰气象条件时，弧垂最低点的最大张力不应超过导地线设计拉断力的60%,悬挂点的最大张力不应超过导地线设计拉断力的66%。

5.1.18 大跨越导地线的单丝及绞线均不应有接头。

5.1.19 导地线架设后的塑性伸长,应按制造厂提供的数据或通过试验确定,塑性伸长对弧垂的影响宜采用降温法补偿。当无资料时,镀锌钢绞线的塑性伸长可采用 1×10^{-4},并降低温度10℃补偿;钢芯铝绞线的塑性伸长及降温值可采用表5.1.19所列数值。

表5.1.19 钢芯铝绞线塑性伸长及降温值

铝钢截面比	塑性伸长	降温值(℃)
4.29~4.38	3×10^{-4}	15
5.05~6.16	$3\times10^{-4}\sim4\times10^{-4}$	15~20
7.71~7.91	$4\times10^{-4}\sim5\times10^{-4}$	20~25
11.34~14.46	$5\times10^{-4}\sim6\times10^{-4}$	25(或根据试验数据确定)

注:对铝包钢绞线、大铝钢截面比的钢芯铝绞线或钢芯铝合金绞线应由制造厂家提供塑性伸长值或降温值。

5.2 导线和地线防振

5.2.1 一般线路导地线防振措施应符合下列规定:

1 导地线铝钢截面比不小于4.29的钢芯铝绞线或镀锌钢绞线,其平均运行张力的上限和相应的防振措施,应符合表5.2.1的规定,如有多年运行经验可不受表5.2.1的限制。

表5.2.1 导地线平均运行张力的上限和防振措施

情　况	平均运行张力的上限(设计拉断力的百分数)(%)		防振措施
	钢芯铝绞线	镀锌钢绞线	
档距不超过500m的开阔地区	16	12	不需要
档距不超过500m的非开阔地区	18	18	不需要

续表 5.2.1

情　况	平均运行张力的上限（设计拉断力的百分数）(%)		防振措施
	钢芯铝绞线	镀锌钢绞线	
档距不超过 120m	18	18	不需要
不论档距大小	22	—	护线条
不论档距大小	25	25	防振锤(阻尼线)或另加护线条

注：4 分裂导线采用阻尼间隔棒时，档距在 500m 及以下可不再采用其他防振措施，4 分裂以上导线采用阻尼间隔棒时，不采用其他防振措施的档距可适当增大。

2　导线最大次档距不宜大于 70m，最大端次档距不宜大于 35m，间隔棒宜不等距、不对称布置。

5.2.2　大跨越导地线防振措施应符合下列规定：

1　导地线应结合具体跨越条件进行耐振试验和防振方案设计，具体防振方案可参考运行经验或通过试验确定；

2　导地线平均运行张力的上限，应根据防振措施确定，悬挂点的平均运行张力不应超过设计拉断力的 25%或按照运行经验确定；导地线的防振措施，宜采用防振锤、阻尼线或阻尼线加防振锤等方案，分裂导线应采用阻尼式间隔棒；

3　导地线在悬垂线夹内均应安装预绞丝护线条，在防振锤、阻尼线线夹内宜安装预绞丝护线条；

4　导线分裂间距和直径之比宜大于 14；最大次档距应根据计算确定，且不宜过大；间隔棒的布置方案应采用不等距安装，各间隔棒对档距中央呈不对称布置；

5　架线过程中，导地线紧线完成后，应及时安装防振装置，否则应采取临时防振措施，不应在无防振装置的情况下超过 12h；

6　为了验证防振设计的可靠性，防振安装完成后及运行半年后宜进行测振，测振时间不少于 14d。

5.3 导线防舞

5.3.1 易舞动区的一般线路应采取或预留防舞措施。

5.3.2 易舞动区的大跨越应校验舞动情况下的电气间隙和机械强度,采取或预留防舞措施。

5.3.3 舞动校验及防舞措施详见本标准附录 H。

6 绝缘配合

6.1 基本要求

6.1.1 输电线路的绝缘配合，应使线路能在工频（工作）电压、操作过电压和雷电过电压等各种条件下保证输变电系统安全可靠地运行。

6.1.2 绝缘配置应以审定的污区分布图为基础，结合线路附近的污秽和发展情况，综合考虑环境污秽变化因素，选择合适的绝缘子类型和片数，并适当留有裕度。

6.1.3 绝缘子片数选择时，应首先使用污耐压法或爬电比距法计算工频（工作）电压下的绝缘子片数，并校核绝缘子串是否满足操作过电压及雷电过电压的要求，如果不能满足，应增加绝缘子片数。

1 当采用污耐压法时，绝缘子片数由下式确定：

$$n \geqslant \frac{U_{\mathrm{ph-e}}}{U_{\mathrm{W}}} \tag{6.1.3-1}$$

式中：n——海拔高度不超过1000m时每联绝缘子所需片数；

U_{W}——单片绝缘子污耐受电压（kV）；

$U_{\mathrm{ph-e}}$——相（极）对地最高运行电压（kV）。

2 当采用爬电比距法时，绝缘子片数由下式确定：

$$n \geqslant \frac{\lambda U_{\mathrm{ph-e}}}{K_{\mathrm{e}} L_{01}} \tag{6.1.3-2}$$

式中：λ——统一爬电比距（mm/kV）；

L_{01}——单片悬式绝缘子的几何爬电距离（mm）；

K_{e}——绝缘子爬电距离的有效系数。

6.1.4 使用复合绝缘子时，复合绝缘子的爬电距离应满足相应污秽条件下工频（工作）电压的要求，复合绝缘子有效绝缘长度需满足雷电过电压和操作过电压的要求。

6.1.5 海拔高度超过 1000m 地区悬垂绝缘子串的片数，宜按下式修正：

$$n_{\mathrm{H}} = n\mathrm{e}^{m_1(H-1000)/8150} \tag{6.1.5}$$

式中：n_{H}——高海拔地区每联绝缘子所需片数；

H——海拔高度(m)；

m_1——特征指数，它反映气压对于污闪电压的影响程度，由试验确定。交流线路使用的各种绝缘子 m_1 可按本标准附录 K 的规定取值。

6.1.6 空气间隙放电电压海拔高度修正系数 K_{a}，可按下式计算：

$$K_{\mathrm{a}} = \mathrm{e}^{mH/8150} \tag{6.1.6}$$

式中：H——海拔高度(m)；

m——海拔修正因子，工频(工作)电压、雷电过电压海拔修正因子 $m=1.0$；操作过电压海拔修正因子可按海拔修正因子 m 与电压的关系(图 6.1.6)中的曲线 a、c 取值。

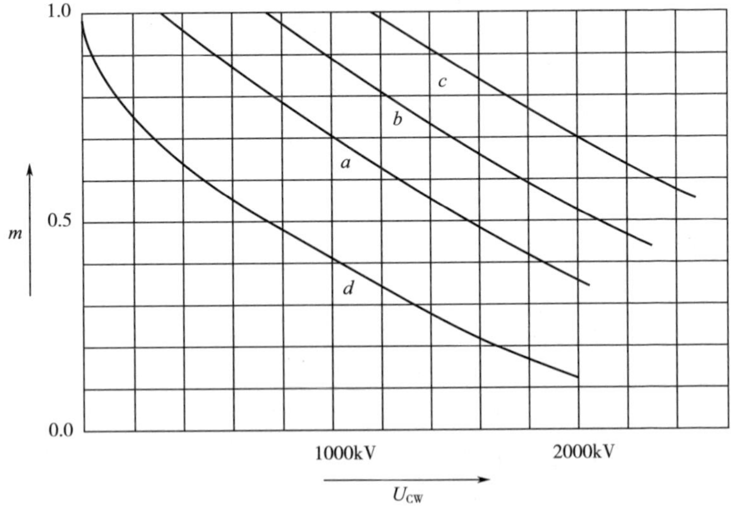

图 6.1.6 海拔修正因子 m 与电压的关系

a—相对地绝缘 b—纵向绝缘 c—相间绝缘 d—棒—板间隙。

6.2 交流线路的绝缘配合及空气间隙

6.2.1 交流线路绝缘配合设计可采用爬电比距法，也可采用污耐压法选择合适的绝缘子型式和片数。1000kV 线路宜采用污耐压法确定绝缘子片数。

6.2.2 交流线路在海拔高度 1000m 以下地区，操作过电压及雷电过电压要求的悬垂绝缘子串绝缘子片数，不应少于表 6.2.2 的数值。耐张绝缘子串的绝缘子片数应在表 6.2.2 的基础上增加，110kV～330kV 线路增加 1 片，500kV 线路增加 2 片，750kV 线路不需增加片数，1000kV 线路根据运行经验较悬垂绝缘子串可适当减少。

表 6.2.2 操作过电压及雷电过电压要求悬垂绝缘子串的最少片数

标称电压(kV)	110	220	330	500	750	1000
单片绝缘子的高度(mm)	146	146	146	155	170	195
绝缘子片数(片)	7	13	17	25	32	43

6.2.3 为保持高塔的耐雷性能，应符合下列规定：

1 110kV～500kV 输电线路，全高超过 40m 有地线的杆塔，高度每增加 10m，应比表 6.2.2 增加 1 片相当于高度为 146mm 的绝缘子，全高超过 100m 的杆塔，绝缘子片数应根据运行经验结合计算确定。750kV 及以上电压等级线路杆塔全高超过 40m，可根据实际情况进行验算，确定是否需要增加绝缘子片数和间隙。

2 由于高杆塔而增加绝缘子片数时，雷电过电压最小间隙也应相应增大。

3 大跨越雷电过电压下所要求的实际绝缘子片数应根据大跨越雷电过电压计算结果和运行经验确定。

6.2.4 线路采用复合绝缘子时，应符合下列规定：

1 c 级及以下污区，复合绝缘子的爬电距离不宜小于盘型绝缘子；

2　d 级及以上污区，复合绝缘子的爬电距离不应小于盘型绝缘子最小要求值的 3/4，且 110kV～750kV 线路复合绝缘子的统一爬电比距不小于 45mm/kV，1000kV 线路爬电距离应根据污秽闪络试验结果确定；

3　用于 220kV 及以上输电线路复合绝缘子两端都应加均压环，1000kV 线路导线侧应安装大、小双均压环；

4　相间复合绝缘间隔棒的爬电距离，取相对地复合绝缘子爬电距离的$\sqrt{3}$倍。

6.2.5　在海拔高度不超过 1000m 的地区，在相应风偏条件下，带电部分与杆塔构件(包括拉线、脚钉等)的最小间隙应符合表 6.2.5 的规定。

表 6.2.5　110kV～1000kV 带电部分与杆塔构件(包括拉线、脚钉等)的最小间隙(m)

标称电压(kV)	110	220	330	500	
海拔高度(m)	1000	1000	1000	500	1000
工频电压	0.25	0.55	0.90	1.20	1.30
操作过电压	0.70	1.45	1.95	2.50	2.70
雷电过电压	1.00	1.90	2.30	3.30	3.30

标称电压(kV)		750				1000			
回路数		单回路		双回路		单回路		双回路	
海拔高度(m)		500	1000	500	1000	500	1000	500	1000
工频电压	Ⅰ串	1.8	1.9	1.9	2.0	2.7	2.9	2.7	2.9
操作过电压	边相Ⅰ串	3.8	4.0	4.3	4.5	5.6	6.0	6.0	6.2
	中相Ⅴ串	4.6 (5.3)	4.8 (5.5)	—	—	6.7 (7.9)	7.2 (8.0)	—	—
雷电过电压		4.20(或按绝缘子串放电电压的 80%配合)		4.2	4.4	—	—	6.7	7.1

注：1 220kV～500kV 紧凑型线路的相对地间隙与表中的普通线路相同。

2 海拔高度不超过 500m 时，应采用表中 500m 海拔高度的间隙值。

3 按运行电压情况校验间隙时风速采用基本风速修正至相应导线平均高度处的值及相应气温。

4 当因高海拔而需增加绝缘子数量时，雷电过电压最小间隙也应相应增大。

5 括号内数值为V串对塔窗顶部最小间隙值。

6.2.6 大跨越雷电过电压最小空气间隙应与雷电过电压片数相匹配。

6.2.7 在海拔高度 1000m 以下地区，考虑带电作业时，带电部分对杆塔接地部分的最小校验间隙应符合表 6.2.7 的规定。

表 6.2.7 带电作业时带电部分对杆塔接地部分的最小校验间隙

标称电压（kV）	110	220	330	500	750		1000	
					单回	双回	单回	双回
校验间隙（m）	1.00	1.80	2.20	3.20	4.00/4.30（边相Ⅰ串/中相V串）	4.1	6.0/6.7（边相Ⅰ串/中相V串）	5.8/6.0/7.1（塔身/下侧横担/上侧横担）

注：1 对操作人员需要停留工作的部位，还应考虑 0.5m 的人体活动范围。

2 1000kV 线路在设计时，带电作业间隙不作为铁塔设计的控制条件。

6.2.8 海拔高度不超过 1000m 的地区，在塔头结构布置时的操作过电压相间最小距离和档距中考虑导线风偏的工频电压和操作过电压相间最小距离，不宜小于表 6.2.8 所列数值。

表 6.2.8 工频电压和操作过电压相间最小距离

标称电压（kV）		110	220	330	500	750	1000
工频电压（m）		0.5	0.9	1.6	2.2	2.8	4.6
操作过电压（m）	塔头	1.2	2.4	3.4	5.2	7.7*	10.3*
	档距中	1.1	2.1	3.0	4.6	5.4*	9.7*

注：* 表示数值为单回路紧凑型模拟塔头试验值。

6.3 直流线路的绝缘配合及空气间隙

6.3.1 直流线路绝缘子片数应采用污耐压法，对无可靠污耐压特性参数的绝缘子，也可按照污秽等级按爬电比距法选择合适的绝缘子类型和片数。

6.3.2 在海拔高度 1000m 以下地区，轻污区 0.05mg/cm² 盐密时，工作电压要求的Ⅰ型及Ⅴ型悬垂绝缘子串绝缘子片数，不宜少于表 6.3.2 的数值。

表 6.3.2 轻污区要求的Ⅰ型及Ⅴ型悬垂绝缘子串片数

标称电压(kV)	±500		±660		±800	±1100
串型	Ⅰ型	Ⅴ型	Ⅰ型	Ⅴ型	Ⅴ型	Ⅴ型
单片绝缘子的高度(mm)	170	170	170(195)	170(195)	170(195)	170(195)
爬电距离(mm)	545	545	545(635)	545(635)	545(635)	545(635)
绝缘子片数(片)	40	38	53(46)	51(44)	60(56)	83(77)

注：±800kV 及±1100kV 线路绝缘子片数适合南方地区，北方地区直流特高压线路工程的绝缘子片数应根据当地的污秽特征和气候条件，并结合当地已运行线路的经验综合确定。

6.3.3 耐张绝缘子串的绝缘子片数可取悬垂串同样的数值。在中、重污区，爬电比距可根据运行经验较悬垂绝缘子串适当减少。

6.3.4 复合绝缘子爬电距离不宜小于盘型绝缘子最小要求值的 3/4 并且两端均应加装均压环。

6.3.5 海拔高度不超过 1000m 的地区，在相应风偏条件下，直流线路带电部分与杆塔构件(包括拉线和脚钉等)的最小间隙，应符合表 6.3.5-1 和表 6.3.5-2 的规定。

表 6.3.5-1　±500kV～±660kV 带电部分与杆塔构件的最小间隙(m)

标称电压(kV)	±500				±660	
回路数	单回路		双回路		单回路	
海拔高度(m)	500	1000	500	1000	500	1000
工作电压	1.30	1.40	1.30	1.40	1.70	1.85
操作过电压 1.7p.u.	2.45	2.65	—	—	3.90	4.10
操作过电压 1.8p.u.	—	—	2.75	2.95	—	—
雷电过电压	—	—	4.2		—	—

表 6.3.5-2　±800kV 及以上直流线路带电部分与杆塔构件的最小间隙(m)

标称电压(kV)	±800		标称电压(kV)	±1100	
海拔高度(m)	500	1000	海拔高度(m)	500	1000
工作电压	2.1	2.3	工作电压	3.0	3.2
操作过电压 1.6p.u.	4.9	5.3	操作过电压 1.5p.u.	7.8	8.1
操作过电压 1.7p.u.	5.5	5.8	操作过电压 1.58p.u.	8.6	8.9
雷电过电压	—				

6.3.6　大跨越雷电间隙应根据线路要求的耐雷水平确定，并与雷电过电压片数相匹配。

6.3.7　在海拔高度 1000m 以下地区，考虑带电作业时，带电部分对杆塔接地部分的最小校验间隙应符合表 6.3.7 的规定。

表 6.3.7　单回路带电部分与杆塔接地部分的最小校验间隙(m)

标称电压(kV)	±500	±660	±800	±1100
带电作业	2.9	4.6	5.9	9.7

注：对操作人员需要停留工作的部位，还应考虑 0.5m 的人体活动范围。

7 防雷和接地

7.1 基本要求

7.1.1 输电线路的防雷接地设计，应根据线路电压、负荷性质和系统运行方式，结合当地已有线路的运行经验、地区雷电活动的强弱、地形地貌特点及土壤电阻率高低等情况，在计算耐雷水平后，通过技术经济比较，采用合理的防雷接地方式。

7.2 交流线路的防雷

7.2.1 少雷区的110kV线路可不沿全线架设地线，但应装设自动重合闸装置；少雷区的220kV～330kV线路应沿全线架设地线。在少雷区以外的110kV线路宜沿全线架设地线，其中山区和强雷区宜架设双地线；在少雷区以外的220kV～330kV线路应沿全线架设双地线。

7.2.2 500kV～1000kV一般线路应沿全线架设双地线，1000kV线路在变电站2km进出线段的线路宜适当加强防雷措施。

7.2.3 交流一般线路地线对导线的保护角应满足表7.2.3的要求。

表7.2.3 交流线路杆塔上地线对导线的保护角

标称电压（kV）	110		220		330		500		750		1000	
地形	平丘	山区	平丘	山区	平丘	山区	平丘	山区	平丘	山区	平丘	山区
单回路（°）	15		15		15		10		10		6	−4
双回路（°）	10		0		0		0		0		−3	−5

注：单地线线路地线保护角不宜大于25°。

7.2.4 220kV～500kV 紧凑型线路应全线架设双地线，地线对边导线的保护角宜采用负保护角。

7.2.5 交流大跨越线路应全线架设双地线；110kV～750kV 大跨越线路的保护角应满足表 7.2.3 的要求；1000kV 大跨越线路跨越塔上的保护角宜采用负保护角，并应根据实际工程条件确定。

7.2.6 750kV 及以下交流线路杆塔上两根地线之间的距离，不应超过地线与导线间垂直距离的 5 倍。在一般档距的档距中央，导线与地线之间的距离，应按下式计算，计算时气温取 15℃、无风、无冰。

$$S \geqslant 0.012L + 1 \tag{7.2.6}$$

式中：S——导线与地线间的距离(m)；

L——档距(m)。

7.2.7 1000kV 线路杆塔上两根地线之间的距离，不宜超过地线与导线间垂直距离的 5 倍。宜用数值计算的方法确定档距中央导线与地线之间的距离，也可按下式计算，计算时气温取 15℃、无风、无冰。

$$S \geqslant 0.015L + \sqrt{2}U_{ph-e}/500 + 2 \tag{7.2.7}$$

式中：U_{ph-e}——相(极)对地最高运行电压(kV)。

7.2.8 1000kV 交流大跨越线路宜用数值计算的方法确定档距中央导线与地线之间的距离，也可按公式(7.2.8)计算，并与公式(7.2.7)计算结果比较，取其中较小者。750kV 及以下交流大跨越线路档距中央导线与地线之间距离应按公式(7.2.8)计算，并与公式(7.2.6)计算结果比较，取其中较小者。对发电厂、变电站进线段内的大跨越档，导线与地线之间距离应满足公式(7.2.8)要求。

$$S \geqslant 0.1I \tag{7.2.8}$$

式中：I——档距中央的耐雷水平(kA)，采用表 7.2.8 所列数值。

表 7.2.8 档距中央的耐雷水平 *I*

标称电压(kV)	110	220	330	500	750	1000
耐雷水平(kA)	120	120	150	175	175	200

7.3 直流线路的防雷

7.3.1 直流线路应沿全线架设双地线。一般线路杆塔上地线对导线的保护角，不宜大于表7.3.1所列数值。

表7.3.1 直流线路杆塔上地线对导线的保护角

标称电压(kV)	±500		±660		±800		±1100	
地形	平丘	山区	平丘	山区	平丘	山区	平丘	山区
单回路(°)	10		0	−10	0	−10	−2	−15
双回路(°)	0		—		—		—	

7.3.2 直流大跨越线路应沿全线架设双地线，跨越塔上的保护角宜采用负保护角，并应根据实际工程条件确定。

7.3.3 ±660kV及以下直流线路档距中央导线与地线之间的距离，应按下式计算，计算时气温取+15℃，无风、无冰。

$$S \geqslant 0.012L + 1.5 \tag{7.3.3}$$

7.3.4 ±800kV及以上直流线路宜用数值计算的方法确定档距中央导线与地线之间的距离，也可按下式计算，计算时气温取+15℃，无风、无冰。

$$S \geqslant 0.015L + U_{ph-e}/500 + 2 \tag{7.3.4}$$

7.3.5 ±800kV及以上直流大跨越线路宜用数值计算的方法确定档距中央导线与地线之间的距离，也可按公式(7.3.5)计算，并与公式(7.3.4)计算结果比较，取其中较小者。±660kV及以下直流大跨越线路档距中央导线与地线之间距离应按公式(7.3.5)计算，并与公式(7.3.3)计算结果比较，取其中较小者。对发电厂、变电站进线段内的大跨越档，导线与地线之间距离应满足公式(7.3.5)要求。档距中央的耐雷水平I采用表7.3.5所列数值。

$$S \geqslant 0.1I \tag{7.3.5}$$

表 7.3.5 档距中央的耐雷水平 I

标称电压(kV)	±500	±660	±800	±1100
耐雷水平(kA)	175	175	200	200

7.4 输电线路的接地

7.4.1 有地线的杆塔应接地。在雷季干燥时，一般线路每基杆塔不连地线的工频接地电阻，不宜大于表 7.4.1 规定的数值。土壤电阻率较低的地区，当杆塔的自然接地电阻不大于表 7.4.1 所列数值时，可不装设人工接地体。

表 7.4.1 有地线的线路杆塔不连地线的工频接地电阻

土壤电阻率 ρ (Ω·m)	$\rho\leqslant100$	$100<\rho\leqslant500$	$500<\rho\leqslant1000$	$1000<\rho\leqslant2000$	$\rho>2000$
工频接地电阻 (Ω)	10	15	20	25	30

注：如土壤电阻率超过 2000Ω·m，接地电阻很难降到 30Ω 时，可采用 6 根～8 根总长不超过 500m 的放射形接地体或连续伸长接地体，其接地电阻不受限制。

7.4.2 大跨越塔接地电阻不应超过表 7.4.2 规定的数值。

表 7.4.2 大跨越塔的工频接地电阻

土壤电阻率 ρ (Ω·m)	$\rho\leqslant100$	$100<\rho\leqslant500$	$500<\rho\leqslant1000$	$1000<\rho\leqslant2000$	$\rho>2000$
工频接地电阻 (Ω)	5.0	7.5	10.0	12.5	15.0

注：如土壤电阻率超过 2000Ω·m，接地电阻很难降到 15Ω 时，接地电阻也不宜超过 20.0Ω。

7.4.3 中性点非直接接地系统在居民区的无地线钢筋混凝土杆和铁塔应接地。

7.4.4 线路经过直流接地极附近时，应考虑接地极对铁塔和基础的腐蚀影响。

7.4.5 通过耕地的输电线路，其接地体应埋设在耕作深度以下。位于居民区和水田的接地体应敷设成环形。

7.4.6 采用绝缘地线时，应限制地线上的电磁感应电压和电流，并应选用合适的放电间隙，以保证绝缘地线的安全运行。对绝缘地线长期通电的接地引线和接地装置，必须校验其热稳定，设置人身安全的防护措施。

7.4.7 当输电线路与电信线路交叉时，电信线路交叉档的木质电杆应有防雷措施。

7.4.8 大跨越线路杆塔的接地，应采用四点方式，接地体引下线的截面不应小于 $70mm^2$，接地体应镀锌；在接地体的搭接处，应进行防腐处理。

8 绝缘子和金具

8.0.1 绝缘子和金具机械强度的安全系数，不应小于表8.0.1规定的数值。双联及多联绝缘子串应验算断一联后的机械强度，其荷载及安全系数按断联情况考虑。

表8.0.1 绝缘子和金具机械强度的安全系数 K_I

情况		最大使用荷载		常年荷载	断线荷载	断联荷载	稀有荷载
		盘型绝缘子	棒型绝缘子				
绝缘子	一般线路	2.7	3.0	4.0	1.8	1.5	1.5
	大跨越	3.0	3.3	5.0	2.0	2.0	1.8
金具	一般线路	2.5		—	1.5	1.5	1.5
	大跨越	3.0		—	2.0	2.0	1.8

注：棒型绝缘子包括复合绝缘子和瓷棒绝缘子。

8.0.2 绝缘子和金具承受的各种荷载应满足下式要求：

$$T \leqslant \frac{T_R}{K_I} \tag{8.0.2}$$

式中：T——绝缘子和金具承受的荷载，包括最大使用荷载、常年荷载、断线荷载、断联荷载或稀有荷载(kN)；

T_R——绝缘子和金具的额定机械破坏负荷(kN)；

K_I——绝缘子和金具机械强度的安全系数，按表8.0.1取值。

8.0.3 采用黑色金属制造的金具表面应热镀锌或采取其他相应的防腐措施。

8.0.4 与横担连接的第一个金具应转动灵活且受力合理，其强度应高于串内其他金具强度。

8.0.5 悬垂V型串两肢之间夹角的一半可比最大风偏角小5°～10°,或通过试验确定。

8.0.6 V型串采用复合绝缘子时端部应采取防脱落设计,在顺线路方向应转动灵活。

8.0.7 330kV～1000kV交流线路、±500kV～±1100kV直流线路的绝缘子串和金具应考虑均压和防电晕措施。

8.0.8 压缩型耐张线夹和预绞式耐张线夹对导地线的握力,不应小于导地线额定拉断力的95%。

8.0.9 地线绝缘时宜使用双联绝缘子串。进线档构架侧地线金具串宜采用绝缘类型。

8.0.10 当线路与直流输电工程接地极距离小于5km时,地线应绝缘,大于或等于5km时应通过计算确定地线是否绝缘。

8.0.11 线路经过易舞动区时应适当提高绝缘子和金具的机械强度。

8.0.12 750kV～1000kV交流线路、±800kV～±1100kV直流线路的耐张塔跳线宜采用刚性跳线。

8.0.13 紧凑型线路直线塔导线绝缘子金具串宜采用V型串。当采用V型串加悬垂串组合时,应考虑绝缘子金具串转动时的受力变化。

8.0.14 紧凑型线路相间绝缘间隔棒的复合绝缘子芯棒直径不应小于30mm。相间绝缘间隔棒与子导线间隔棒的联结金具,应具有耐磨和转动灵活的性能。

8.0.15 大跨越线路的绝缘子串每串不得少于两联,安装前应进行试组装。

8.0.16 大跨越线路的耐张金具串应有弧垂调整装置,调整长度需满足施工架线的要求。

8.0.17 大跨越线路的光纤复合架空地线的悬垂线夹和耐张线夹应根据工程情况、悬挂点局部弯曲引起的附加张力及光纤复合架空地线具体形式确定,悬垂串宜使用双线夹。

9 导地线布置

9.1 导线线间距离

9.1.1 一般线路和大跨越的导线线间距离应符合下列规定：

1 导线水平线间距离宜按下式计算：

$$D = k_i L_k + k_u \frac{U}{110} + k_f \sqrt{f_c} \tag{9.1.1-1}$$

式中：D——导线水平线间距离(m)；

k_i——悬垂绝缘子串系数，见表 9.1.1-1；

L_k——悬垂绝缘子串长度(m)；

k_u——电压系数，对于交流线路，$k_u=1.0$，对于直流线路 $k_u=\sqrt{2}$；

U——线路电压，对于交流线路取标称线电压，对于直流线路取标称电压(kV)；

k_f——弧垂系数，一般线路 1000m 以下档距取 0.65，1000m 以上档距根据经验确定；对于大跨越，1000m～2500m 档距取 0.8～1.0；

f_c——导线最大弧垂(m)。

表 9.1.1-1 k_i 系数

悬垂绝缘子串类型	I-I 串	I-V 串	V-V 串
k_i	0.4	0.4	0

2 导线垂直排列的垂直线间距离，宜采用公式(9.1.1-1)计算结果的 75%。交流线路使用悬垂绝缘子串的杆塔，其垂直线间距离不宜小于表 9.1.1-2 所列数值。

表 9.1.1-2 交流线路使用悬垂绝缘子串杆塔的最小垂直线间距离

标称电压(kV)	110	220	330	500	750	1000
垂直线间距离(m)	3.5	5.5	7.5	10.0	12.5	16.0

3 导线三角排列的等效水平线间距离，宜按下式计算：

$$D_x = \sqrt{D_p^2 + \left(\frac{4D_z}{3}\right)^2} \tag{9.1.1-2}$$

式中：D_x——导线三角排列的等效水平线间距离(m)；

D_p——导线间水平投影距离(m)；

D_z——导线间垂直投影距离(m)。

9.1.2 紧凑型线路的导线线间距离应符合下列规定：

1 220kV～500kV 紧凑型线路的直线塔，同回路的三相导线应布置在同一塔窗内，三相导线宜采用等边倒三角形布置。

2 海拔高度不超过 1000m 的地区，相导线中心距离宜采用表 9.1.2-1 所列数值；每相分裂导线外接圆直径不宜小于表 9.1.2-2 所列数值。

表 9.1.2-1 相间距离

标称电压(kV)	220	330	500
相间距离(m)	3.4	4.8	6.7

表 9.1.2-2 分裂导线外接圆直径

标称电压(kV)	220	330	500
分裂导线外接圆直径(m)	0.495	0.495	0.750

9.1.3 同塔双回路或多回路塔上，不同回路的不同相(极)导线间的水平或垂直距离，应比本标准第 9.1.1 条要求的线间距离增加 0.5m。

9.2 导地线水平偏移

9.2.1 一般线路的导地线水平偏移应符合下列规定：

1 110kV～750kV 交流一般线路，如无运行经验，10mm 覆冰地区上下层相邻导线间或地线与相邻导线间的水平偏移，宜符合表9.2.1-1的规定。

表9.2.1-1　110kV～750kV交流线路上下层相邻导线间或地线与相邻导线间的水平偏移(m)

标称电压(kV)	110	220	330	500	750
设计冰厚10mm	0.5	1.0	1.5	1.75	2.0

注：1　无冰区可不考虑水平偏移。

2　设计冰厚5mm地区，上下层相邻导线间或地线与相邻导线间的水平偏移，可根据运行经验参照表9.2.1-1适当减小。

2　±500kV～±660kV直流线路覆冰地区上下层相邻导线间或地线与相邻导线间的水平偏移不宜小于表9.2.1-2的规定，并应进行校验。

表9.2.1-2　±500kV～±660kV直流线路上下层相邻导线间或地线与相邻导线间的水平偏移(m)

标称电压(kV)	±500kV～±660kV
设计冰厚10mm	1.75

注：设计冰厚5mm或无冰情况，水平偏移可根据运行经验适当减小。

3　1000kV交流一般线路和±800kV及以上直流一般线路，覆冰地区导线和地线间的水平偏移应进行电气间隙校验。

9.2.2　大跨越的导地线水平偏移应符合下列规定：

1　110kV～750kV交流大跨越及±500kV～±660kV直流大跨越线路上、下导线间及导线与地线间的水平偏移应进行电气间隙校验，并应符合表9.2.2中的规定。

表9.2.2　导线间、导线与地线间的最小水平偏移(m)

额定电压(kV)		110	220	330	500	750	±500	±660
设计冰厚(mm)	10	0.75	1.25	1.75	2.25	2.5	2.25	2.25
	15	1	1.75	2.25	2.75	3.5	2.75	2.75

注：对设计冰厚为5mm或无冰的大跨越，水平偏移可根据运行经验适当减小。

2　1000kV 交流大跨越线路和±800kV 及以上直流大跨越线路，上、下导线间及导线与地线间的水平偏移，应进行电气间隙校验，并不小于 1m；对设计冰厚为无冰的大跨越，水平偏移可根据运行经验适当减小。

9.2.3　特高压线路和大跨越，导线和地线不均匀脱冰时，导线间和导线与地线间的电气间隙校验应按静态接近距离不小于操作过电压的间隙值，动态接近距离不小于工频（工作）电压的间隙值。

9.2.4　经过易舞动区时，导线间和导线与地线间的电气间隙校验应按动态接近距离不小于工频（工作）电压的间隙值。

9.3　导地线风偏设计风荷载

9.3.1　导地线风荷载的风偏设计值，应按下列公式进行计算：

$$W_x = \beta_c \cdot \alpha_L \cdot W_0 \cdot \mu_z \cdot \mu_{sc} \cdot d \cdot L_p \cdot B_1 \cdot \sin^2\theta \tag{9.3.1-1}$$

$$\beta_c = \gamma_c(1 + 2g \cdot I_z) \tag{9.3.1-2}$$

$$I_z = I_{10} \cdot \left(\frac{z}{10}\right)^{-\alpha} \tag{9.3.1-3}$$

$$\alpha_L = \frac{1 + 2g \cdot \varepsilon_c \cdot I_z \cdot \delta_L}{1 + 2gI_z} \tag{9.3.1-4}$$

$$\delta_L = \frac{\sqrt{12L_xL_p^3 + 54L_x^4 - 36L_x^3L_p - 72L_x^4e^{-\frac{L_p}{L_x}} + 18L_x^4e^{-\frac{2L_p}{L_x}}}}{3L_p^2} \tag{9.3.1-5}$$

$$W_0 = v_0^2/1600 \tag{9.3.1-6}$$

式中：W_x——导地线风荷载风偏设计值（kN）；

β_c——导地线阵风系数，应按公式（9.3.1-2）计算；

α_L——档距折减系数，应按公式（9.3.1-4）计算，计算跳线时可取 1.0；

W_0——基准风压（kN/m²）；

μ_z——风压高度变化系数，基准高度为 10m 的风压高度变化系数应按表 9.3.1-1 取值，当不考虑高度影响时取 1.0；

μ_{sc}——导地线体型系数，线径≥17mm 时取 1.0，线径<17mm 时取 1.1，覆冰时取 1.1；

d——导地线外径或覆冰时的计算外径，分裂导线取所有子导线外径的总和(m)；

L_p——杆塔的水平档距(m)；

B_1——导地线覆冰风荷载增大系数，对于按有冰设计的各类情况，5mm 冰区时取 1.1，10mm 冰区时取 1.2，对无冰情况取 1.0；计算张力时取 1.0；

θ——风向与导地线方向之间的夹角(°)，一般取 90°；

γ_c——导地线风荷载折减系数，按表 9.3.1-2 取值；

ε_c——导地线风荷载脉动折减系数，取 1.0，计算张力时取 0；

g——峰值因子，取 3.6；

I_z——导地线平均高 z 处的湍流强度，应按式(9.3.1-3)计算；

I_{10}——10m 高度名义湍流强度，对应 A、B、C、D 类地面粗糙度可分别取 0.12、0.14、0.23 和 0.39；

z——导地线平均高度(m)；

α——地面粗糙度指数，对应 A、B、C、D 类地貌分别取 0.12、0.15、0.22 和 0.30；

δ_L——档距相关性积分因子，应按式(9.3.1-5)计算，计算跳线时可取 1.0；

L_x——水平向相关函数的积分长度，可取 50m；

e——自然常数，可取 2.71828；

v_0——基本风速(m/s)。

表 9.3.1-1 风压高度变化系数 μ_z

离地面或海平面高度(m)	地面粗糙度类别			
	A	B	C	D
5	1.09	1.00	0.65	0.51
10	1.28	1.00	0.65	0.51
15	1.42	1.13	0.65	0.51
20	1.52	1.23	0.74	0.51
30	1.67	1.39	0.88	0.51
40	1.79	1.52	1.00	0.60
50	1.89	1.62	1.10	0.69
60	1.97	1.71	1.20	0.77
70	2.05	1.79	1.28	0.84
80	2.12	1.87	1.36	0.91
90	2.18	1.93	1.43	0.98
100	2.23	2.00	1.50	1.04
150	2.46	2.25	1.79	1.33
200	2.64	2.46	2.03	1.58
250	2.78	2.63	2.24	1.81
300	2.91	2.77	2.43	2.02
350	2.91	2.91	2.60	2.22
400	2.91	2.91	2.76	2.40
450	2.91	2.91	2.91	2.58
500	2.91	2.91	2.91	2.74
≥550	2.91	2.91	2.91	2.91

注:1 地面粗糙度类别:A 类指近海面和海岛、海岸、湖岸及沙漠地区;B 类指田野、乡村、丛林、丘陵以及房屋比较稀疏的乡镇和城市郊区;C 类指有密集建筑群的城市市区;D 类指有密集建筑群且房屋较高的城市市区。

2 位于远海海面和海岛的架空输电线路,风压高度变化系数应适当提高。

表 9.3.1-2　导地线风荷载折减系数 γ_c

情　况		基本风速 v_0(m/s)		特高压跳线	非特高压跳线
		$v_0<20$	$v_0\geqslant20$		
一般线路	计算风压用	0.85	$-\frac{1}{7.16+e^{(32.5-1.2v_0)}}+0.64$	0.8	0.65
	计算张力用	0.9	$-\frac{1}{5.97+e^{(33.2-1.2v_0)}}+0.83$		
大跨越	计算风压用	0.9	$-\frac{1}{6.22+e^{(30.4-v_0)}}+0.77$		
	计算张力用		$-\frac{1}{5.42+e^{(30.5-v_0)}}+0.88$		

注:1　表 9.3.1-2 中,"计算风压用"指该行系数应用于计算导地线风偏时的导地线风压;"计算张力用"指该行系数应用于计算导地线风偏时的导地线张力;在计算确定控制工况时,选取工况 γ_c 取值应与计算杆塔荷载时相同,取 0.9。

2　大风以外各工况应将相应风速折算到离地 10m 高度处后查表 γ_c 值。

9.3.2　导线、地线以及跳线风荷载的组合值,应根据本标准第 4 章规定的气象条件按公式(9.3.1-1)～公式(9.3.1-6)计算。

9.4　绝缘子串风偏设计风荷载

9.4.1　绝缘子串风荷载的风偏设计值,应按下式计算:

$$W_I=n_I\cdot\lambda_I\cdot W_0\cdot\mu_z\cdot\mu_{SI}\cdot B_3\cdot A_I \tag{9.4.1}$$

式中:W_I——绝缘子串风荷载风偏设计值(kN);

n_I——垂直风向绝缘子联数;

λ_I——顺风向绝缘子风荷载屏蔽折减系数,顺风向绝缘子联数为单联时取 1.0,双联时取 1.5,三联时取 2.0,四联时取 3.0,对 V 型串取 2.0;

μ_{SI}——绝缘子串体型系数,可取 1.0,当有可靠试验数据时也可按试验结果确定;

B_3——绝缘子串覆冰风荷载增大系数,对于按有冰设计的各类情况，5mm 冰区取 1.1，10mm 冰区取 1.2，对无冰情况取 1.0；

A_{I}——单联绝缘子串承受风压面积计算值(m^2)。

对于Ⅰ型悬垂绝缘子串和耐张串的 n_{I} 与 λ_{I} 取值见表 9.4.1。

表 9.4.1　Ⅰ型悬垂绝缘子串和耐张串的 n_{I} 与 λ_{I} 取值

序号	a	b	c
图例		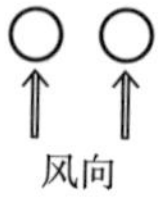	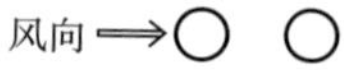
n_{I}	1	2	1
λ_{I}	1	1	1.5
序号	d	e	f
图例	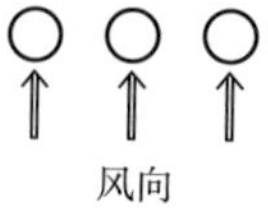		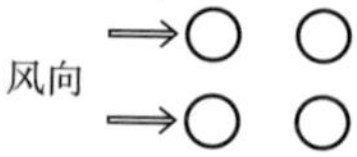
n_{I}	3	1	2
λ_{I}	1	2	1.5
序号	g	h	i
图例			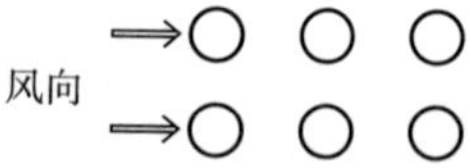
n_{I}	4	1	2
λ_{I}	1	3	2

9.4.2　绝缘子串风荷载的组合值，应根据本标准第 4 章规定的气象条件按式(9.4.1)计算。

9.5 线路换位

9.5.1 交流线路换位宜符合下列规定：

1 对110kV～750kV线路，长度超过100km的输电线路宜换位。换位循环长度不宜大于200km。一个变电站的某级电压的每回出线虽小于100km，但其总长度超过200km，可采用换位或变换各回路输电线路的相序排列的措施来平衡不对称电流。

2 对1000kV线路，单回线路采用水平排列方式时，线路长度大于120km应换位；单回线路采用三角形排列及同塔双回线路按逆相序排列时，其换位长度可适当延长。一个变电站的每回出线小于120km，但其总长度大于200km，可采用换位或变换各回输电线路的相序排列的措施来平衡不对称电流。

3 单回路紧凑型线路可不考虑换位，同塔双回紧凑型线路应根据系统运行特性确定是否换位及换位方式。

4 对于π接线路应校核不平衡度，必要时设置换位。

5 中性点非直接接地电力网，为降低中性点长期运行中的电位，可用换位或变换输电线路相序排列的方法来平衡不对称电容电流。

9.5.2 直流线路不需换位。

10 交叉跨越与对地距离

10.1 基本要求

10.1.1 导线与地面、建筑物、树木、铁路、公路、河流、管道、索道及各种架空线路的距离应符合下列规定：

1 垂直距离应根据导线运行温度40℃（若导线按照允许温度80℃设计时，导线运行温度取50℃）情况或覆冰无风情况求得的最大弧垂计算；

2 风偏净空距离应根据最大风情况或覆冰情况求得的最大风偏进行校验；

3 计算时可不考虑由于电流和太阳辐射等引起的弧垂增大，但应计及导线架线后塑性伸长的影响和设计、施工的误差；

4 大跨越线路的导线弧垂宜按导线实际能够达到的最高温度计算；

5 输电线路与铁路、高速公路及一级公路交叉时，如交叉档距超过200m，最大弧垂应按导线允许温度计算，一般导线的允许温度可取70℃或80℃。

10.1.2 当线路跨越铁路，高速公路，一级公路，电车道，一、二级通航河流，110kV及以上电力线，特殊管道、索道时，导地线不得接头。

10.1.3 当线路跨越110kV及以上线路，铁路，高速公路，一级公路，一、二级通航河流及特殊管道等时，导线悬垂绝缘子串宜采用V型串或双联Ⅰ型串，也可采用两个单联Ⅰ型串，500kV及以上交流线路、±500kV及以上直流线路宜采用双挂点。

10.1.4 输电线路跨越电信线路时，其交叉角应符合表10.1.4的规定。

表 10.1.4　输电线路与电信线路的交叉角

电信线路等级	一级	二级	三级及光缆、埋地电缆
交叉角	≥45°	≥30°	不限制

10.1.5　输电线路与甲类火灾危险性的生产厂房、甲类物品库房、易燃、易爆材料堆场以及可燃或易燃、易爆液(气)体储罐的防火间距，不应小于杆塔全高加 3m，还应符合其他的相关规定。在通道非常拥挤的特殊情况下，可与相关部门协商，在适当提高防护措施、满足防护安全要求后，可相应压缩防护间距。

10.1.6　输电线路与管道平行接近的距离很长时，需要按线路的参数和管道的特性具体分析计算确定是否需要采用特殊的防护措施。

10.2　交流线路的交叉跨越及对地距离

10.2.1　导线对地面的最小距离，以及与山坡、峭壁之间的最小净空距离应符合下列规定：

1　在最大计算弧垂情况下，导线对地面的最小垂直距离，应符合表 10.2.1-1 规定的数值。

表 10.2.1-1　导线对地面的最小垂直距离(m)

<table>
<tr><td colspan="2" rowspan="3">线路经过的地区</td><td colspan="7">标称电压(kV)</td></tr>
<tr><td rowspan="2">110</td><td rowspan="2">220</td><td rowspan="2">330</td><td rowspan="2">500</td><td rowspan="2">750</td><td colspan="2">1000</td></tr>
<tr><td>单回</td><td>同塔双回(逆相序)</td></tr>
<tr><td colspan="2">居民区</td><td>7.0</td><td>7.5</td><td>8.5</td><td>14.0</td><td>19.5</td><td>27.0</td><td>25.0</td></tr>
<tr><td rowspan="3">非居民区</td><td>农业耕作区</td><td rowspan="2">6.0</td><td rowspan="2">6.5</td><td rowspan="2">7.5</td><td rowspan="2">11.0
(10.5①)
(10.0②)</td><td>15.5</td><td>22.0</td><td>21.0</td></tr>
<tr><td>人烟稀少的非农业耕作区</td><td>13.7</td><td>19.0</td><td>18.0</td></tr>
<tr><td>交通困难地区</td><td>5.0</td><td>5.5</td><td>6.5</td><td>8.5</td><td>11.0</td><td colspan="2">15.0</td></tr>
</table>

注：①表示用于导线三角形排列的单回路。

②表示对应紧凑型导线等边倒三角布置。

2　在最大计算风偏情况下，导线与山坡、峭壁之间的最小净空距离，应符合表 10.2.1-2 规定的数值。

表 10.2.1-2 导线与山坡、峭壁之间的最小净空距离(m)

线路经过地区	标称电压(kV)					
	110	220	330	500	750	1000
步行可以到达的山坡	5.0	5.5	6.5	8.5	11.0	13.0
步行不能到达的山坡、峭壁	3.0	4.0	5.0	6.5	8.5	11.0

10.2.2 线路不应跨越屋顶为可燃材料的建筑物，对耐火屋顶的建筑物，如需跨越应与有关方面协调同意。500kV 及以上线路不应跨越长期住人的建筑物。导线与建筑物之间的距离应符合下列规定：

1 允许跨越时，在最大计算弧垂情况下，导线与建筑物之间的最小垂直距离，应符合表 10.2.2-1 规定的数值。

表 10.2.2-1 导线与建筑物之间的最小垂直距离(m)

标称电压(kV)	110	220	330	500	750	1000
垂直距离	5.0	6.0	7.0	9.0	11.5	15.5

2 在最大计算风偏情况下，导线与建筑物之间的最小净空距离，应符合表 10.2.2-2 规定的数值。

表 10.2.2-2 导线与建筑物之间的最小净空距离(m)

标称电压(kV)	110	220	330	500	750	1000
净空距离	4.0	5.0	6.0	8.5	11.0	15.0

3 不允许跨越时，在无风情况下，导线与建筑物之间的水平距离，应符合表 10.2.2-3 规定的数值。

表 10.2.2-3 导线与建筑物之间的最小水平距离(m)

标称电压(kV)	110	220	330	500	750	1000
水平距离	2.0	2.5	3.0	5.0	6.0	7.0

4 在最大计算风偏情况下，导线与规划建筑物之间的最小净空距离，应符合表 10.2.2-2 规定的数值。

10.2.3 500kV 及以上输电线路邻近民房或跨越非长期住人的建筑物时，房屋所在位置离地面 1.5m 处的未畸变电场不得超过 4kV/m。

10.2.4 线路经过经济作物和集中林区时，宜采用加高杆塔跨越林木不砍通道的方案，被跨越林木考虑主要树种的自然生长高度，并应符合下列规定：

1 当跨越时，导线与被跨越树木之间的最小垂直距离，应符合表 10.2.4-1 规定的数值。

表 10.2.4-1 导线与树木之间的最小垂直距离(m)

<table>
<tr><td rowspan="2">标称电压(kV)</td><td rowspan="2">110</td><td rowspan="2">220</td><td rowspan="2">330</td><td rowspan="2">500</td><td rowspan="2">750</td><td colspan="2">1000</td></tr>
<tr><td>单回</td><td>同塔双回(逆相序)</td></tr>
<tr><td>垂直距离</td><td>4.0</td><td>4.5</td><td>5.5</td><td>7.0</td><td>8.5</td><td>14.0</td><td>13.0</td></tr>
</table>

2 在最大计算风偏情况下，导线与树木之间的最小净空距离，应符合表 10.2.4-2 规定的数值。

表 10.2.4-2 导线与树木之间的最小净空距离(m)

标称电压(kV)	110	220	330	500	750	1000
净空距离	3.5	4.0	5.0	7.0	8.5	10.0

3 需要砍伐树木时，砍伐范围应按表 10.2.4-1 和表 10.2.4-2 的规定确定，并考虑导线静止时，按照最小工频电压间隙校核树木倾倒过程对导线的距离。

4 线路通过果树、经济作物林或城市灌木林不应砍伐通道。导线与果树、经济作物、城市绿化灌木及街道行道树木之间的最小垂直距离应符合表 10.2.4-3 规定的数值。

表 10.2.4-3 导线与果树、经济作物、城市绿化灌木及街道行道树木之间的最小垂直距离(m)

<table>
<tr><td rowspan="2">标称电压(kV)</td><td rowspan="2">110</td><td rowspan="2">220</td><td rowspan="2">330</td><td rowspan="2">500</td><td rowspan="2">750</td><td colspan="2">1000</td></tr>
<tr><td>单回</td><td>同塔双回(逆相序)</td></tr>
<tr><td>净空距离</td><td>3.0</td><td>3.5</td><td>4.5</td><td>7.0</td><td>8.5</td><td>16.0</td><td>15.0</td></tr>
</table>

10.2.5 交流线路与铁路、公路、河流、管道、索道及各种架空线路交叉或接近的要求应符合表 10.2.5-1 和表 10.2.5-2 的规定。

表 10.2.5-1　交流线路与铁路、公路、河流、管道、索道及各种架空线路交叉的最小垂直距离(m)

项目			标称电压(kV)							备注
			110	220	330	500	750	1000		
								单回路	双回路（逆相序）	
铁路	至轨顶	标准轨	7.5	8.5	9.5	14.0	19.5	27.0	25.0	—
		窄轨	7.5	7.5	8.5	13.0	18.5			—
		电气轨	11.5	12.5	13.5	16.0	21.5			—
	至承力索道或接触线		3.0	4.0	5.0	6.0	7.0 (10.0)	10.0 (16.0)	10.0 (14.0)	括号内的数值用于跨杆(塔)顶
	邻档断线情况	至轨顶	7.0	—	—	—	—	—	—	—
		至承力索或接触索	2.0	—	—	—	—	—	—	—
公路	至路面		7.0	8.0	9.0	14.0	19.5	27.0	25.0	—
	邻档断线情况	至路面	6.0	—	—	—	—	—	—	—

续表 10.2.5-1

项目			标称电压(kV)							备注
			110	220	330	500	750	1000		
								单回路	双回路（逆相序）	
电车道（有轨及无轨）	至路面		10.0	11.0	12.0	16.0	21.5	27.0	25.0	—
	至承力索或接触线		3.0	4.0	5.0	6.5	7.0 (10.0)	10.0 (16.0)	10.0 (14.0)	括号内的数值用于跨杆(塔)顶
	邻档断线情况	至承力索或接触线	2.0	—	—	—	—	—	—	—
通航河流	至最高航行水位桅顶		2.0	3.0	4.0	6.0	8.0	10.0	10.0	最高洪水位需考虑抗洪抢险船只时，垂直距离应协商确定
	至五年一遇洪水位		6.0	7.0	8.0	9.5	11.5	14.0	13.0	
不通航河流	百年一遇洪水位		3.0	4.0	5.0	6.5	8.0	10.0	10.0	
	冬季至冰面		6.0	6.5	7.5	11.0（水平）10.5（三角）	15.5	22.0	21.0	

续表 10.2.5-1

项目		标称电压(kV)							备注
		110	220	330	500	750	1000		
							单回路	双回路（逆相序）	
电信线	至被跨越物	3.0	4.0	5.0	8.5	12.0	18.0	16.0	—
	邻档断线情况（Ⅰ级）	1.0	—	—	—	—	—	—	—
电力线	至被跨越物	3.0	4.0	5.0	6.0 (8.5)	7.0 (12.0)	10.0 (16.0)	10.0 (16.0)	括号内的数值用于跨杆(塔)顶
架空特殊管道	至管道任何部分	4.0	5.0	6.0	7.5	9.5	18.0	16.0	—
	邻档断线情况（至管道任何部分）	1.0	—	—	—	—	—	—	—
索道	至索道任何部分	3.0	4.0	5.0	6.5	8.5 (顶部) 11.0 (底部)	11.0(顶部) 13.5(底部)		—

表 10.2.5-2　交流线路与铁路、公路、河流、管道、索道及各种架空线路的最小水平距离(m)

项目			标称电压(kV)						备注
			110	220	330	500	750	1000	
铁路	杆塔外缘至轨道中心	交叉	杆(塔)高加 3.1m,无法满足要求时可适当减小,但不得小于 30m,1000kV 线路不得小于 40m						1. 交叉时交叉角不宜小于 45°,困难情况下双方协商确定,但不应小于 30°; 2. 一般情况下,不宜在铁路车站出站信号机以内跨越; 3. 满足相关部门协议要求
		平行	最高杆(塔)高加 3.1m,困难时双方协商确定						
公路	交叉	杆塔外缘至路基边缘	8.0				10.0	15.0	1. 公路分级见本标准附录 L,城市道路分级可参照公路的规定; 2. 平行时最小水平距离对 1000kV 线路按边导线至路基边缘计算,对其余电压等级线路按杆塔外缘至路基边缘计算; 3. 满足相关部门协议要求; 4. 按规划要求在城市绿化带中走线时可不受水平距离要求限制
	平行	开阔地区	最高杆(塔)高						
		路径受限制地区	5	5	6	8(高速:15)	10(高速:20)	15/13(单回/双回)	

续表 10.2.5-2

项目			标称电压(kV)						备注
			110	220	330	500	750	1000	
电车道(有轨及无轨)	交叉	杆塔外缘至路基边缘	8.0				10.0	15.0	平行时最小水平距离对1000kV线路按边导线至电车道边缘计算，对其余电压等级线路按杆塔外缘至电车道边缘计算
	平行	开阔地区	最高杆(塔)高						
		路径受限制地区	5.0	5.0	6.0	8.0	10.0	15.0/13.0(单回/双回)	
通航河流	塔位至河堤		河堤保护范围之外或按协议取值						1. 不通航河流指不能通航，也不能浮运的河流； 2. 满足相关部门协议要求
不通航河流									

续表 10.2.5-2

项目				标称电压(kV)						备注
				110	220	330	500	750	1000	
电信线	与边导线间(平行)	开阔地区		最高杆(塔)高						1. 输电线路应架设在上方； 2. 电信线路分级见本标准附录 M
		路径受限制地区(最大风偏情况下)		4.0	5.0	6.0	8.0	10.0	13.0/12.0(单回/双回)	
电力线	与边导线间(平行)	开阔地区		最高杆(塔)高						—
		路径受限制地区	杆塔同步排列	5.0	7.0	9.0	13.0	16.0	20.0	
			杆塔交错排列(导线最大风偏情况下)	3.0	4.0	5.0	7.0	9.5	13.0	

续表 10.2.5-2

项目				标称电压(kV)						备注
				110	220	330	500	750	1000	
特殊管道、索道	边导线至管道、索道任何部分	开阔地区	交叉	杆(塔)高						1. 与索道交叉,若索道在上方,索道的下方应装保护设施; 2. 交叉点不应选在管道的检查井(孔)处; 3. 与管、索道平行、交叉时,管、索道应接地; 4. 管、索道上的附属设施,均应视为管、索道的一部分; 5. 特殊管道指架设在地面上输送易燃、易爆物品的管道
			平行	最高杆(塔)高						
		路径受限制地区(最大风偏情况下)		4.0	5.0	6.0	7.5	9.5(管道)、8.5(顶部)、11.0(底部)	13.0	

注:1 邻档断线情况的计算条件:15℃,无风,上表中有临档断线检验要求的交叉跨越物如表 10.2.5-3 所示。
2 杆塔为固定横担,且采用分裂导线时,可不检验邻档断线时的交叉跨越垂直距离。
3 当线路跨越拟建铁路桥梁地段,还应考虑到铁路架桥机施工情况。
4 电压较高的线路一般架设在电压较低线路的上方。
5 重覆冰地区的交叉跨越应考虑不均匀冰荷载情况校验弧垂增大,校验与被跨越物的垂直距离。
6 对于线路附近受静电感应可能带电的金属物宜接地。
7 水平接近距离不满足要求时,按协议取值。
8 1000kV 交流线路与低压用电线路和通信线路的平行长度不宜大于 1500m,与边导线的水平距离宜大于 50m,必要时,通信线路应采取防护措施,受静电或电磁感应影响电压可能异常升高的入户低压线路应给予必要的处理。

表 10.2.5-3　交叉跨越物临档断线检验要求

项　　目	是否检验
铁路	标准轨距：检验； 窄轨：不检验
公路	高速公路、一级公路：检验； 二、三、四级公路：不检验
电车道	检验
通航河流	不检验
不通航河流	不检验
电信线路	Ⅰ级：检验； Ⅱ、Ⅲ级：不检验
电力线路	不检验
特殊管道	检验
索道	不检验

10.3　直流线路的交叉跨越及对地距离

10.3.1　导线对地面的最小距离，以及与山坡、峭壁之间的最小净空距离应符合下列规定：

1　在最大计算弧垂情况下，导线与地面的最小垂直距离应符合表10.3.1-1和表10.3.1-2规定的数值。

表 10.3.1-1　±500kV～±660kV 线路导线与地面的最小垂直距离(m)

地区		标称电压(kV)						
		±500						±660
		导线截面(mm^2)						
		4×300	4×400	4×500	4×630	4×720	4×900	4×1000
居民区		16.0	16.0	15.5	15.5	15.0	15.0	18.0
非居民区	农业耕作区	12.5	12.5	12.0	12.0	11.5	11.5	16.0
	人烟稀少的非农业耕作区	9.5						14.0
	交通困难地区	9.0						13.5

注：1　表中数值用于单回路及采用＋－/－＋极性布置的同塔双回路。

2　上表海拔高度按1000m考虑。当海拔高度超过1000m，每增加1000m海拔高度，导线与地面的最小距离增加6%的距离。

3　在灰尘严重和气候干燥地区，宜适当增加极导线对地距离。

表 10.3.1-2　±800kV～±1100kV 线路导线与地面的最小垂直距离(m)

地区		标称电压(kV)										
		±800										±1100
		导线截面(mm²)										
		6×630/45		6×720/50	6×800/55	6×900/40	6×1000/45	6×1125/50	6×1250/70	8×900/40	8×1250/70	8×1250/70
		水平V串	水平I串	水平V串	水平V串	水平V串	水平V串	水平V串	水平V串	水平V串	水平V串	水平V串
居民区		21.0	21.5	21.0	20.5	20.0	19.5	19.0	18.5	18.0	16.0	28.5
非居民区	农业耕作区	18.0	18.5	18.0	18.0	17.5	17.0	17.0	16.0	16.0	14.5	25.0
	人烟稀少的非农业耕作区	16.0	17.0	16.0	16.0	15.5	15.5	15.0	14.5	14.5	13.0	22.0
	交通困难地区	15.0	15.5	15.0	15.0	14.5	14.5	14.0	13.5	13.5	13.0	21.0

注：1　表中海拔高度按 1000m 考虑。当海拔高度超过 1000m，每增加 1000m 海拔高度，导线与地面的最小距离增加 6%的距离。

2　在灰尘严重和气候干燥地区，宜适当增加极导线对地距离。

2　在最大计算风偏情况下，导线与山坡、峭壁之间的最小净空距离，应符合表 10.3.1-3 规定的数值。

表 10.3.1-3　导线与山坡、峭壁之间的最小净空距离(m)

线路经过地区	标称电压(kV)			
	±500	±660	±800	±1100
步行可以到达的山坡	9.0	11.0	13.0	15.5
步行不能到达的山坡、峭壁	6.5	8.5	11.0	13.5

10.3.2　线路不应跨越长期住人或屋顶为可燃材料危及线路安全的建筑物。对不长期住人的耐火屋顶建筑物，如需跨越时应与有关方面协商同意。导线与建筑物之间的距离应符合下列规定：

1　允许跨越时，在最大计算弧垂情况下，导线与建筑物之间的最小垂直距离应符合表 10.3.2-1 的规定。

表 10.3.2-1　导线与建筑物之间的最小垂直距离(m)

标称电压(kV)	±500	±660	±800	±1100
垂直距离	9.0	14.0	16.0	21.5

2　在最大计算风偏情况下，导线与建筑物之间的最小净空距离应符合表 10.3.2-2 的规定。

表 10.3.2-2　导线与建筑物之间的最小净空距离(m)

标称电压(kV)	±500	±660	±800	±1100
净空距离	8.5	13.5	15.5	21.0

3　不允许跨越时，在无风情况下，导线与建筑物之间的最小水平距离应符合表 10.3.2-3 的规定。

表 10.3.2-3　导线与建筑物之间的最小水平距离(m)

标称电压(kV)	±500	±660	±800	±1100
水平距离	5.0	6.5	7.0	7.0

4　在最大计算风偏情况下，导线与规划建筑物之间的最小净空距离，应符合表 10.3.2-2 的规定。

10.3.3 线路邻近民房或跨越非长期住人的建筑物时，房屋所在地面湿导线情况下的未畸变合成电场不应超过 15kV/m。

10.3.4 线路经过经济作物和集中林区时，宜采用加高杆塔跨越林木不砍通道的方案，被跨越林木考虑主要树种的自然生长高度，并应符合下列规定：

1 当跨越时，导线与被跨越树木之间的最小垂直距离，应符合表 10.3.4-1 的规定。

表 10.3.4-1 导线与树木之间的最小垂直距离(m)

标称电压(kV)	±500	±660	±800	±1100
垂直距离	7.0	10.5	13.5	17.0

2 在最大计算风偏情况下，导线与树木之间的最小净空距离，应符合表 10.3.4-2 的规定。

表 10.3.4-2 导线与树木之间的最小净空距离(m)

标称电压(kV)	±500	±660	±800	±1100
净空距离	7.0	10.5	10.5	14.0

3 需要砍伐树木时，砍伐范围应按表 10.3.4-1 和表 10.3.4-2 的要求确定，并考虑导线静止时，按照最小工作电压间隙校核树木倾倒过程对导线的距离。

4 线路通过果树、经济作物林或城市灌木林不应砍伐通道。导线与果树、经济作物、城市绿化灌木及街道行道树木之间的最小垂直距离应符合表 10.3.4-3 的规定。

表 10.3.4-3 导线与果树、经济作物、城市绿化灌木及街道行道树木之间的最小垂直距离(m)

标称电压(kV)	±500	±660	±800	±1100
垂直距离	8.5	12.0	15.0	19.5

10.3.5 直流线路与铁路、公路、河流、管道、索道及各种架空线路

交叉或接近的要求应符合表10.3.5-1～表10.3.5-3的规定。

表10.3.5-1　±500kV、±660kV线路与铁路、公路、河流、管道、索道及各种架空线路交叉的最小垂直距离(m)

<table>
<tr><th colspan="2" rowspan="2">项　目</th><th colspan="3">标称电压(kV)</th></tr>
<tr><th>±500</th><th>±660</th><th>备注</th></tr>
<tr><td rowspan="2">铁路</td><td>至轨顶</td><td>16.0</td><td>18.0</td><td>—</td></tr>
<tr><td>至承力索或接触线</td><td>6.0(8.5)</td><td>8.0(10.5)</td><td>括号内的数值用于跨杆(塔)顶</td></tr>
<tr><td>公路</td><td>至路面</td><td>16.0</td><td>18.0</td><td>—</td></tr>
<tr><td rowspan="2">通航河流</td><td>至5年一遇洪水位</td><td>9.0</td><td>12.5</td><td rowspan="2">最高洪水位需考虑抗洪抢险船只时，垂直距离应协商确定</td></tr>
<tr><td>至最高航行水位桅顶</td><td>6.0</td><td>8.0</td></tr>
<tr><td rowspan="2">不通航河流</td><td>百年一遇洪水位</td><td>8.0</td><td>10.0</td><td>—</td></tr>
<tr><td>冬季至冰面</td><td>12.0</td><td>16.0</td><td>—</td></tr>
<tr><td>电信线</td><td>至被跨越物</td><td>8.5</td><td>14.0</td><td>—</td></tr>
<tr><td>电力线</td><td>至被跨越物</td><td>6.0(8.5)</td><td>8.0(10.5)</td><td>括号内的数值用于跨杆(塔)顶</td></tr>
<tr><td>特殊管道</td><td>至管道任何部分</td><td>9.0</td><td>14.0</td><td>—</td></tr>
<tr><td>索道</td><td>至索道任何部分</td><td>6.0</td><td>8.0</td><td>—</td></tr>
</table>

注：1　垂直距离中，括号内的数值用于跨杆(塔)顶。

2　当线路跨越拟建铁路桥梁地段，还应考虑到铁路架桥机施工情况。

3　电压较高的线路应架设在电压较低线路的上方。

4　重覆冰地区的交叉跨越应考虑不均匀冰荷载情况校验弧垂增大，校验与被跨越物的垂直距离。

表 10.3.5-2 ±800kV、±1100kV 线路与铁路、公路、河流、管道、索道及各种架空线路交叉的最小垂直距离(m)

项目		极导线型式																											
		±800kV																											±1100kV
		6×630/45			6×720/50			6×800/55			6×900/40			6×1000/45			6×1125/50			6×1250/70			8×900/40			8×1250/70			8×1250/70
		1000m	2000m	3000m	1000m	2000m	3000m	1000m	2000m	3000m	1000m	2000m	3000m	1000m	2000m	3000m	1000m	2000m	3000m	1000m	2000m	3000m	1000m	2000m	3000m	1000m	2000m	3000m	1000m
铁路	至轨顶	21.0	22.5	23.0	21.0	22.0	23.0	20.5	21.5	22.5	20.0	21.0	22.0	19.5	20.5	21.5	19.0	20.0	21.0	18.5	19.5	20.5	18.0	19.5	20.5	16.0	17.5	19.0	28.5
	至承力索或接触线	15.0	15.5	16.0	14.5	15.0	15.5	14.0	14.5	15.0	14.0	14.5	15.0	13.5	14.0	15.0	13.5	14.0	14.5	13.0	13.5	14.5	13.0	13.5	14.5	12.5	12.5	13.5	19.5
公路	至路面	21.0	22.5	23.0	21.0	22.0	23.0	20.5	21.5	22.5	20.0	21.0	22.0	19.5	20.5	21.5	19.0	20.0	21.0	18.5	19.5	20.5	18.0	19.5	20.5	16.0	17.5	19.0	28.5
通航河流	至最高航行水位船舶驾驶甲板或人员活动平台	15.0	15.5	16.0	14.5	15.0	15.5	14.0	14.5	15.0	14.0	14.5	15.0	14.0	14.0	15.0	14.0	14.0	15.0	14.0	14.0	14.5	14.0	14.0	14.5	14.0	14.0	14.0	19.5
	至最高航行水位桅顶	10.5	10.5	10.5	10.5	10.5	10.5	10.5	10.5	10.5	10.5	10.5	10.5	10.5	10.5	10.5	10.5	10.5	10.5	10.5	10.5	10.5	10.5	10.5	10.5	10.5	10.5	10.5	13.0
不通航河流	百年一遇洪水位	12.5	12.5	12.5	12.5	12.5	12.5	12.5	12.5	12.5	12.5	12.5	12.5	12.5	12.5	12.5	12.5	12.5	12.5	12.5	12.5	12.5	12.5	12.5	12.5	12.5	12.5	12.5	15.0
	冬季至冰面	18.0	19.0	19.5	18.0	19.0	19.5	18.0	18.5	19.5	17.5	18.5	19.0	17.0	18.0	19.0	17.0	17.5	18.5	16.0	17.0	18.0	16.0	17.0	18.0	14.5	15.5	17.0	25.0

续表 10.3.5-2

项目		极导线型式																											
		±800kV																											±1100 kV
		6×630/45			6×720/50			6×800/55			6×900/40			6×1000/45			6×1125/50			6×1250/70			8×900/40			8×1250/70			8×1250/70
		1000 m	2000 m	3000 m	1000 m	2000 m	3000 m	1000 m	2000 m	3000 m	1000 m	2000 m	3000 m	1000 m	2000 m	3000 m	1000 m	2000 m	3000 m	1000 m	2000 m	3000 m	1000 m	2000 m	3000 m	1000 m	2000 m	3000 m	1000 m
电信线	至被跨越物	16.0	17.0	17.5	16.0	17.0	17.5	16.0	16.5	17.5	15.5	16.5	17.0	15.5	16.0	17.0	15.0	16.0	16.5	14.5	15.5	16.0	14.5	15.5	16.0	13.0	14.0	15.0	22.0
电力线	至被跨越物	10.5	10.5	10.5	10.5	10.5	10.5	10.5	10.5	10.5	10.5	10.5	10.5	10.5	10.5	10.5	10.5	10.5	10.5	10.5	10.5	10.5	10.5	10.5	10.5	10.5	10.5	10.5	13.0
	至杆顶	15.0	15.5	16.0	14.5	15.0	15.5	14.0	14.5	15.0	14.0	14.5	15.0	13.5	14.0	15.0	13.5	14.0	15.0	13.0	13.5	14.5	13.0	13.5	14.5	12.5	12.5	13.5	19.5
特殊管道、索道	至管道	16.0	17.0	17.5	16.0	17.0	17.5	16.0	16.5	17.5	15.5	16.5	17.0	15.5	16.0	17.0	15.0	16.0	16.5	14.5	15.5	16.0	14.5	15.5	16.0	13.0	14.0	15.0	22.0
	至索道	10.5	10.5	10.5	10.5	10.5	10.5	10.5	10.5	10.5	10.5	10.5	10.5	10.5	10.5	10.5	10.5	10.5	10.5	10.5	10.5	10.5	10.5	10.5	10.5	10.5	10.5	10.5	13.0

注：1　导线绝缘子串布置均按水平 V 串考虑。

2　当线路跨越拟建铁路桥梁地段，还应考虑到铁路架桥机施工情况。

3　电压较高的线路应架设在电压较低线路的上方。

4　重覆冰地区的交叉跨越应考虑不均匀冰荷载情况校验弧垂增大，校验与被跨越物的垂直距离。

5　最高洪水位需考虑抗洪抢险船只时，垂直距离应协商确定。

表 10.3.5-3 直流线路与铁路、公路、河流、管道、索道及各种架空线路的最小水平距离

<table>
<tr><th colspan="4" rowspan="2">项　目</th><th colspan="4">标称电压(kV)</th><th rowspan="2">备　注</th></tr>
<tr><th>±500</th><th>±660</th><th>±800</th><th>±1100</th></tr>
<tr><td rowspan="2">铁路</td><td colspan="2" rowspan="2">杆塔外缘至轨道中心</td><td>交叉</td><td>30.0</td><td>35.0</td><td colspan="2">杆(塔)高加3.1m,无法满足要求时可适当减小,但不得小于40m</td><td rowspan="2">1. 交叉时交叉角不宜小于45°,困难情况下双方协商确定,但不应小于30°;
2. 一般情况下,不宜在铁路车站出站信号机以内跨越;
3. 满足相关部门协议要求</td></tr>
<tr><td>平行</td><td colspan="4">最高杆(塔)高加3.1m,困难时双方协商确定</td></tr>
<tr><td rowspan="3">公路</td><td>交叉</td><td colspan="2">杆塔外缘至路基边缘</td><td>8.0</td><td>15.0</td><td>15.0</td><td>15.0</td><td rowspan="3">1. 公路分级见本标准附录L,城市道路分级可参照公路的规定;
2. 满足相关部门协议要求</td></tr>
<tr><td rowspan="2">平行</td><td rowspan="2">边导线至路基边缘</td><td>开阔地区</td><td colspan="4">最高杆(塔)高</td></tr>
<tr><td>路径受限制地区</td><td>8.0</td><td>10.5</td><td>12.0</td><td>15.0</td></tr>
<tr><td>通航河流</td><td colspan="3" rowspan="2">塔位至河堤</td><td colspan="4" rowspan="2">河堤保护范围之外或按协议取值</td><td rowspan="2">1. 不通航河流指不能通航,也不能浮运的河流;
2. 满足相关部门协议要求</td></tr>
<tr><td>不通航河流</td></tr>
<tr><td rowspan="2">电信线</td><td rowspan="2">与边导线间(平行)</td><td colspan="2">开阔地区</td><td colspan="4">最高杆(塔)高</td><td rowspan="2">1. 输电线路应架设在上方;
2. 电信线路分级见本标准附录M</td></tr>
<tr><td colspan="2">路径受限制地区(最大风偏情况下)</td><td>8.0</td><td>11.0</td><td>13.0</td><td>15.5</td></tr>
</table>

续表 10.3.5-3

项目				标称电压(kV)				备注
				±500	±660	±800	±1100	
电力线	与边导线间(平行)	开阔地区		最高杆(塔)高				—
		路径受限制地区	杆塔同步排列	13.0	18.0	20.0	22.0	
			杆塔交错排列(导线最大风偏情况下)	8.5	11.0	13.0	15.5	
特殊管道、索道	边导线至管道、索道任何部分	开阔地区	交叉	杆(塔)高				1. 与索道交叉,若索道在上方,索道的下方应装保护设施; 2. 交叉点不应选在管道的检查井(孔)处; 3. 与管、索道平行、交叉时,管、索道应接地; 4. 管、索道上的附属设施,均应视为管、索道的一部分; 5. 特殊管道指架设在地面上输送易燃、易爆物品的管道
			平行	最高杆(塔)高				
		路径受限制地区(最大风偏情况下)		9.0	13.0	15.0	17.5	

注:1 对于线路附近受静电感应可能带电的金属物宜接地。
2 水平接近距离不满足要求时,按协议取值。
3 ±800kV 及以上直流线路当平行接近低压用电线路和通信线路,在路径受限制地区,与低压用电线路和通信线路的平行长度不宜大于 1500m,与边导线的水平距离宜大于 50m。当不满足要求时,需按照相关要求进行分析,并采取相应防护措施。

11 附属设施

11.0.1 所有杆塔均应标明线路的名称、代号和杆塔号。

11.0.2 所有耐张型杆塔、分支杆塔和换位杆塔前后各一基杆塔上，均应有明显的相位或极性标志。

11.0.3 在多回路杆塔上或在同一走廊内的平行线路的杆塔上，均应标明每一线路的名称和代号。

11.0.4 对航路有影响的新建输电线路，应与航空管理部门协商装设航空障碍标志。

11.0.5 杆塔上固定标志的尺寸、颜色和内容应符合运行部门的规定。

附录A　典型气象区

A.0.1　我国典型气象区见表A.0.1。

表A.0.1　典型气象区

<table>
<tr><td colspan="2">气象区</td><td>Ⅰ</td><td>Ⅱ</td><td>Ⅲ</td><td>Ⅳ</td><td>Ⅴ</td><td>Ⅵ</td><td>Ⅶ</td><td>Ⅷ</td><td>Ⅸ</td></tr>
<tr><td rowspan="7">大气温度(℃)</td><td>最高</td><td colspan="9">+40</td></tr>
<tr><td>最低</td><td>−5</td><td>−10</td><td>−10</td><td>−20</td><td>−10</td><td>−20</td><td>−40</td><td>−20</td><td>−20</td></tr>
<tr><td>覆冰</td><td colspan="9">−5</td></tr>
<tr><td>基本风速</td><td>+10</td><td>+10</td><td>−5</td><td>−5</td><td>+10</td><td>−5</td><td>−5</td><td>−5</td><td>−5</td></tr>
<tr><td>安装</td><td>0</td><td>0</td><td>−5</td><td>−10</td><td>−5</td><td>−10</td><td>−15</td><td>−10</td><td>−10</td></tr>
<tr><td>雷电过电压</td><td colspan="9">+15</td></tr>
<tr><td>操作过电压、年平均气温</td><td>+20</td><td>+15</td><td>+15</td><td>+10</td><td>+15</td><td>+10</td><td>−5</td><td>+10</td><td>+10</td></tr>
<tr><td rowspan="5">风速(m/s)</td><td>基本风速</td><td>31</td><td>25</td><td>22</td><td>22</td><td>25</td><td>22</td><td>25</td><td>25</td><td>25</td></tr>
<tr><td>覆冰</td><td colspan="7">10*</td><td colspan="2">15</td></tr>
<tr><td>安装</td><td colspan="9">10</td></tr>
<tr><td>雷电过电压</td><td>15</td><td colspan="8">10</td></tr>
<tr><td>操作过电压</td><td colspan="9">0.5×基本风速折算至导线平均高度处的风速(不低于15m/s)</td></tr>
<tr><td colspan="2">覆冰厚度(mm)</td><td>0</td><td>5</td><td>5</td><td>5</td><td>10</td><td>10</td><td>10</td><td>15</td><td>20</td></tr>
<tr><td colspan="2">冰的密度(g/cm³)</td><td colspan="9">0.9</td></tr>
</table>

注：*表示一般情况下覆冰同时风速10m/s，当有可靠资料表明需加大风速时可取为15m/s。

附录 B 最小年费用法计算

B. 0. 1 最小年费用计算方法如下：

架空输电线路年费用计算见下列公式。工程建设投资按年初计入，运维投资按年底计入。

$$NF = Z\left[\frac{r_0(1+r_0)^n}{(1+r_0)^n-1}\right]+\mu \tag{B. 0. 1-1}$$

$$Z = \sum_{t=1}^{m} Z_t (Hr_0)^{m+1-t} \tag{B. 0. 1-2}$$

$$\mu = \frac{r_0(1+r_0)^n}{(1+r_0)^n-1}\left[\sum_{t=t'}^{m}\mu_t(1+r_0)^{m-t}+\sum_{t=m+1}^{m+n}\mu_t\frac{1}{(1+r_0)^{t-m}}\right] \tag{B. 0. 1-3}$$

式中：NF——年费用(平均分布在 $m+1$ 到 $m+n$ 期间的 n 年内)；

Z——折算到第 m 年的总投资；

H——折算年运行费用；

m——施工期年数；

n——经济使用年数；

t——从工程开工这一年起的年份；

t'——工程部分投产的年份；

r_0——电力工程投资的回收率；

Z_t——施工期第 t 年投资；

μ_t——第 t 年运行费用。

附录C 导线表面最大电位梯度计算

C.0.1 导线表面最大电位梯度计算可采用国际大电网会议第36分委会推荐方法：

1 分裂导线的等效直径按公式(C.0.1-1)计算：

$$d_{eq} = D\sqrt[n]{\frac{nd}{D}} \tag{C.0.1-1}$$

式中：D——通过 n 根次导线中心的圆周直径(cm)；

n——次导线的根数；

d——次导线的直径(cm)。

2 用麦克斯韦电位系数法决定每相(极)导线的等效总电荷 Q，见式(C.0.1-2)：

$$[V] = [P][Q] \tag{C.0.1-2}$$

式中：$[V]$——导线电位矩阵(kV)；

$[P]$——电位系数矩阵(m/F)；

$[Q]$——等效电荷矩阵(C/m)。

3 导线的平均表面电位梯度按公式(C.0.1-3)计算：

$$g = \frac{Q}{\pi\varepsilon_0 dn} \tag{C.0.1-3}$$

式中：g——电位梯度(kV/cm)；

ε_0——空气介电常数；

Q——等效电荷(C/m)。

4 导线表面最大电位梯度按照公式(C.0.1-4)计算：

$$g_{max} = g\left[1 + (n-1)\frac{d}{D}\right] \tag{C.0.1-4}$$

5 对于双极直流线路可以用每千伏梯度的梯度因子 g' 来近

似计算导线表面电位梯度：

$$g' = \frac{1+(n-1)\dfrac{r}{R}}{n \cdot r \cdot \ln\left[\dfrac{2H}{(n \cdot r \cdot R^{n-1})^{\frac{1}{n}}\sqrt{\dfrac{4H^2}{S^2}+1}}\right]} \tag{C.0.1-5}$$

$$g = Vg' \tag{C.0.1-6}$$

式中：g'——梯度因子[kV/(cm·kV)]；

V——导线电位(kV)；

r——次导线半径(cm)；

R——通过 n 根次导线中心圆周的半径(cm)；

H——导线的平均高度(导线对地最小高度加 1/3 弧垂)(cm)；

S——正极与负极导线之间的距离(cm)；

n——次导线根数(分裂导线分裂数)。

附录D　电晕无线电干扰场强计算

D.0.1　导线分裂数不大于4交流线路电晕无线电干扰计算采用经验公式：

1　三相单回路送电线路的无线电干扰场强的计算公式：

$$E_t = 3.5g_{maxt} + 12r_t - 33\lg\frac{L_t}{20} - 30 \qquad (D.0.1\text{-}1)$$

$$L_t = \sqrt{x_t^2 + h_t^2} \quad t = 1,2,3 \qquad (D.0.1\text{-}2)$$

式中：E_t——距第t相导线直线距离D_t处的无线电干扰场强[dB(μV/m)]；

g_{maxt}——第t相导线最大表面电位梯度(kV/cm)；

L_t——第t相导线到参考点P处的直线距离(m)；

h_t——第t相导线的对地高度(通常为弧垂最低点的高度)(m)；

r_t——第t相导线子导线半径(cm)；

x_t——P点到第t相导线的投影距离(m)。

2　三相线路的无线电干扰场强按照下列方法计算：如果某一相的场强比其余两相至少大3dB，那么后者可以忽略，三相线路的无线电干扰场强可认为等于最大的一相的场强；否则按照下式计算：

$$E = \frac{E_a + E_b}{2} + 1.5 \qquad (D.0.1\text{-}3)$$

式中：E_a、E_b——指三相中两相较大的干扰场强[dB(μV/m)]。

3　对于同塔双回路线路，六根导线中每根导线产生的无线电干扰场强可以按照式(D.0.1-1)进行计算，并将同名相导线产生的场强几何相加：

$$E_t = 20\lg\left[\sqrt{\left(10^{\frac{E_t'}{20}}\right)^2 + \left(10^{\frac{E_t''}{20}}\right)^2}\right] \qquad (D.0.1\text{-}4)$$

式中：E_t'——第一回的第 t 相导线在参考点处的干扰场强[dB(μV/m)]；

E_t''——第二回的第 t 相导线在参考点处的干扰场强[dB(μV/m)]；

E_t——两回第 t 相导线在参考点处的干扰场强[dB(μV/m)]。

然后按照 2 的方法计算得到同塔双回路的无线电干扰场强。

4 以上计算结构代表了好天气时，频率为 0.5MHz 的无线电干扰场强平均值。该平均值增加 6dB～10dB 后可代表 80％时间，80％置信度的值。

D.0.2 分裂数大于 4 导线的导线采用激发函数计算无线电干扰，计算值减少 10dB～15dB 后可代表 80％时间，80％置信度的值。

D.0.3 国际无线电干扰特别委员会(CISPR)推荐的直流线路电晕无线电干扰场强应按下式计算：

$$E = 38 + 1.6(g_{max} - 24) + 46\lg r + 5\lg n + 33\lg\frac{20}{L} + \Delta E_f + \Delta E_W \qquad (D.0.3)$$

式中：E——电晕无线电干扰场强[dB(μV/m)]；

g_{max}——导线表面最大电位梯度(kV/cm)；

r——子导线半径(cm)；

n——为分裂导线数；

L——为距正极性导线的距离(适用于 $D<100$m)；

ΔE_f——干扰频率修正项；

ΔE_W——气象修正项。

附录E　电晕可听噪声计算

E.0.1　交流线路电晕可听噪声可按下列公式进行计算。

$$SLA = 10\lg\sum_{i=1}^{z}\lg^{-1}\left[\frac{PWL(i) - 11.4\lg R_{\mathrm{i}} - 5.8}{10}\right] \tag{E.0.1-1}$$

式中：SLA——A计权声级；输电线路的可听噪声用A计权声级来表示；

R_{i}——测点至被测i相导线的距离(m)；

z——相数；

$PWL(i)$——i相导线的声功率级[dB(A)]。

$$PWL(i) = -164.6 + 120\lg E + 55\lg d_{\mathrm{eq}} \tag{E.0.1-2}$$

$$d_{\mathrm{eq}} = 0.58n^{0.48}d \tag{E.0.1-3}$$

式中：E——导线表面电位梯度(kV/cm)；

d_{eq}——导线等效半径(mm)；

n——导线分裂数；

d——子导线直径(mm)。

1000kV交流特高压同塔双回路输电线路的可听噪声可在式(E.0.1-1)计算值的基础上向下修正2dB(A)。

E.0.2　直流线路电晕可听噪声AN可按下列两个公式之一进行计算：

1　可听噪声可按下式计算：

$$AN = -133.4 + 86\lg g_{\max} + 40\lg d_{\mathrm{eq}} - 11.4\lg D \tag{E.0.2-1}$$

$$d_{\mathrm{eq}} = 0.66n^{0.64}d(n>2) \tag{E.0.2-2}$$

式中：$g_{\max}$——导线表面最大电位梯度(kV/cm)；

d——子导线直径(mm)；

n——子导线根数；

D——离正极导线的距离(m)。

以上公式为春秋季节好天气的 L_{50} 值，对夏、冬季节相应增加或减少 2dB(A)；对坏天气可减少 6dB(A)～11dB(A)。

2 可听噪声也可按下式计算：

$$AN = 56.9 + 124\lg(E/25) + 25\lg(d/4.45) + 18\lg(n/2) - 10\lg(D_r) - 0.02D_r + K_n \quad \text{(E.0.2-2)}$$

式中：E——导线表面最大电位梯度(kV/cm)；

n——分裂导线数；

d——子导线直径(cm)；

D_r——计算点至正极导线距离(m)；

K_n——与分裂根数有关，当 $n \geqslant 3$ 时，$K_n = 0$；当 $n = 2$ 时，$K_n = 2.6$；当 $n = 1$ 时，$K_n = 7.5$。

附录F　直流线路地面标称场强、合成场强和离子流密度计算

F.0.1　直流线路地面标称场强、合成场强和离子流密度计算方法如下：

1　采用附录C中公式(C.0.1-2)，计算各导线单位长度等效电荷。

2　空间任一点的电场强度可根据叠加原理计算得出，在(x,y)点的电场强度分量E_x和E_y可以公式(F.0.1-1)和公式(F.0.1-2)表示。求电场强度示意图如图F.0.1所示。

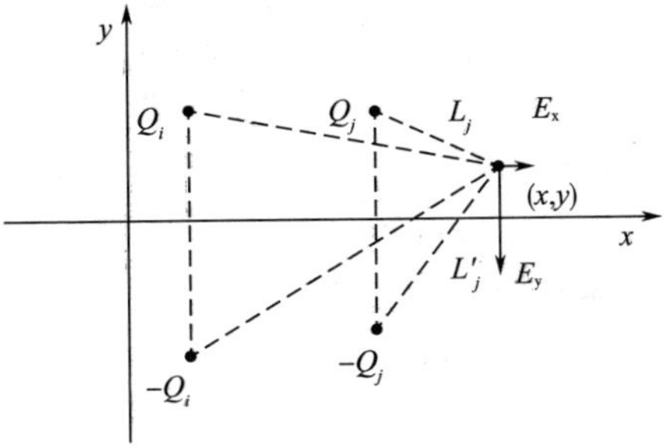

图F.0.1　求电场强度的示意图

$$E_x = \frac{1}{2\pi\varepsilon}\sum_{i=1}^{m} Q_i\left(\frac{x - x_i}{L_i^2} - \frac{x - x'_i}{L'^2_i}\right) \qquad (F.0.1\text{-}1)$$

$$E_y = \frac{1}{2\pi\varepsilon}\sum_{i=1}^{m} Q_i\left(\frac{y - y_i}{L_i^2} - \frac{y + y'_i}{L'^2_i}\right) \qquad (F.0.1\text{-}2)$$

式中：x、y——计算点空间坐标值；

x_i、y_i、x'_i、y'_i——等效电荷i及其镜像的坐标，$i=1,2,\cdots,m$；

m——等效电荷数(不计镜像电荷)；

L_i、L'_i——导线i及其镜像至计算点的距离。

地面（$y=0$）标称场强 $E_x=0, E_y=\frac{-1}{\pi\varepsilon}\sum_{i=1}^{m}\frac{Q_i y_i}{L_i^2}$。

3 假设空间电荷只影响场强幅值而不影响其方向。

$$E_s = AE \tag{F. 0. 1-3}$$

式中：E_s——空间某点的合成场强(kV/m)；

E——标称场强(kV/m)；

A——标量函数。

电晕后导线表面电位保持在起晕电压值 U_0，当导线对地电位为 U 时，导线表面的 A 值为 A_e，见公式(F. 0. 1-4)：

$$A_e = U_0/U \tag{F. 0. 1-4}$$

4 从导线表面积分到空间某点 i（设 i 点的标称电位为 φ），则 A 及空间电荷密度按公式(F. 0. 1-5)和公式(F. 0. 1-6)计算：

$$A^2 = A_e^2 + \frac{2\rho_e A_e}{\varepsilon_0}\int_{\varphi}^{U}\frac{d\varphi}{E^2} \tag{F. 0. 1-5}$$

$$\frac{1}{\rho^2} = \frac{1}{\rho_e^2} + \frac{2}{\varepsilon_0 \rho_e A_e}\int_{\varphi}^{U}\frac{d\varphi}{E^2} \tag{F. 0. 1-6}$$

式中：ρ_e——导线表面电荷密度，可用迭代法求出；

ρ——空间电荷密度(nc/m^3)；

ε_0——空气介电常数。

解公式(F. 0. 1-5)和公式(F. 0. 1-6)便可计算空间合成场强 E_s。

5 空间某点的离子流密度 J_s 按式(F. 0. 1-7)计算：

$$J_s = K\rho E_s \tag{F. 0. 1-7}$$

式中：J_s——空间某点的离子流密度(nA/m^2)；

K——离子迁移率[cm^2/(V·s)]。

附录G　导线允许载流量

G.0.1　导线允许载流量计算方法如下：

导线的载流量和温升的关系可以用热平衡方程描述。导线的热平衡方程由电流发热、辐射散热、对流散热和日照吸热。

$$I=\sqrt{\frac{W_R+W_F-W_S}{R'_t}} \tag{G.0.1-1}$$

式中：I——允许载流量（A）；

W_R——单位长度导线的辐射散热功率（W/m）；

W_F——单位长度导线的对流散热功率（W/m）；

W_S——单位长度导线的日照吸热功率（W/m）；

R'_t——允许温度时导线的交流电阻（Ω/m）。

辐射散热功率W_R的计算公式：

$$W_R=\pi DE_1\sigma[(\theta+\theta_a+273)^4-(\theta_a+273)^4] \tag{G.0.1-2}$$

式中：D——导线外径（m）；

E_1——导线表面的辐射散热系数，光亮的新线为0.23～0.43；旧线或涂黑色防腐剂的线为0.90～0.95；

σ——斯特藩一玻尔兹曼常数，为5.67×10^{-8}[W/(m²·k⁴)]；

θ——导线表面的平均温升（℃）；

θ_a——环境温度（℃）。

对流散热功率W_F的计算公式：

$$W_F=0.57\pi\lambda_f\theta\mathrm{Re}^{0.485} \tag{G.0.1-3}$$

式中：λ_f——导线表面空气层的传热系数（W/m/℃）；

Re——雷诺数。

$$\lambda_f=2.42\times10^{-2}+7(\theta_a+\theta/2)\times10^{-5} \tag{G.0.1-4}$$

$$\mathrm{Re} = VD/\upsilon \qquad (G.0.1\text{-}5)$$

式中：V——垂直于导线的风速（m/s）；

υ——导线表面空气层的运动粘度（m^2/s）。

$$\upsilon = 1.32 \times 10^{-5} + 9.6(\theta_a + \theta/2) \times 10^{-8} \qquad (G.0.1\text{-}6)$$

日照吸热功率 W_s 的计算公式：

$$W_s = \alpha_s J_s D \qquad (G.0.1\text{-}7)$$

式中：α_s——导线表面的吸热系数，光亮的新线为 0.35～0.46；旧线或涂黑色防腐剂的线为 0.9～0.95；

J_s——日光对导线的日照强度（W/m^2）；当天晴、日光直射导线时，可采用 $1000W/m^2$。

附录H 舞动校验及防舞措施

H.0.1 电气间隙校验应符合下列规定：

1 舞动地区的输电线路，在舞动情况下，相(极)间或相(极)地电气间隙值不应小于工频(工作)电压下要求的空气间隙值，必要时应根据其特点及舞动强度适当加大。

2 舞动振幅的计算。

美国、日本和苏联提出了一些校验舞动时塔头安全距离的计算方法，我国郭应龙等编著的《输电线路舞动》根据国内外有关资料，对导地线舞动轨迹的计算方法作了介绍，本标准参考该方法以及工程设计经验，对舞动振幅的计算方法规定如下：

假定导线舞动时地线不舞动，此时地线仅产生与导线相靠近的风偏角 ϕ_g(图H.0.1)。导线舞动轨迹为椭圆，椭圆长轴 a 与垂线间的夹角 θ 可取5°～10°，导线弧垂 f_c 的风偏角 ϕ_c 取10°～15°，地线弧垂 f_g 的风偏角 ϕ_g 根据其保护角的正负和对舞动导线可能发生的严重接近情况来确定，最小取0°，最大可比导线风偏角大5°。导线沿长轴向下舞动的最大振幅可取为：$a_1=(0.2\sim0.25)a$，向上的最大振幅可取为：$a_2=(0.8\sim0.75)a$，舞动轨迹的椭圆短轴 $b\approx0.4a$。以上参数的取值按照出现的舞动强度确定，强舞动区宜取上限。

舞动的振幅应根据线路的气象状况估算，可依据以下公式：

$$a=\eta U_w\sin\beta/f \tag{H.0.1-1}$$

式中：a——舞动振幅(椭圆轨迹的长轴)(m)；

U_w——风速(m/s)；

η——舞动的气象系数，一般取0.15；

β——风向与导线轴线的夹角(°)；

f——舞动频率(Hz)。

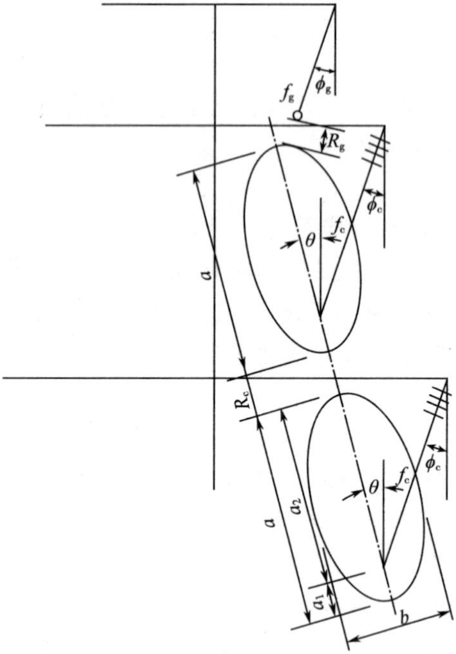

图 H.0.1　导线舞动时的电气间隙

舞动频率 f 可用以下公式进行估算：

$$f=\frac{n}{2l}\sqrt{\frac{T}{m}} \tag{H.0.1-2}$$

式中：l——档距(m)；

T——弧垂最低点导线张力(N)；

m——导线单位长度质量(kg/m)；

n——半波数，即舞动的阶次。对档距 $l<200$m 的档，可取 $n=1$ 或 2；对档距在 200m$<l<$500m，可取 $n=2$ 或 3；对档距在 $l>500$m，可取 $n=2$ 或 3 或 4。

由于舞动影响因素众多，在上述舞动振幅估算的基础上，还应结合国内外的经验，进行舞动振幅的预测。对于强舞动区，对一般档距，a 最大值可取 12m；对大跨越档距，a 最大值可取 20m；对于一般舞动地区，可依据上述估算确定振幅。

3 应根据预测的振幅，计算相（极）间及相（极）地接近距离，并按照空气间隙要求进行塔头尺寸设计。

H.0.2 杆塔和基础校验应符合下列规定：

1 对于易舞动地区的输电线路，在横担设计时，宜增加舞动校验工况组合：风速15m/s，冰厚5mm，气温−5℃，风向90°，组合系数0.9。舞动纵向张力取值应符合表H.0.2规定。

表 H.0.2 舞动张力取值

类型	耐张型杆塔		悬垂型杆塔	
	档距≤400m	档距＞400m	档距≤400m	档距＞400m
孤立档	80	100	—	—
非孤立档	40	50	12	15

注：表中数值为导线最大使用张力百分数。

2 在易舞动区，校验重要交叉跨越耐张杆塔横担部分螺栓孔壁挤压强度时，杆件内力可考虑1.15～1.25的增大系数。

3 根据舞动校验工况校验耐张塔基础的强度和稳定性；易舞动区，塔腿与基础连接宜采用地脚螺栓。

H.0.3 易舞动地区的输电线路宜采取以下防舞措施：

1 缩小档距、降低杆塔高度。

2 提高杆塔、导线、金具和绝缘子等的机械强度。

1）优化铁塔结构型式和构造，增加螺栓强度和数量、螺栓防松等。

2）金具及绝缘子的设计安全系数适当提高，提高的幅度应视可能出现的舞动强度而定。金具的设计安全系数一般线路不宜低于2.75，大跨越线路不宜低于3.3。绝缘子的设计安全系数按相应比例提高。

3）一般线路宜加大瓷或者玻璃悬垂绝缘子串的联间距；

导线悬垂线夹应采用预绞式或加装预绞丝护线条；V型复合绝缘子串绝缘子端部与金具联接宜采用环环联接；耐张绝缘子串采用双联以上串型时，宜采用水平方式布置。

3 加装防舞装置。

H.0.4 加装防舞装置应符合下列规定：

1 当加装防舞装置时，宜采取宏观集中、微观分散的布置方式。

2 可选择线夹回转式间隔棒、双摆防舞器、失谐摆、偏心重锤、扰流防舞器、阻尼器、动力减振器等装置作为防舞措施，慎用新型防舞装置。

3 加装防舞器应与线路设计相结合，确保防舞设计不对线路安全稳定运行产生不良影响。已建线路加装防舞装置，应进行线路弧垂、运行应力的校核，并确保线路微风振动水平不超标。新建线路加装防舞装置时，应将计入防舞装置的质量后的导线平均运行应力控制在不大于导线的破坏应力的25％。为防止安装的防舞装置损伤导线并降低导线的振动水平，在防舞装置质量较大时，在防舞装置线夹处宜加装预绞丝护线条。

4 对500kV及以上等级的线路还应注意防舞器应有良好的防电晕性能。

5 防舞设计方法中，其主要特点详见表H.0.4。

表H.0.4 防舞装置及其主要特点

序号	防舞器	造价	主要特点
1	双摆防舞器	较低	适用于分裂导线，安装方便，防舞效果较好
2	扰流防舞器	较高	主要用于覆冰较薄的地区，单导线上应用多于分裂导线
3	阻尼器	较高	对低频舞动较有效

续表 J.0.1

序号	防舞器	造价	主要特点
4	偏心重锤	较低	适用于分裂导线，应注意对微风振动的影响，防舞效果较好
5	失谐摆	较低	在单导线上应用有效，在分裂导线上的应用有待研究
6	压重防舞器	较高	应注意对导线弧垂、微风振动等的影响
7	动力减振器	高	国外应用，国内已有试用
8	线夹回转式间隔棒	较高	布置方式对防舞效果的影响较大

附录J 高压架空线路污秽分级标准

J.0.1 典型环境污湿特征与相应现场污秽度评估及外绝缘强度选择见表J.0.1。

表J.0.1 典型环境污湿特征与相应现场污秽度评估及外绝缘强度选择

典型环境	污湿特征(典型环境描述)	现场污秽度分级	污秽类型④	等值盐密ESDD (mg/cm^2)	统一爬电比距 (mm/kV)
E1	很少人类活动,植被覆盖好,且: 距海、沙漠或开阔干地＞50km①, 距大、中城市＞30km～50km, 距上述污染源更短距离内,但污染源不在积污期主导风上	a 非常轻②	A A A	≤0.025	22～25.2
E2	人口密度500人/km^2～1000人/km^2的农业耕作区,且: 距海、沙漠或开阔干地＞10km～50km, 距大、中城市15km～50km, 重要交通干线沿线1km内, 距上述污染源更短距离内,但污染源不在积污期主导风上, 工业废气排放强度小于1000万标m^3/km^2, 积污期干旱少雾少凝露的内陆盐碱(含盐量小于0.3%)地区	b 轻	A A A A A A A	0.025～0.05	25.2～31.5

续表 J.0.1

典型环境	污湿特征(典型环境描述)	现场污秽度分级	污秽类型④	等值盐密 ESDD (mg/cm^2)	统一爬电比距 (mm/kV)
E3	人口密度 1000 人/km^2～10000 人/km^2 的农业耕作区,且: 距海、沙漠或开阔干地>3km～10km③, 距大、中城市 15km～20km, 重要交通干线沿线 0.5km 及一般交通线 0.1km 内, 距上述污染源更短距离内,但污染源不在积污期主导风上, 包括乡镇工业在内工业废气排放强度不大于 1000 万标 m^3/km^2～3000 万标 m^3/km^2, 退海轻盐碱和内陆中等盐碱(含盐量小于 0.3%～0.6%)地区	c 中	A A A A A A A	0.05～0.1	31.5～39.4
E4	距上述 E3 污染源更远(距离在 b 级污区的范围内),但: 在长时间(几星期或几个月)干旱无雨后,常常发生雾或毛毛雨, 积污期后期可能出现持续大雾或融冰雪的 E3 类地区, 灰密为等值盐密 5 倍～10 倍及以上的地区	c 中	A A A		

续表 J.0.1

典型环境	污湿特征(典型环境描述)	现场污秽度分级	污秽类型④	等值盐密 ESDD (mg/cm^2)	统一爬电比距 (mm/kV)
E5	人口密度大于 10000 人/km^2 的居民区和交通枢纽, 距海、沙漠或开阔干地 3km 以内, 距独立化工及燃煤工业源 0.5km～2km 内, 乡镇工业密集区及重要交通干线 0.2km 内, 重盐碱(含盐量小于 0.6%～1.0%)地区	d 重	A A/B A/B A A	0.1～0.25	39.4～50.4
E6	距上述 E5 污染源更长的距离(与 c 级污区对应的距离),但: 在长时间(几星期或几个月)干旱无雨后,常常发生雾或毛毛雨, 积污期后期可能出现持续大雾或融冰雪的 E5 类地区, 灰密为等值盐密 5 倍～10 倍及以上的地区	d 重	A A A		
E7	沿海 1km 和含盐量大于 1.0% 的盐土、沙漠地区, 在化工、燃煤工业源区内及据此类独立工业源 0.5km, 距污染源的距离等同于 d 级污区,且: 直接受到海水喷溅或浓盐雾,同时受到工业排放物如高电导废气、水泥等污染和水汽湿润	e 非常重	A/B A/B B A/B	>0.25	50.4～59.8

注:1 ①表示台风影响可能使距海岸 50km 以外的更远距离处测得较高的等值盐密值;②表示在当前大气环境条件下,我国中东部地区电网不宜设"非常轻"污区;③表示取决于沿海的地形和风力;④表示污秽类型的定义详见现行国家标准《污秽条件下使用的高压绝缘子的选择和尺寸确定 第 1 部分:定义、信息和一般原则》GB/T 26218.1。

2 当 e 级区等值盐密大于 0.35mg/cm^2 时,应根据现场实际污秽条件计算绝缘子串片数。

3 统一爬电比距按系统最高相电压计算。

附录K　各种绝缘子的m_1参考值

K.0.1　各种绝缘子的m_1参考值宜符合表K.0.1-1规定的数值。瓷和玻璃绝缘子试品的尺寸和形状宜按表K.0.1-2的规定确定，绝缘子试品形状图如图K.0.1所示。

表K.0.1-1　各种绝缘子的m_1参考值

试品	材料	m_1值		
		盐密0.05mg/cm²	盐密0.2mg/cm²	平均值
1#	瓷	0.66	0.64	0.65
2#		0.42	0.34	0.38
3#		0.28	0.35	0.32
4#		0.22	0.40	0.31
5#	玻璃	0.54	0.37	0.45
6#		0.36	0.36	0.36
7#		0.45	0.59	0.52
8#		0.30	0.19	0.25
9#	复合	0.18	0.42	0.30

表K.0.1-2　瓷和玻璃绝缘子试品的尺寸和形状

试品	材料	盘径(mm)	结构高度(mm)	爬电距离(cm)	表面积(cm²)	重量(kg)	机械强度(kN)
1#	瓷	280	170	33.2	1730.27	8.5	210
2#		300	170	45.9	2784.86	11.5	210
3#		320	195	45.9	3025.98	13.5	300
4#		340	170	53.0	3627.04	12.1	210

续表 K. 0. 1-2

试品	材料	盘径 (mm)	结构高度 (mm)	爬电距离 (cm)	表面积 (cm^2)	重量 (kg)	机械强度 (kN)
5#	玻璃	280	170	40.6	2283.39	7.2	210
6#		320	195	49.2	3087.64	10.6	300
7#		320	195	49.3	3147.40	11.3	300
8#		380	145	36.5	2476.67	6.2	120

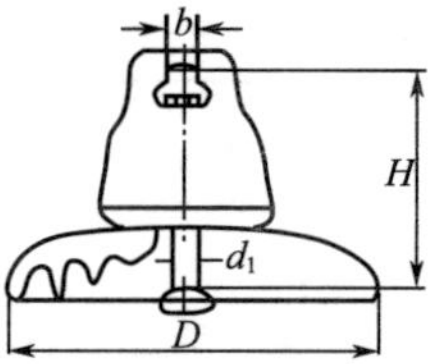

1#试品

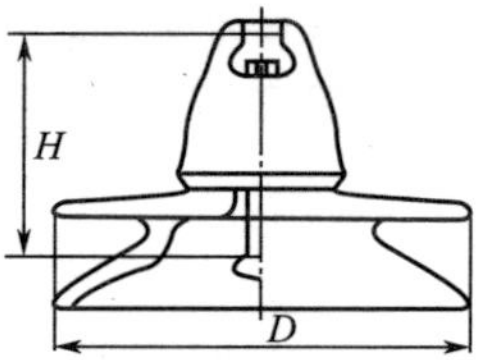

2#试品

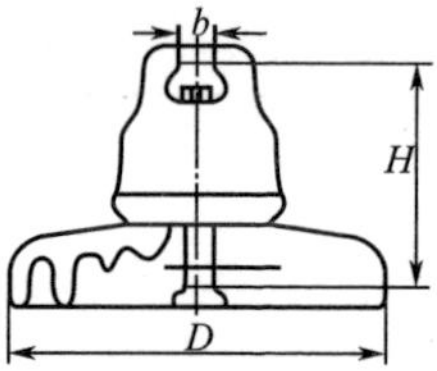

3#试品

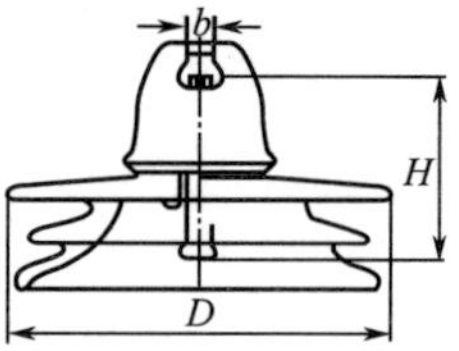

4#试品

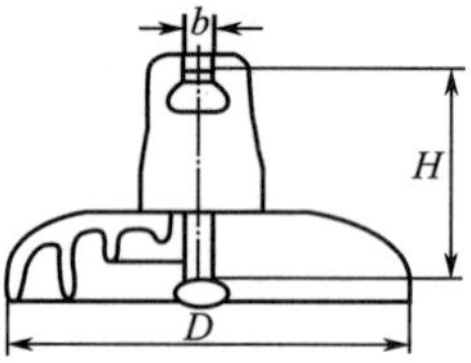

5#试品

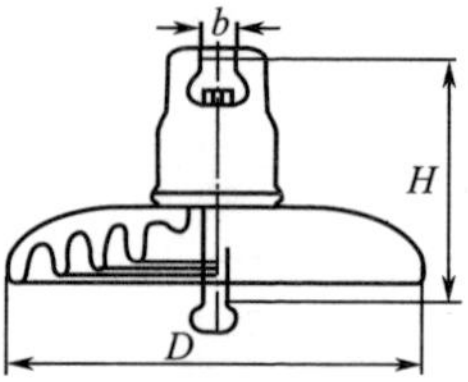

6#试品

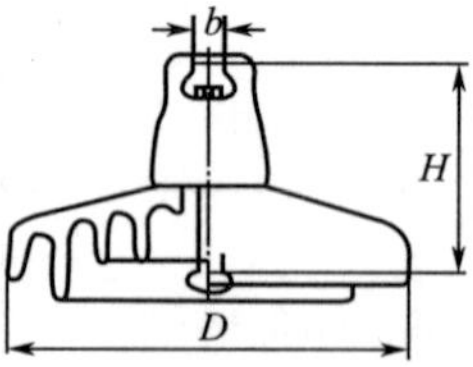

7#试品

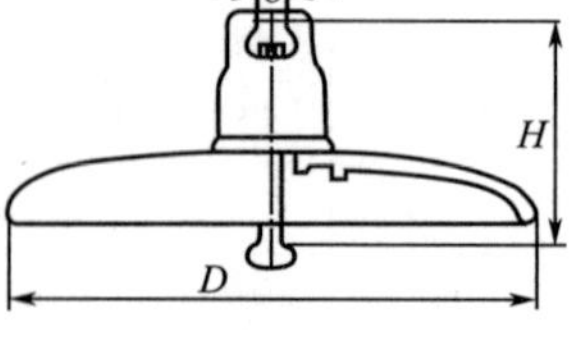

8#试品

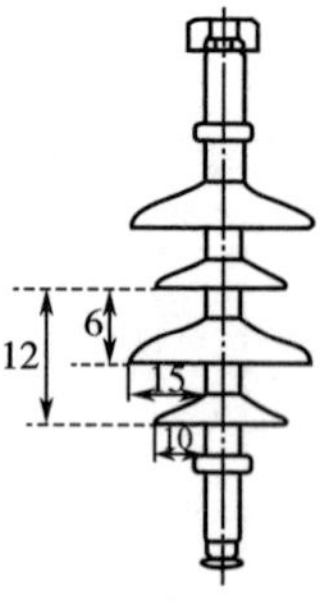

9#试品

图 K. 0. 1　绝缘子试品形状图

附录L　公 路 等 级

L.0.1　高速公路为专供汽车方向、分车道行驶，全部控制出入的多车道公路。高速公路的年平均日设计交通量宜在15000辆小客车以上。

L.0.2　一级公路为供汽车分方向、分车道行驶，可根据需要控制出入的多车道公路。一级公路的年平均日设计交通量宜在15000辆小客车以上。

L.0.3　二级公路为供汽车行驶的双车道公路。二级公路的年平均日设计交通量宜为5000辆～15000辆小客车。

L.0.4　三级公路为供汽车、非汽车交通混合行驶的双车道公路。三级公路的年平均日设计交通量宜为2000辆～6000辆小客车。

L.0.5　四级公路为供汽车、非汽车交通混合行驶的双车道或单车道公路。双车道四级公路年平均日设计交通量宜在2000辆小客车以下。单车道四级公路年平均日设计交通量宜在400辆小客车以下。

附录 M　电信线路等级

M.0.1　一级电信线路应为首都与各省(市)、自治区所在地及其相互间联系的主要线路,包括首都至各重要工矿城市、海港的线路以及由首都通达国外的国际线路,由原邮电部指定的其他国际线路和国防线路,原铁道部与各铁路局及各铁路局之间联系用的线路,以及铁路信号自动闭塞装置专用线路。

M.0.2　二级电信线路应为各省(市)、自治区所在地与各地(市)、县及其相互间的通信线路,包括相邻两省(自治区)各地(市)、县相互间的通信线路,一般市内电话线路,铁路局与各站、段及站段相互间的线路,以及铁路信号闭塞装置的线路。

M.0.3　三级电信线路应为县至区、乡的县内线路和两对以下的城郊线路,包括铁路的地区线路及有线广播线路。

本标准用词说明

1 为便于在执行本标准条文时区别对待，对要求严格程度不同的用词说明如下：

1)表示很严格，非这样做不可的：

正面词采用“必须”，反面词采用“严禁”；

2)表示严格，在正常情况下均应这样做的：

正面词采用“应”，反面词采用“不应”或“不得”；

3)表示允许稍有选择，在条件许可时首先应这样做的：

正面词采用“宜”，反面词采用“不宜”；

4)表示有选择，在一定条件下可以这样做的，采用“可”。

2 条文中指明应按其他有关标准执行的写法为：“应符合……的规定”或“应按……执行”。

引用标准名录

《圆线同心绞架空导线》GB/T 1179

《污秽条件下使用的高压绝缘子的选择和尺寸确定　第1部分：定义、信息和一般原则》GB/T 26218.1

中华人民共和国电力行业标准

架空输电线路电气设计规程

DL/T 5582—2020

条 文 说 明

编 制 说 明

《架空输电线路电气设计规程》DL/T 5582—2020，经国家能源局2020年10月23日以第5号公告批准发布。

随着我国国民经济和电网建设的不断发展，我国的高压交直流输电技术得到了迅速发展。目前，我国电网的最高运行电压等级已发展到交流1000kV、直流±1100kV。电网建设以科学发展观为指导，充分利用高新技术和先进设备，在加强现有电网技术改造和升级方面取得了较大的成果。许多新技术、新材料和新工艺得到了广泛运用和大力推广，成为电网设计和建设中的重要组成部分。本标准归纳了历年来交流110kV～1000kV、直流±500kV～±1100kV输电线路的建设经验，并在参考有关规范和标准的基础上，贯彻国家电力基础建设的基本方针，认真落实安全可靠、经济合理、技术先进、环境友好的技术原则，通过技术创新和科技进步，突出展现了设计方案的经济性、合理性和先进性。

本标准在编制过程中充分收集了电力行业标准化、信息化研究推广应用的成果，在分析和总结的基础上使好的经验形成规定进行推广。

为便于广大设计、施工、科研、学校等单位有关人员在使用本标准时能正确理解和执行条文规定，编制组按章、节、条顺序编制了本标准的条文说明，对条文规定的目的、依据以及执行中需注意的有关事项进行了说明，但是，本条文说明不具备与标准正文同等的法律效力，仅供使用者作为理解和把握标准规定的参考。

目　　次

1 总　　则

1.0.1 本条明确了架空输电线路的要求，提出了对输电线路电气设计工作的基本原则，要求协调好各方面的相互关系，如安全与经济、基本建设与生产运行、近期需要和远景规划、线路建设和周围环境等，目的是以合理的投资使设计的输电线路能获得最佳的综合效益。

1.0.2 本条规定了本标准的适用范围。本标准适用于新建110kV、220kV、330kV、500kV、750kV和1000kV交流输电线路，以及±500kV、±660kV、±800kV和±1100kV直流输电线路电气设计，对已建架空输电线路的改造和扩建、柔性直流输电线路项目，可根据具体情况和运行经验参照本标准执行。

对临时架空输电线路，视其使用年限可适当降低标准，但应保证人身设备安全。

对已有架空输电线路的大修和技术改进工程，应结合本地区具体情况，本着节约精神，逐年改建，有关部分可参照本标准进行。

原有架空输电线路的升压和改建，本标准没有做具体规定，应根据本地区线路的运行经验确定。但由于各地升压经验各有不同特点，标准也不一致，暂时还不能做出统一的规定，尚有待进一步积累经验。因此，原有架空输电线路升压改建可参考本地区已有线路的运行经验，升压标准由各主管部门掌握。

1.0.3 根据电网建设的发展，本条明确了依靠技术进步，合理利用资源，达到降低消耗，提高资源利用效率的要求。

1.0.4 为确保供电设施的安全可靠，对重要线路和特殊区段线路宜采取适当加强措施。

根据《国家电网公司关于开展重要输电通道风险评估工作的

通知》(国家电网运检〔2014〕381号),国家电网公司每年对其所属重要输电通道进行风险评估,进而确定重要输电通道,对于线路跨越重要输电通道采取加强措施。

南方电网公司以《关于南方电网公司500kV及以上电压等级输电线路交叉跨越专项反事故措施的通知》(南方电网设备〔2014〕11号)、《关于印发〈南方电网输配电线路交叉跨越专项反事故措施〉的通知》(南方电网生技〔2017〕22号)等文件,要求输电线路交叉跨越时需进行综合评估,经评估存在一般及以上事故风险的输电线路间的交叉跨越点需采取相应加强措施。

对主干铁路、高速公路等重要设施的跨越及大跨越线路应采用独立耐张段。独立耐张段应根据地形、地物等条件合理地确定跨越方案,可采用"耐-直-直-耐""耐-直-耐""耐-直-直-直-耐"或"耐-耐"方案,且直线塔不应超过3基。

对于相对高耸、山区风道、垭口、抬升气流的迎风坡、较易覆冰等微地形区段,以及相对高差较大、连续上下山、相邻两侧档距相差悬殊、跨越河流等局部地段的线路适当加强铁塔强度。

2 术语和符号

2.1 术 语

2.1.5 跨越通航江河、湖泊、海峡等的架空输电线路大跨越段，发生故障时严重影响航运或修复特别困难，导线选型或铁塔设计需特殊考虑，需要按照独立的耐张段设计。

大跨越实际上是由四项因素组成：①特殊的跨越点；②档距1000m以上或塔全高较高；③导线选型或塔的设计需予以特殊考虑；④事故时严重影响航运、交通或修复特别困难。需要强调的是应完整地把握大跨越的定义，第③、④项条件均应满足，如导线选型或塔的设计需予以特殊考虑且事故时严重影响航运、交通或修复特别困难，才可以按大跨越工程来设计，反之，则宜按大档距来设计，或参照大跨越工程设计。

《架空送电线路大跨越设计技术规定(试行)》[电规送(1998)11号]将大跨越工程第②项定义为“档距1000m”或“塔高100m以上”。在现行行业标准《110kV～750kV架空输电线路大跨越设计技术规定》DL/T 5485中，也将大跨越的塔高定义为大于100m。特高压的各类空气间隙要求已高出500kV输电线路几近一倍，再加上塔头布置和离堤角安全距离的考虑，同样一个跨越点，在设计500kV输电线路的大跨越和特高压工程的大跨越时，塔高显然是不一样的。考虑以上因素，特高压跨越塔塔高判别值对交流1000kV双回路宜取150m，对交流1000kV单回路、直流±800kV宜取130m。

3 路　　径

3.0.2 随着新技术手段的发展，110kV及以上交直流架空输电线路路径选择宜使用卫片、航片、全数字地理信息系统和红外测量等新技术，在滑坡、泥石流、崩塌等不良地质发育地区宜采用地质遥感技术。

3.0.3 为了使新建工程与地方发展和规划等相协调，本条明确了路径选择原则，要求尽量减少对军事设施和地方经济发展的影响。

3.0.4 本条规定了路径选择宜避开自然保护区、风景名胜区等，使路径走向环境友好。

3.0.5 根据多年的线路运行经验的总结，选择线路宜尽量避开不良地质地带、采动影响区（地下矿产开采区、采空区）等可能引起杆塔倾斜、沉陷的地段，当无法避让时，应开展详细的地质、矿产分布、开采情况、塌陷情况的专项调查，应开展塔位稳定性评估。根据运行经验增加了路径选择尽量避开导线易舞动区等内容并加以明确，辽宁的鞍山、丹东、锦州一带，湖北的荆门、荆州、武汉一带是全国范围内输电线路发生舞动较多地区，导线舞动对线路安全运行所造成的危害十分重大，诸如线路频繁跳闸与停电，导线的磨损、烧伤与断线，金具及有关部件的损坏等，都会造成重大的经济损失与社会影响。因此，舞动多发区宜避让，当无法避让时，应对铁塔、金具等采取适当加强，并安装防舞装置等措施。

3.0.6 为使新建线路与沿线相关设施相互协调，以求和谐共存，本条明确了在选择路径时应考虑与地磁台站、电台、机场、电信线路、油气管线等邻近设施的相互影响。

3.0.8 规划走廊中的两回路或多回路线路，要根据技术经济比较，确定是否推荐采用同杆塔架设。当线路路径受到城市规划、工矿区、军事设施、复杂地形等的限制，在线路走廊狭窄地段且第二回路线路的走廊难以预留时，宜采用同杆塔架设。

3.0.9 耐张段长度由线路的设计、运行、施工条件和施工方法确定，吸取2008年初冰灾运行经验，轻、中、重冰区的耐张段长度分别不宜大于10km、5km、3km，单导线线路不宜大于5km，无冰区可参照轻冰区的取值。当耐张段长度较长时，设计中应采取措施防止串倒。例如，轻冰区每隔7基～8基（中冰区每隔4基～5基）设置一基纵向强度较大的加强型直线塔，防串倒的加强型直线塔其设计条件除按常规直线塔工况计算外，还应按所有导地线同侧有断线张力（含纵向不平衡张力）计算。

对于运行抢修特别困难的局部区段线路，采取适当加强措施，提高安全设防水平。

对覆冰地区的重要线路可考虑安装线路覆冰在线监测装置，并采取防冰、减冰、融冰等措施。

根据2008年初我国南方地区发生冰灾事故的经验，对特殊区段线路，如输电线路跨越主干铁路、高速公路等重要设施的跨越应采用独立耐张段，并按稀有覆冰校验交叉跨越物的间距。

3.0.11 大跨越的基建投资大，运行维护复杂，施工工艺要求高，故一般应尽量减少或避免。因此，选线中遇有大跨越应结合整个路径方案综合考虑。往往有这样的情况，某个方案路径长度虽增加了几公里，但避免了大跨越或减少跨越档距降低了造价，从全局看是合理的，这一点应引起足够重视。

3.0.12 根据大跨越工程的实际经验，跨越方案的确定要综合陆上线路路径方案，并要取得跨越所在区域的规划、民航、部队、航道、海事、水利、环保等相关部门的认可意见。

3.0.13 随着《中华人民共和国防洪法》的出台，负责堤防管理的水利部门也对跨越塔位置提出了新的管理要求；除控制塔位对堤防的安全距离外，还要由专业部门针对跨越方案进行防洪评估。而且大跨越基础的施工还受到汛期的制约，这一切必须结合工期等一起考虑。

3.0.14 为避免工程建成后，由于河床变迁使基础受水流冲刷，影响线路安全运行，跨越塔位置需考虑河床变迁的影响，以确保运行安全。对330kV及以下的大跨越工程，应考虑30年及以上水文资料及其变化的影响；对500kV及以上的大跨越工程，应考虑50年及以上水文资料及其变化的影响。为防止基础施工危及堤防安全，铁塔基础外缘与堤防坡脚之间应保持足够的安全距离。

受跨越点限制，需在江（河）中立塔时，为不影响河道通航，塔位应避开主航道，并按水文数据考虑冲刷影响。330kV及以下的大跨越按30年一遇考虑，500kV～750kV的大跨越按50年一遇考虑，特高压大跨越按100年一遇考虑。330kV及以下和500kV～750kV大跨越的基础高度，应分别高于30年和50年一遇的水位高度；特高压大跨越的基础高度应高于100年一遇的水位高度。位于江（河）中的基础，应考虑漂流物的撞击作用和水流的水压作用，当按此设计的基础造价太高时，为降低工程造价宜采用防冲撞措施。

3.0.15 大跨越的跨越方式根据跨越位置的地理、运行条件确定，各种跨越方式均需结合地形地貌、地质、水文及施工运行条件，进行综合技术经济比较后确定。由于大跨越工程设计标准较陆上一般线路高，施工难度大，因此，要求自成一个耐张段以便于施工。一般采用“耐-直-直-耐”的方式，也可采用耐张塔跨越，或者2基以上跨越塔连续跨越的方式。采取独立的耐张段可限制事故范围，提高运行可靠性。

3.0.16 随着经济发展，电网规模迅速扩大，大跨越线路日益增加。但是，随着城乡建设的发展，跨越点资源变得越来越宝贵，因此，大跨越工程宜按同塔双回路或多回路设计。当系统规划中不存在出现第二回线路的可能性时，仍宜采用单回路设计。

3.0.17 对经过易舞区的新建大跨越工程，必须进行必要的舞动情况及气象、地形条件的调研。调研过程中必须收集相关资料。

应尽可能避开舞动多发地区,避开雨凇或冻雨地带,避免横穿风口、江河湖面;在平原开阔地带,应尽可能减小大跨越段线路走向与冬季主导风向夹角。

4 气象条件

4.0.1 设计气象条件应根据沿线气象资料的数理统计结果，参考现行国家标准《建筑结构荷载规范》GB 50009 的风压图以及附近已有线路的运行经验确定。

4.0.2 原国家标准《建筑结构荷载规范》GB 50009—2001(2006版)把风荷载标准值的重现期由 30 年一遇提高到 50 年一遇，现行国家标准《建筑结构荷载规范》GB 50009—2012 延续了这一规定。经对风荷载重现期由 30 年一遇提高到 50 年一遇增加值的评估，统计了 129 个地区，V_{50}/V_{30} 在 1.00～1.09 之间，平均为 1.05，说明了重现期由 30 年一遇提高到 50 年一遇，风速值提高约 5%，风压值提高了 11%左右，杆塔的抗风能力显著提高，但不会造成工程量较大的增加，因此，本标准将 500kV～750kV 交流、±500kV～±660kV 直流输电线路及其大跨越的重现期与现行国家标准《建筑结构荷载规范》GB 50009 一致取 50 年。

鉴于特高压线路(含大跨越)的重要性，其基本风速数理统计重现期取 100 年。

110kV～330kV 架空输电线路(含大跨越)的重现期取 30 年。

4.0.3 统计风速样本的基准高度，统一取离地面(或水面)10m，与现行国家标准《建筑结构荷载规范》GB 50009 一致，可简化资料换算，并便于与其他行业比较。

4.0.4 架空输电线路经过地区广，地形条件复杂，线路通过山区，除一些狭谷、高峰等处受微地形影响风速有所增大外，对于整个山区从宏观上看，山区摩擦阻力大，风速值也不一定就比平地大。所以，一般情况下如无可靠资料，对于通过山区的线路，采用的设计风速从安全的角度出发，参考现行国家标准《建筑结构荷载规范》GB 50009 的规定，按附近平地风速资料增大 10%。至于山区的微地形影响，除个别大跨越为提高其可靠度可考虑增大基本风速以外，在一般地区不予增加。一般山区虽可能有狭管等效应，但考虑到架空输电线路风荷载在整档范围内不均匀等因素的影响，故整体而言山区线路在风速较平地增大了 10%以后，已能反映山区的情况了。

4.0.5 输电线路的大跨越段，跨越重要通航河流和海面，若发生事故，影响面广，修复困难，为确保大跨越的安全运行，设计标准应予提高。当无可靠气象资料时，在将陆上线路的风速换算到跨越处历年大风季节平均最低水位以上 10m 处后，再将该风速增加 10%。一般线路的地面大多属于 B 类粗糙度，而跨越处的宽阔水面近似于 A 类粗糙度。大跨越杆塔的高度一般在 100m～400m 之间，因此，100m 以上的塔身和横担的风荷载和导地线荷载对铁塔和导线的设计起到关键的作用。在 100m～400m 的高度范围内，A 类粗糙度与 B 类粗糙度风压高度变化系数比值约为 1.05～1.115。因此，考虑大跨越处水面影响，将历年大风季节平均最低水位以上 10m 处的风速增加 10%，将水面风速增加 10%后，大跨越线路可按 B 类粗糙度设计。

4.0.6 本条规定了设计冰厚的确定方法。

(1)电线覆冰与天气条件、地形因素和线路特性三者密切相关。我国现有气象台站大都位于城镇附近，即使处在同一凝冻天气条件下，由于地形因素和线路特性不同，所观测到的冰凌数值往往偏小，不能代表线路覆冰的实际情况。早年湖南省设计院曾对此有个统计分析资料，湘中地区覆冰概率统计见表 1。

表 1　湘中地区覆冰概率统计表

项　　目		长潭株地区			郴州地区		
		重现期(年)			重现期(年)		
		5	10	15	5	10	15
冰厚(mm)	气象台站的统计资料	6.50	9.70	11.20	3.50	5.00	5.80
	现场电力线的统计资料	11.20	14.50	16.10	9.51	11.70	13.86

表中气象台站与现场电力线统计资料对比，差值在 10mm 以内。但必须注意，表 1 差值所代表的应是两者覆冰速度的差异，即现场电力线覆冰将比台站覆冰厚度大 1.5 倍～2.4 倍，当大冰凌年时，两者数值差异将显著增大。这就充分说明，对于所搜集到的冰凌观测资料，首先应结合线路现场实际情况进行有关参数换算和订正工作，提高其有效性，然后再进行频率分析和设计冰厚选择。

(2)根据国际电工委员会标准(IEC)，冰凌荷载与风荷载一样，如果按年最大值统计，其分布规律与理论的极值Ⅰ型分布能较好地吻合，为此，推荐在冰凌荷载的统计分析和冰厚选择中采用极值Ⅰ型分布。

在 IEC 中，对设计冰荷载的选择也提出一套较完整的方法可供参考使用，三种不同情况下选择设计冰荷载的模式见表 2。

表 2　三种不同情况下选择设计冰荷载的模式

序号	观冰年数 n	平均值$\overline{g}$	标准偏差 σ_g
1	≥20	$\overline{g}$	$\sigma_g < 0.7\,\overline{g}$
2	$10 \leq n < 20$	$\overline{g}$	$0.5\,\overline{g} \leq \sigma_g \leq 0.7\,\overline{g}$
3	不定，只有一个最大值 g_{max}	$0.45g_{max}$	$\sigma_g = 0.5\,\overline{g}$

注：$\overline{g}$为历年最大冰荷载的平均值；σ_g 为计算或估计的标准偏差。

(3)鉴于目前各地冰凌观测资料很少，不但不能应用数理统计方法选取设计冰厚，而且往往连一个较确切的历年最大冰凌数据也难以获得。在这种情况下，就只能通过对地区气象台站资料的分析和沿线覆冰情况的调查来解决，具体做法如下：

1)充分搜集地区已有气象站、观冰站、电力线、通信线等历年的冰凌资料，以供参考使用。此外，还需要通过气象站长期气象记录资料了解该地区历次大冰凌年的天气形势和相应的气象要素，如气温、湿度、降水量、风速风向以及凝冻持续时间等，从而可初步掌握该地区凝冻天气出现的规律和可能达到的严重程度。

2)进行线路沿线的调查访问。鉴于各地大冰凌年出现次数不多，给予人们的印象较深，一般通过访问都能了解到该地区通信线和各种植被上覆冰情况、持续时间、出现次数以及冻结高度等方面的资料。如果进一步与气象台站资料印证分析，即可确认该地区大冰凌年覆冰的严重程度和重现的次数。

3)在掌握地区冰凌资料之后，还应结合线路沿线所经地段的地形、地物等情况，充分计入地形对覆冰的影响因数，才能较合理地选择设计冰厚和划分冰区。

线路中有利于覆冰加重发展的局部地形有：高于地区凝冻高度的地段；促使覆冰气流增速的垭口、风道地段；迫使覆冰气流抬升，过冷却水滴增多的长缓坡地段；使覆冰增长期加长的地段；冬季水汽充足的河流、湖泊等潮湿地区；在封闭低洼的盆形地区，可能形成局部沉积型覆冰小气候区。

对于个别可能出现严重覆冰的微地形、微气候地段(如山垭口、风道、在覆冰气流中明显处于暴露的突出地带等)，设计时可划为严重覆冰区。也可采取在同一冰区内，作为特别加强地段处理，即额外加强该段杆塔、基础、导地线等。

4.0.7 输电线路设计时，电力行业标准《110～500kV 架空送电线路设计技术规程》DL/T 5092—1999 规定，500kV 线路对地 20m 高的最大设计风速的最小值不能低于 30m/s，把这个风速归算到 10m 基准高时为 26.85m/s；国家标准《110kV～750kV 架空输电线路设计规范》GB 50545—2010 规定，基本风速按 10m 高度换算后：110kV～330kV 架空输电线路的基本风速不应低于 23.5m/s；500kV～750kV 架空输电线路计算导地线的张力、荷载以及杆塔荷载时，基本风速不应低于 27m/s；国家标准《1000kV 架空输电线路设计规范》GB 50665—2011 和《±800kV 直流架空输电线路设计规范》GB 50790—2013 规定，基本风速不应低于 27m/s。本标准一般线路根据不同重现期 30 年、50 年、100 年分别对应风压 $0.3kN/m^2$、$0.4kN/m^2$、$0.45kN/m^2$ 确定各电压等级的最小基本风速，较以往标准有所降低。

4.0.8 根据 2008 年初我国南方地区覆冰灾害情况分析结果，对输电线路基本覆冰划分为轻、中、重三个等级，采用不同的设计标准。

4.0.9 对大跨越线路的设计条件规定较高的安全标准是必要的。考虑到覆冰资料大多数地区比较缺乏，目前气象部门尚提不出覆冰资料及其随高度变化的规律，根据现有的工程经验，多采用附近线路的设计覆冰增加 5mm 作为大跨越的设计覆冰厚度。

4.0.10 根据我国南方地区多年覆冰灾害情况，地线设计冰厚应较导线增加 5mm。对于一般线路，地线设计冰厚较导线增加 5mm，仅针对杆塔的机械强度设计，即地线水平、垂直荷载，纵向张力（地线张力计算时，按导线设计冰厚作为覆冰控制工况，计算冰厚增加 5mm 情况下的张力，计入杆塔荷载中），不涉及地线机械特性、间隙验算、断线情况和不均匀覆冰情况（地线不平衡张力取值时对应的冰区应与导线的冰区相同）。另外，为避免地线因悬垂线夹握着力不够而滑移，进而出现地线断股或金具损坏，对地线悬垂线夹握力需按增加 5mm 冰厚进行校验。

4.0.11 根据我国高压输电线路的运行经验，本条强调加强沿线已建线路设计、运行情况的调查，并在初步设计文件中以单独章节对调查结果予以论述（风灾、冰灾、雷害、污闪、地质灾害、鸟害等）。

我国高压输电线路运行经验要求：线路应避开重冰区及易发

生导线舞动的地区。路径必须通过重冰区或导线易舞动地区时，应进行相应的防冰害或防舞动设计，适当提高线路的机械强度，局部易舞动区段在线路建设时安装防舞装置等措施。输电线路位于河岸、湖岸、山峰以及山谷口等容易产生强风的地带时，其基本风速应较附近一般地区适当增大。对易覆冰、风口、高差大的地段，宜缩短耐张段长度，杆塔使用条件应适当留有裕度。对于相对高耸、山区风道、垭口、抬升气流的迎风坡、较易覆冰等微地形区段，以及相对高差较大、连续上下山等局部地段的线路应加强抗冰灾害能力。

4.0.12 我国地域辽阔，气温差异显著，黑龙江北部及内蒙古东部寒冷地区多处线路常发生导线微风振动现象，经调查发现，导线微风振动现象多发生在冬季，原因是寒冷地区因冬季平均气温与年平均气温相差较大，且一年内持续时间可长达5个月～7个月，选用年平均气温控制导线的平均运行张力时，其冬季的实际平均运行张力将远大于该控制值，这就容易引起导线振动。因此，为考虑冬季长期运行对导线疲劳的影响，在寒冷一般地区，导地线平均运行张力可按年平均最低气温计算，在寒冷易振地区，如开阔平原、草地、低缓丘陵等地区，导地线平均运行张力可按冬季平均气温计算。年平均最低气温指每月最低气温的年平均值，取多年平均值；冬季平均气温指在最寒冷3个月内每月平均气温的平均值，取多年平均值。

4.0.14～4.0.20 若线路在冬季寒潮时出现过设计大风风速，则设计大风工况的相应气温可取低温工况气温。对一般线路，大风工况风偏计算用风荷载考虑高度的影响，其他工况不考虑高度的影响。对大跨越线路所有工况的风偏计算用风荷载及张力计算均考虑高度的影响。

5 导线和地线

5.1 导线和地线选择

5.1.1 架空输电线路的导线，对于不同电压等级，其选择判据是不相同的。但总体上看，都应归结为技术性和经济性两个方面。

从技术性来看，导线作为输电线路最主要的部件之一，首先需满足输送电能的要求，同时能保证安全可靠地运行，对超高压和特高压输电线路还要求满足环境保护的要求，而且在经济上是合理的。

在线路导线选择中，要充分考虑导线的电气和机械特性。在电气性能方面，从国内外的实验研究和工程实践情况看，一般要求所选导线应满足线路电压降、导线发热、无线电干扰、可听噪声、合成电场及粒子电流密度(直流线路)、地面磁场强度等多项要求；对于导线的机械特性，要使输电线路能安全可靠地运行，要求导线具有优良的机械性能和一定的安全度，特别是当线路经过高山大岭(大档距和大高差)及严重覆冰地区时。

就经济性而言，国内以往一般要求导线截面按照经济电流密度选择。表3列出了我国的标准经济电流密度。

表3 我国的标准经济电流密度(A/mm^2)

导线材料	最大负荷利用小时数(h)		
	3000以下	3000～5000	5000以上
铝	1.65	1.15	0.9
铜	3.0	2.25	1.75

从表3数据可以看出，对于我国架空送电线路所采用的钢芯铝绞线，经济电流密度只与最大负荷利用小时数有关，而且从20

世纪 50 年代至今,一直没有变化。线路工程建设费用在不同的年代是不同的,它将随材料费和人工费的变化而变化。而线路运行费用也要随电力部门人工费以及销售电价的变化而变化。综合上述因素,本条加入了根据年费用最小法进行经济分析的内容。

对于特高压交直流线路的导线,经济电流密度已经不是确定导线截面的决定因素,但仍然可以作为初步选取导线截面的参考。

目前,选定导线截面一般分为两步:首先根据系统输送容量选择几种规格导线截面进行经济分析比较,以确定最佳截面;然后从电气性能上考虑导线表面电位梯度、无线电干扰、可听噪声等因素,以求对环境影响控制在允许范围内。

在正常输送功率条件下,特高压交直流输电线路导线选择主要决定于电晕条件,而考察电晕影响程度的主要判据是导线表面工作场强与起始电晕场强的比值,以及电晕派生效应无线电干扰和可听噪声,其中无线电干扰和可听噪声是导线最小截面选择的主要控制条件。

国内外部分已建交直流输电线路的电流密度见表 4。

表 4　部分已建交直流输电线路的电流密度

工程名称	导线型号	导线截面面积(mm^2)	额定电压(kV)	额定电流(kA)	电流密度(A/mm^2)
晋东南荆门	8×LGJ-500/35	3976	1000	3950	0.994
皖电东送	8×LGJ-630/45	4988	1000	3950	0.792
锡盟山东	8×JL1/G1A-630/45	5392	1000	3646	0.676
葛南线	4×LGJQ-300	1200	±500	1200	1.000
天广线	4×LGJ-400	1600	±500	1800	1.125
三常线	4×LGJ-720	2880	±500	3000	1.042
贵广线	4×LGJ-720	2880	±500	3000	1.042
银东线	4×JL/G3A-1000	4000	±660	3030	0.750
云广线	6×LGJ-630/45	3741	±800	3125	0.835

续表 4

<table>
<tr><th colspan="2">工程名称</th><th>导线型号</th><th>导线截面面积(mm²)</th><th>额定电压(kV)</th><th>额定电流(kA)</th><th>电流密度(A/mm²)</th></tr>
<tr><td colspan="2">糯扎渡</td><td>6×LGJ-630/45</td><td>3741</td><td>±800</td><td>3125</td><td>0.835</td></tr>
<tr><td colspan="2">向上线</td><td>6×ACSR-720/50</td><td>4352</td><td>±800</td><td>4000</td><td>0.919</td></tr>
<tr><td colspan="2">锦苏线</td><td>6×JL/G3A-900/40</td><td>5402</td><td>±800</td><td>4500</td><td>0.833</td></tr>
<tr><td colspan="2">溪浙线</td><td>6×JL/G3A-900/40</td><td>5402</td><td>±800</td><td>5000</td><td>0.926</td></tr>
<tr><td colspan="2">哈郑线</td><td>6×JL/G3A-1000/45</td><td>6014</td><td>±800</td><td>5000</td><td>0.831</td></tr>
<tr><td colspan="2">酒湖线</td><td>6×JL1/G3A-1250/70</td><td>7512</td><td>±800</td><td>5000</td><td>0.666</td></tr>
<tr><td colspan="2">灵绍线</td><td>6×JL1/G3A-1250/70</td><td>7512</td><td>±800</td><td>5000</td><td>0.666</td></tr>
<tr><td colspan="2">锡江线</td><td>8×JL1/G3A-1250/70</td><td>10017</td><td>±800</td><td>6250</td><td>0.624</td></tr>
<tr><td colspan="2">山江线</td><td>6×JL1/G3A-1250/70</td><td>7512</td><td>±800</td><td>5000</td><td>0.666</td></tr>
<tr><td rowspan="2">太平洋联络线</td><td>最初投运</td><td rowspan="2">2×ACSR1272</td><td rowspan="2">2328</td><td>±400</td><td>1800</td><td>0.733</td></tr>
<tr><td>升压增容</td><td>±500</td><td>3100</td><td>1.332</td></tr>
<tr><td colspan="2">巴西伊泰普</td><td>4×ACSR1272</td><td>2578</td><td>±600</td><td>2610</td><td>1.012</td></tr>
<tr><td colspan="2">加拿大纳尔逊</td><td>2×ACSR1843</td><td>1868</td><td>±450</td><td>1800</td><td>0.964</td></tr>
</table>

随着国内导线制作技术的提升，节能导线在工程中应用的比例逐年增加。近年来，应用较多的节能导线主要包括钢芯高导电率硬铝绞线、铝合金芯高导电率铝绞线和中强度铝合金绞线。与普通钢芯铝绞线相比，在机械强度和电气性能相当的情况下，节能导线的导电性能更加优秀，年费用比较中占有优势。

5.1.2 本条规定“宜采用已有运行经验的型号或线型”中的“型号”是指采用同一导线，不做任何变动，完全属于复制选择；而采用同一线型，应理解为导线的材料、结构、钢铝比、生产工艺等保持不变，而单丝直径等可做调整，以适应不同工程的需要。在这一领域，我国已积累了丰富的经验，如同为特强钢芯高强度铝合金导线的 AACSR-500/230，AACSR-450/200，它们的结构相同，为 42 股铝合金＋19 股钢芯（直径分别为 3.9、3.7），三广直流的大埠街（长江）、康家吉（沅水）、关山（澧水）大跨越工程，三—沪直流的荻港（长江）大跨越工程，所用导线与龙政直流的芜湖大跨越完全一致；500kV 的交流马鞍山大跨越和 500kV 的江阴大跨越导线也完全相同，都是例证。这种选用，既有运行经验，又省去了研制等问题，是很明智的做法。

在大跨越工程中，地线不宜再采用普通的镀锌钢绞线，这是对大跨越工程运行调研后的一个主要结论。运行经验证明，在目前的大气环境和大跨越工程水气充沛的综合条件下，普通镀锌钢绞线一般不能满足工程对地线的防腐、防振、强度及寿命上的要求。一些工程运行十年或稍长一些时间，就处于必须换线的尴尬处境。而由此产生的停电、封航施工等投入远非一根地线的代价可比拟。镀锌钢绞线运行寿命较短，有多方面的原因，有防振设计的问题，有防腐性能的问题，但普通镀锌钢绞线综合性能不佳（尤其是防腐性能）是一个主要病因。反过来，铝包钢线制造技术已非常成熟，在一些普通线路上已大量应用，就一个 3km 左右规模（耐张段长）的大跨越工程而言，将普通钢绞线换为铝包钢地线，对工程的投资影响甚微，但工程在地线上的技术层次和运行寿命上却提高很多，无疑是值得的。

在地线和 OPGW 光缆的配合上，本标准强调了应以 OPGW 光缆为主，地线应注意与其配合，原因是 OPGW 光缆选型考虑的问题比较多，先把 OPGW 光缆的问题考虑稳妥了，再选地线与其配合比较容易。

在当前一些大跨越工程中，出现了按双光缆设计的倾向，无论是出于需要还是备份都是正确的。光纤复合架空地线的制造技术已完全成熟，在大跨越工程上采用双光缆设计，技术经济上具有很大的优越性，运行的安全储备也更高。以 20 世纪 80 年代建设的荻港大跨越工程进行的双地线更换光缆的改造为例，约需投资253万元，而光缆的投入不超过10%（若更换单根光纤复合架空地线，只能省下几万元）。

在采用双光缆设计时，塔头的设计以及导地线之间的配合也变得较为简单。

根据导体和加强材料的组合，现在国内外大跨越导线最常用的有：钢绞线、钢芯铝绞线（ACSR）、高强度钢芯铝绞线、钢芯铝合金绞线、高强度钢芯铝合金绞线（AACSR）、特高强度钢芯（EST）铝合金绞线（AACSR/EST）、高强度钢芯耐热铝合金绞线（KTACSR）、特高强度钢芯（EST）耐热铝合金绞线（KTACSR/EST）、铝包钢绞线、钢芯铝包钢绞线等。现阶段在建和已建特高压大跨越工程，根据导线电气性能和机械性能要求选用特高强度钢芯（EST）铝合金绞线（AACSR/EST），其特性如表5。

表5　大跨越工程基本参数

项目/型号	单位	AACSR/EST	AACSR/EST	AACSR/EST
规格	—	500/230	640/290	720/300
铝（铝合金）	根	42	42	40
铝（铝合金）单丝	mm	3.9	4.4	4.8
铝（铝合金）面积	mm^2	501.7	638.62	723.82
铝（铝合金）单线强度	MPa	315	315	315
铝（铝合金）伸率	%	3	3	1.5
铝（铝合金）弹性模量	GPa	55	55	55
铝（铝合金）热胀系数	$10^{-6}\times 1/℃$	23	23	23
钢丝（铝包钢丝）	根	37	37	37
钢丝（铝包钢丝）单丝	mm	2.8	3.14	3.2
钢丝（铝包钢丝）面积	mm^2	227.8	286.5	297.57
钢丝（铝包钢丝）单线强度	MPa	1700	1770	1770

续表 5

项目/型号	单位	AACSR/EST	AACSR/EST	AACSR/EST
钢丝(铝包钢丝)1%伸长应力	MPa	1500	1550	1550
钢丝(铝包钢丝)伸率	%	2.5	2	2
钢丝(铝包钢丝)弹性模量	GPa	190	190	190
钢丝(铝包钢丝)热胀系数	$10^{-6}\times1/℃$	11.5	11.5	11.5
直径	mm	35.2	39.58	41.6
单位长度质量	kg/km	3190	4016.7	4338.9
额定抗拉力	kN	511.2	645.3	689.24
导线弹性模量	GPa	97.16	96.81	94.33
导线热胀系数	$10^{-6}\times1/℃$	16.2	16.01	16.53
直流电阻 20℃	Ω/km	0.0671	0.05267	0.04646
导线面积	mm^2	729.5	925.14	1021.40

大跨越导线截面如按允许载流量选择，由于允许运行温度的不同，其(总)截面往往会比相连陆上部分线路的要小，这是可以的，但全线输送容量不应受到大跨越段的限制。

同时，对导线截面(或直径)，仍应进行电磁环境要求方面的校核，还应满足相关要求。

验算导线截面流量时，钢芯铝包钢绞线(包括铝包钢绞线)的允许温度，日本 JCS 0374：2003《裸线载流量计算方法》规定：长期为 200℃，短时间为 230℃，瞬时为 400℃。浙江华电器材检测研究所为 220kV 舟山与大陆联网输电线路大猫山跨越工程所做的铝包钢线经不同温度单丝抗拉强度试验，也表明在经 100℃、120℃、140℃、160℃、180℃、200℃各 100h 加热后，铝包钢单丝的抗拉强度较常温下强度不但没有下降，反而稍有提高。这也说明钢芯铝包钢绞线(包括铝包钢绞线)的允许温度可超过 +100℃。

当多种导线性能均能满足大跨越技术要求时，需从年费用角度进行比选。但是考虑到大跨越运维等因素，不应将年费用在综合比较中的占比过分提高。

5.1.3 随着电网运行电压不断提高，输电线路的导线、绝缘子及金具零件发生电晕和放电的概率也相应增加，其电磁环境问题应引起重视。

(1)导线表面电场强度 E 不宜大于全面电晕电场强度 E_0 的 80%～85%。

110kV～750kV 等级交流输电线路每相导线的根数可采用单根，也可采用多根分裂导线，由技术经济比较确定。我国建成投入运行的 220kV 架空输电线路早期多为单根导线，现多采用 2 分裂，330kV 架空输电线路采用 2 分裂，500kV 架空输电线路除个别大跨越外一般采用 4 分裂，今后工程中宜选用与此相同的分裂根数，有利于施工单位现有施工机具的使用，且有定型金具零件可供选择。750kV 架空输电线路一般采用 6 分裂。±500kV 直流线路导线型号一般为 4 分裂。特高压交流线路一般采用 8 分裂，特高压直流线路一般采用 6 分裂或 8 分裂。国外 380kV 线路多用 4 分裂导线，500kV 架空输电线路每相有用单根导线，更多的是采用 2、3、4 分裂导线，也有采用 6 分裂导线的。

(2)年平均电晕损失不宜大于线路电阻有功损失的 20%。按此标准建设的输电线路，既可保证导线的电晕放电不致过分严重，以避免对无线电设施的干扰，同时也尽量降低了能损，提高了电能传输效率。

(3)导线表面电晕引起的无线电干扰、电场效应(包括直流线路中离子流)和可听噪声等对环境有影响。

(4)交流 1000kV 线路最小外径和分裂根数受可听噪声控制。

(5)同塔双回直流线路导线外径和分裂根数应根据不同的极性布置确定。

（6）采用6分裂钢芯铝绞线300/40（现行国家标准《圆线同心绞架空导线》GB/T 1179中相应型号）计算交流750kV线路导线表面场强，在1000m海拔高度以下时，单双回路均满足不发生电晕的判断条件。考虑到实际工程中没有采用更小直径导线的概率，因此，将750kV交流线路的不必验算电晕的分裂根数和导线最小外径取值为6×23.9。

（7）导线选择应符合环境保护部门提出的电磁环境限值及计量标准要求。

5.1.4 输电线路的无线电干扰主要是由导线、绝缘子或线路金具等的电晕放电产生，这一点上直流和交流没有本质的差异，而直流和交流线路的无线电干扰水平的差异主要表现在气候、极性等方面。坏天气直流线路无线电干扰水平要低于好天气，这与交流线路正好相反。直流线路的正极产生的无线电干扰要比负极大得多，一般负极的干扰可以忽略不计。

输电线路的电晕形成的电流脉冲注入导线，并沿导线向注入点两边流动，从而在导线周围产生电磁场，即无线电干扰场。由于高压架空输电线的导线上沿线“均匀地”出现电晕放电和电流注入点，考虑其合成效应，导线中形成了一种脉冲重复率很高的“稳态”电流，所以架空送电线周围就形成了脉冲重复率很高的“稳态”无线电干扰场。

电晕放电产生的无线电干扰具有白色频谱特性，其频率基本上在30MHz以内。同时，由于电晕放电会因天气的变化而强弱变化，晴天和雨天，甚至四季不同线路电晕放电都有明显变化，所以输电线路的无线电干扰电平会随天气变化而有很宽范围的变化，因此通常采用具有统计意义的值来表示线路的无线电干扰水平，如好天气平均值为50%。坏天气条件下的无线电干扰水平低于好天气，这是直流不同于交流线路的最大特点。

加拿大标准规定的无线电干扰限值是以0.5MHz为参考频率，距边相导线投影15m为参考距离的，具体取值如表6，明显地无线电干扰限值是随电压升高而增大。加拿大标准还规定，进入城区的输电线路，无线电干扰限值允许放宽，因为城市的电台信号会增强。

表6 加拿大标准

交流电压(kV)	无线电干扰限值		备 注
	15m处(dB)	20m处(dB)	
70～200	49	45.1	110kV线路高度按6m计
200～300	53	49.5	220kV线路高度按6.5m计
300～400	56	52.6	330kV线路高度按8m计
400～600	60	57.2	500kV线路高度按8m计
600～800	63	55～58	750kV线路建议值

注：表中的导线投影20m处是折算到我国的情况，以便对比。

目前国内外关于无线电干扰限值要求如表7所示。

表7 无线电干扰限值

标 准	无线电干扰限值0.5MHz		无线电干扰限值1.0MHz		备注
	15m处(dB)	20m处(dB)	15m处(dB)	20m处(dB)	
GB/T 15707—2017	—	55	—	50	500kV
IEEE导则	61	59	56	54	—
美国标准	—	—	53～58	—	—
加拿大标准	60	57.2	55	52.2	500kV线高8m
泰西蒙咨询葛南线采用标准	65	63	60	58	±500kV
Q/GDW 102—2003	63	55～58	58	50～53	750kV

注：按照现行国家标准《高压交流架空输电线路无线电干扰限值》GB/T 15707—2017以及计算可知，0.5MHz无线电干扰比相同条件1.0MHz无线电干扰高5dB。

现行国家标准《高压交流架空输电线路无线电干扰限值》GB/T

15707—2017 中规定的限值(0.5MHz)如表 8 所列，限值的参考距离是距边相导线投影 20m(图 1)。我国的标准无线电干扰限值也是随电压升高而增大，750kV 交流线路无线电干扰限值为 55dB～58dB。

表 8　我国无线电干扰限值

电压(kV)	110	220～330	500	750	1000
限值(dB)	46	53	55	58*	58*

注：* 对于 750kV 和 1000kV 交流架空输电线路，好天气下的无线电干扰不应大于 55dB(μV/m)。

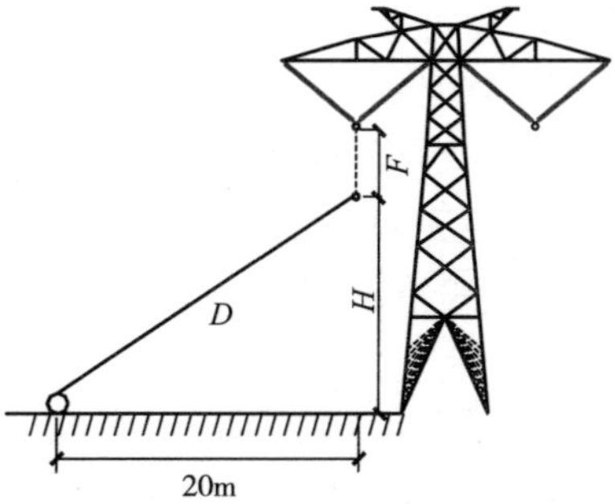

图 1　无线电干扰限值的参考距离(x=20m)

按照现行电力行业标准《1000kV 架空输电线路电磁环境控制值》DL/T 1187—2012 的规定，1000kV 架空输电线路好天气条件下，距线路边相导线地面投影外侧 20m、对地 2m 高度处、频率为 0.5MHz 的无线电干扰不应大于 55dB(μV/m)。

原国家环境保护总局在文件《关于晋东南～南阳～荆门百万伏级交流输变电工程环境影响报告书的批复》(环审〔2006〕92 号)中要求："该项目是我国特高压输变电示范工程，国内尚无 1000kV 交流输变电工程相关环境影响控制标准，我局经组织专家研讨后决定目前特高压输电线路项目电磁环境影响暂行控制指标原则上以不超过目前执行的《500kV 超高压送变电工程电磁辐射环境影响评价技术规范》HJ/T 24—1998 的要求"；"1000kV 特高压线路的无线电干扰限值暂按在距边相导线投影 20m 处，测试频率为 0.5MHz 的晴天条件下不大于 55dB(μV/m)控制”。

关于直流输电线路的无线电干扰限值，到目前也没有国际标准，限值标准与当地的信号场强有关，如果信号电平比干扰电平大到 20dB 以上，可认为干扰电平对此信号接受并无多少影响。国内外对无线电干扰的评判仍着重于调幅广播频带(535kHz～1605kHz)的干扰上。一旦知道了电信接受设备处的信号电平，就可以决定允许的干扰电平。

鉴于交流电晕产生的无线电干扰与直流电晕产生的无线电干扰具有相似的特性，过去我国±500kV 直流线路的无线电干扰允许值一直参照 500kV 交流线路的标准执行，即 20m 处 0.5MHz 无线电干扰场强 80%/80%值不超过 55dB(μV/m)，运行中尚未发生任何投诉，说明取值是可行的。事实上直流线路的 RI 生理干扰要小于交流的，故国外的直流线路允许 RI 电平较交流高 3dB，即 58dB。

对于海拔高度超过 1000m 的线路，其无线电干扰计算值应进行高海拔修正。修正因数为：以 1000m 为基准，海拔高度每增加 300m，无线电干扰计算值增加 1dB。

现行国家标准《1000kV 架空输电线路设计规范》GB 50665 中 1000kV 特高压交流线路无线电干扰值以海拔高度 500m 为基准，考虑到目前投运 1000kV 线路在海拔高度 1000m 以下时，无线电干扰不控制导线选型，同时无线通信的发展对电磁环境的要求会日益提升，因此 1000kV 特高压交流线路无线电干扰限制的海拔基准高度由 500m 增加到 1000m。

5.1.5 本条分以下 5 点进行说明。

(1)根据国外超高压的研究经验，随着电压的升高和导线分裂根数的增加，输电线路的电晕可听噪声问题越显突出，对于±500kV 以上线路，电晕可听噪声干扰已超越无线电干扰成为选择导线的控制条件。由于直流线路的特点是好天气条件下，其所产生的可听噪声较雨雾天高，因此，好天气条件下的可听噪声水平是衡量直流线路整体噪声水平的一个特征量，其限制标准将对导线截面和分裂方式的选取产生较大影响。

(2)对国外情况的调查。针对输电线路的可听噪声，各国的情况各不相同。下面是国际上一些国家在电晕噪声标准、因电晕可听噪声的投诉或抱怨、相对解决措施等几方面的情况。

意大利电力公司(ENEL)，无电晕噪声限制标准，目前的最高电压等级为 400kV 输电线路，多年运行下来无电晕噪声问题的投诉或抱怨。公司建设有 20km 长的 1050kV 交流试验线路，导线为 $8\times\phi31.5$mm，在该线路上测量的电晕可听噪声 L_{50} 为 52dB(A)～53dB(A)。

法国电力公司(EDF)，无电晕噪声限制标准，输电线路建设之前进行的噪声预测认为没有问题，但是实际运行的线路中，有因导线存在防锈油脂产生噪声而引起的投诉，在此情况下采取处理掉油脂，并对此进行说明和解释的方法。

英国中央电力局(CEGB)，无电晕噪声限制标准，400kV 线路采用 2 分裂导线，在下雨时存在因电晕噪声的抱怨，处理对策是将 2 分裂导线更换为 4 分裂导线以降低噪声，由此可见，增加分裂导线数是降低噪声的有效方法。

瑞典电力局(SSPB)，无电晕噪声限制标准，运行有 9000km 左右的 400kV 交流线路，无投诉或抱怨。规划建设交流 800kV 输电线路，计划采用 $4\times\phi40$mm 的导线，将可听噪声限制到 56dB(A)。

美国纽约州电力局(PASNY)，无电晕噪声限制标准，但是对于 765kV 输电线路的电晕噪声，距离线路中心 38m 外噪声的设计控制值：$L_5=56$dB(A)，$L_{50}=53$dB(A)。噪声的投诉情况是：345kV 线路完全无投诉，765kV 线路曾经有 36 起投诉，根据居民的要求，给予搬迁或赔偿。

美国邦维尔电管局(BPA)，1978 年开始制定噪声限制标准。

该地区俄亥俄州规定，在路权边上噪声标准：$L_{50}=(53\pm2)$dB(A)，早期的 500kV 线路采用 ϕ63.5mm 的单导线，有噪声的投诉。处理的措施是将 ϕ63.5mm 的单导线更换为 $3\times\phi$30.5mm 的 3 分裂导线（民房多的地区），或者在档距中将单导线上套上 ϕ101.6mm 的管（档内有个别民房时）。

图 2 是国外研究中心随机抽样的统计反应，对交流线路具有代表性，对直流线路尚缺乏统计数据。

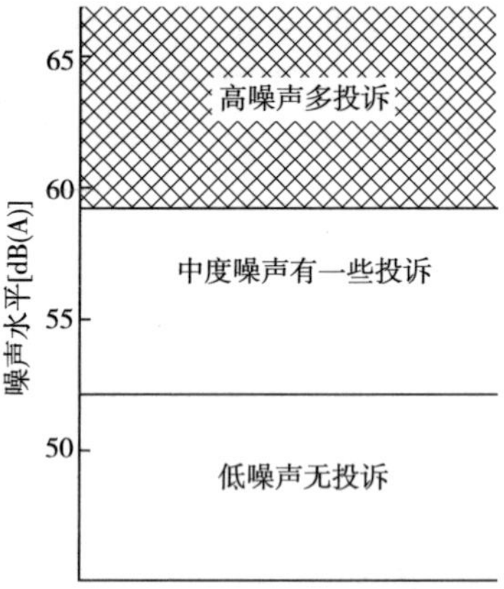

图 2　噪声水平与人们抱怨的情况

（3）世界各国特高压交流输电线路的电晕噪声情况。到目前为止，世界各国均未正式制定直流特高压线路可听噪声的限制标准，而只是在各自交流特高压线路设计规范中提出了一个限值，见表 9。

表 9　世界各国特高压交流线路的可听噪声的设计限值

国家		日本	苏联	美国			意大利	韩国	加拿大
公司（机构）名称		东京电力	动力电气化部	BPA	AEP	AEP	NENL	—	魁北克水电局
电压	额定值(kV)	1000	1150	1100	1500	765	1000	765	735
	最高值(kV)	1100	1200	1200	1600	775	1050	—	750

续表 9

国家		日本	苏联	美国			意大利	韩国	加拿大
公司(机构)名称		东京电力	动力电气化部	BPA	AEP	AEP	NENL	—	魁北克水电局
导线分裂方式	分裂数	8	8	8	8	4	8	6	4
	子导线直径(cm)	3.84	2.41	4.1	3.3	2.96	3.15	3.04	3.50
	子导线间距(cm)	40	40	41	38	45.7	45	48.3	45.7
可听噪声	雨天 50%的预测值[dB(A)]	50	55	50*	55	57.5	56	50	50.4
	测量地点(m)	边线下	边线下	距边线15	距边线30	运行线路距边线 15.2	距边线15	距边线15	运行线路距边线 15.2

注：* BPA 公司电晕噪声设计值，由于测量仪器(麦克风)规格不同，会有约 3dB(A)的差别。

我国对输电线路的可听噪声也未制定相关标准，在 500kV 交、直流线路设计时由于采用 4 分裂导线，可听噪声水平很低，一般在 40dB(A)以下，不起控制作用。

日本在进行 1000kV 特高压交流线路设计时，对世界上一些国家已经架设的输电线路的电晕噪声的实际情况进行了调查，其调查结果见表 10。

表 10　已经架设的输电线路的电晕可听噪声的调查

电力公司	线路电压(kV)	导体方式(cm)	噪声电平[dB(A)]	有无抱怨
BPA	500	1×6.4	58	有
PASNY	765	4×3.5	53	

续表 10

电力公司	线路电压(kV)	导体方式(cm)	噪声电平[dB(A)]	有无抱怨
AEP	765	4×3.0	56	无
AEP	765	4×3.5	53	
HQ	735	4×3.0	52	
东京电力(中东京干线)	275	1×3.4	53	
东京电力(双叶线)	500	4×2.9	50	

由上述资料看,特高压交流线路的可听噪声设计目标值,基本上在 50dB(A)~58dB(A)之间。

(4)有关环境噪声标准。虽然世界上很多国家(包括中国)对输电线路的可听噪声没有限制标准,但各国政府环保部门均制定有环境噪声的限制标准,输电线路属于整个环境中的一部分,其可听噪声的限值按当地的环境噪声限制标准,表 11 是日本的环境噪声标准。

表 11　日本环境噪声标准[dB(A)]

地域类型	时间段		
	昼间	朝夕	夜间
AA	45 以下	40 以下	35 以下
A	50 以下	45 以下	40 以下
B	60 以下	55 以下	50 以下

注:1　AA 地域为特别需要安静的地方,如疗养院。

2　A 地域为一般的安静地方,如居住环境。

3　B 地域为一般性地区,为居住、商业和少量工业混合区。

在我国,相应的环境噪声标准有现行国家标准《声环境质量标准》GB 3096、《工业企业厂界环境噪声排放标准》GB 12348、《建筑施工场界环境噪声排放标准》GB 12523,城市区域环境噪声和工业企业厂界噪声这两个标准都划分了不同标准以适用于不同的区域，见表 12。

表 12　中国噪声标准[dB(A)]

类别	昼间	夜间
0	50	40
1	55	45
2	60	50
3	65	55
4	70	55

注：1　0 类适用于疗养区、高级别墅区、高级宾馆区等特别需要安静的区域(工业企业厂界噪声无此类标准)。

2　1 类适用于以居住、文教机关为主的区域。乡村居住环境可参照执行该类标准。

3　2 类适用于居住、商业、工业混杂区。

4　3 类适用于工业区。

5　4 类适用于城市中的道路交通干线道路两侧区域，穿越城区的内河航道两侧区域。

由表 11、表 12 可以看出，我国环境噪声标准的划分与日本基本类似，但日本的标准稍严。美国直流线路的可听噪声的设计标准为 45dB(A)。

(5)推荐的可听噪声限值。输电线路大多数选择远离居民密集的地区走线，但不能排除接近乡村居民的分散住户、学校等区域，所以，线路经过的大部分地区属于 1、2 类。考虑到输电线路噪声的不间断性，应该按夜间的噪声标准进行限制，那么噪声限值就是 45dB(A)～50dB(A)。

考虑到无线电干扰限值的参考距离为边相导线外投影 20m，为了与之一致，可听噪声限制指标也以边相导线外投影 20m 为参考距离，在导线选择时采用上述标准。

对±800kV 特高压直流输电线路，我国特高压输电线路的建设，其路径主要通过荒山、林地或农业耕作地区等非居住环境地区，参考我国环境噪声的限制标准为2类地区。特高压交流输电线路的可听噪声 L_{50} 不宜超过55dB(A)，已被生态环境部认可。

按原国家环保总局批文《关于云广特高压直流输电工程环境影响报告书的批复》(环审〔2006〕199号)，云南至广东±800kV特高压直流输电工程的可听噪声控制指标为：按当地功能区划的声环境标准执行，无功能区划的地区按现行国家标准《声环境质量标准》GB 3096—2008的相关规定评价。

采用美国BPA公司推荐的电晕可听噪声计算公式，对多种导线组合的可听噪声值进行估算，各导线组合方案和不同海拔高度下的电晕可听噪声值见表13。

表13 电晕可听噪声计算结果[dB(A)]

序号	导线型号	导线表面最大场强(kV/cm)	电晕可听噪声				
			海拔高度0m	海拔高度1000m	海拔高度2000m	海拔高度3000m	海拔高度3650m
1	4×JL/G1A-1120/90	24.100	43.60	46.94	50.27	53.60	55.77
2	4×JL/G3A-1000/45	25.529	45.91	49.25	52.58	55.91	58.08
3	5×JL/G1A-1120/90	20.861	37.58	40.91	44.24	47.58	49.74
4	5×JL/G3A-1000/45	22.089	39.86	43.20	46.53	49.86	52.03
5	5×JL/G3A-900/40	23.046	41.56	44.90	48.23	51.56	53.73
6	6×JL/G3A-1000/45	19.547	34.70	38.04	41.37	44.70	46.87
7	6×JL/G3A-900/40	20.375	36.36	39.69	43.02	46.36	48.52
8	6×LGJ-900/75	20.102	35.82	39.15	42.48	45.78	47.94
9	6×LGJ-800/55	20.993	37.55	40.88	44.22	47.55	49.72
10	6×ACSR-720/50	21.991	39.41	42.74	46.07	49.41	51.57
11	6×LGJ-630/45	23.710	39.65	42.95	46.25	49.55	51.73
12	7×LGJ-800/55	18.956	33.26	36.59	39.92	43.26	45.42
13	7×ACSR-720/50	19.855	35.11	38.45	41.78	45.11	47.28

续表 13

序号	导线型号	导线表面最大场强(kV/cm)	电晕可听噪声				
			海拔高度 0m	海拔高度 1000m	海拔高度 2000m	海拔高度 3000m	海拔高度 3650m
14	7×LGJ-630/45	21.067	37.49	40.83	44.16	47.49	49.66
15	8×ACSR-720/50	18.076	31.10	34.43	37.77	41.10	43.27
16	8×LGJ-630/45	19.155	33.41	36.75	40.08	43.41	45.58
17	8×JL/G1A-560/40	20.004	35.15	38.48	41.82	45.15	47.32
18	8×JL/G2A-500/35	20.898	36.91	40.24	43.57	46.91	49.07

注：导线平均高度 23m，极间距 22m。

以表 13 的计算结果，各导线组合方案在 45dB(A)和 50dB(A)限值下的海拔高度见表 14。

表 14　各导线组合方案在不同噪声限值下的海拔高度(m)

序号	导线型号	45dB 控制的海拔高度	50dB 控制的海拔高度
1	4×JL/G1A-1120/90	415	1917
2	4×JL/G3A-1000/45	−278	1224
3	5×JL/G1A-1120/90	2225	3727
4	5×JL/G3A-1000/45	1539	3040
5	5×JL/G3A-900/40	1028	2530
6	6×JL/G3A-1000/45	3088	4589
7	6×JL/G3A-900/40	2592	4094
8	6×LGJ-900/75	2755	4257
9	6×LGJ-800/55	2234	3735
10	6×ACSR-720/50	1675	3177
11	6×LGJ-630/45	1600	3015
12	7×LGJ-800/55	3522	5024
13	7×ACSR-720/50	2965	4467

续表 14

序号	导线型号	45dB控制的海拔高度	50dB控制的海拔高度
14	7×LGJ-630/45	2250	3752
15	8×ACSR-720/50	4170	5671
16	8×LGJ-630/45	3476	4977
17	8×JL/G1A-560/40	2954	4455
18	8×JL/G2A-500/35	2426	3927

由表 14 可见，我国±800kV 特高压直流输电工程的导线组合均能满足 45dB(A)～50dB(A)的限值要求。

经计算分析，可听噪声随极间距离的增大逐渐减小，平均变化陡度约－0.3dB/m。可听噪声随导线平均高度增加而降低，平均变化陡度约－0.2dB/m。因此，为降低可听噪声，可采取加大极间距离、提高导线平均高度等措施。

据此，推荐±800kV 特高压直流输电线路的电晕可听噪声限值为 45dB(A)～50dB(A)。

对人口稠密地区，要满足 45dB(A)的可听噪声限值要求。对于海拔高度大于 1000m 且人烟稀少的高海拔地区，其噪声限值要满足 50dB(A)的要求。

5.1.6 制定合理的场强标准可使线路既满足生物效应的要求，同时避免不必要的增加线路建设的投资，使输电线路的造价控制在合理的水平。

直流输电线路的电场强度的限值通常用两种方式表示：在一定数量空间电荷下合成场强的限值；标称场强和离子流密度的限值。目前，对直流输电线路下电场强度的限值一般根据人体感受试验确定。

(1)各国电场和离子流密度的限值。

美国：在支流输电线路下可能有人员活动的地方，地面合成场强限值为 30kV/m。美国政府工业协会 1995 年推荐，直流电场强度职业暴露限值为25kV/m；在电场强度超过15kV/m的场合工作，需要接触不接地的物体时，要求采取防护措施，如戴绝缘手套等。

加拿大：规定直流输电线路下最大合成场强为25kV/m；走廊边沿的标称电场不超过2kV/m；线下离子流密度限值为100nA/m^2。

巴西：伊泰普工程输电线路地面最大合成场强取40kV/m。

苏联：在设计±750kV输电线路时规定了不同情况下的地面最大合成场强，无人居住时取25kV/m，有人居住时取10kV/m。

中国：现行行业标准《高压直流架空输电线路设计技术规程》DL 5497—2015、现行国家标准《±800kV直流架空输电线路设计规范》GB 50790—2013规定：直流输电线路下方地面的合成场强限值取为30kV/m；线下最大离子流密度限值为100nA/m^2。

表15列出了各国对于直流线路电场强度的限值情况。

表15 各国直流线路电场强度限值情况

标准	限值内容	备注
美国标准	线下最大允许合成场强 E_s 为30kV/m	—
日本环境部标准	线下最大允许标称场强 E_e 为9kV/m	—
加拿大标准	线下最大 E_s=25kV/m；J=100nA/m^2，走廊边缘标称 E_e=2kV/m	—
巴西标准	地面最大合成场强 E_s=40kV/m	伊泰普
苏联标准	线下 E_s=15kV/m，J=20nA/m^2	8h
	线下 E_s=15kV/m～20kV/m，J=25nA/m^2	5h
	线下 E_m=60kV/m	1h
	无人居住 E_s=25kV/m；有人居住 E_s=10kV/m	±750kV
泰西蒙咨询葛南线采用标准	线下5%概率的合成电场 E_s 为30kV/m	—
DL 5497—2015、GB 50790—2013	一般非居民区 E_s=30kV/m，离子流密度 J=100nA/m^2，民房湿导线未畸变合成场强15kV/m	—

注：E_s 为合成电场，E_e 为标称场强。

表 16 列出了国内外已建直流线路工程的场强情况。

表 16　国内外已建直流线路工程的场强

工程名称	国家	电压 (kV)	导线结构 (n×mm)	表面场强 (kV/cm)	地面场强 (kV/m)	合成场强 (kV/m)	离子流密度 (nA/m^2)
太平洋联络线	美国	±400	2×45.8	20.56	11.57	20.82	72.14
太平洋联络线	美国	±500	2×45.8	25.97	14.46	26.02	90.17
CU 工程	美国	±400	2×38.2	24.14	5.1	17.0*	26.0*
纳尔逊河	加拿大	±450	2×40.7	25.87	9	20.0	55.0*
伏尔加格勒—顿巴斯	俄罗斯	±400	2×33.0	28.96	—	—	—
天广线	中国	±500	4×26.8	25.89	12.36	27.11	62.08
三常线	中国	±500	4×36.2	20.35	15	23.66	71.99
三广线	中国	±500	4×36.2	19.20	15.12	22.23	61.77
云广线	中国	±800	6×33.6	24.18	10.81	29.21	72.59

注：1　表面场强、地面场强、合成场强及离子流密度均表示最大值。

2　带 * 的项目为实测值。

(2)直流线路电场限值。

直流线路线下雨天时的合成电场比晴天时的大，在确定导线对地最小高度时，按理应考虑雨天情况。泰西蒙在对葛上直流工程咨询时即按此原则给出的建议，按雨天时导线的起晕场强分析，提出导线对地最小高度为 14m。当时我国研究人员以晴天时导线的起晕场强计算，确定导线对地最小距离为 12.5m。对于葛上 ±500kV 直流输电线路，若将晴天时的地面最大合成电场控制在 30kV/m，雨天时也只有不到 35kV/m，实际运行经验表明，这是可以接受的。

直流线路电场对人的影响应该以合成场强衡量，从苏联和我国直流线路的运行经验看，地面合成场强没有必要小于 10kV/m，从美国和苏联的规定看，不应大于 15kV/m。我国在原国家标准

《高压直流架空送电线路技术导则》DL 436—1991 中规定，邻近民房的地面标称场强限值为 3kV/m，而在现行国家标准《高压直流架空送电线路技术导则》DL/T 436—2005 中已改为：民房所在地面未畸变合成场强不应超过 15kV/m。

原导则是在建设葛上直流工程时确定的，当时中国电力科学研究院对直流合成电场对人的影响进行过大量的试验研究，在晴天，当地面合成电场到达 11kV/m 时，人在该电场下打伞，手触摸金属柄，会感受到明显但比较轻微的暂态电击；在雨天，同一地点的地面合成电场达到约 15kV/m，暂态电击更强烈，具有刺痛感。随着电场增加，暂态电击程度也增加。为了防止人在民房所在地打伞时出现较强的暂态电击，民房所在地面的合成电场不应超过 15kV/m。

从苏联的规定和我国直流线路运行经验看，直流线路临近民房时，地面合成场强不需小于 10。同时我国为慎重确定直流线路临近民房所在地面的合成电场的限值，在 2005 年 7 月，中国电力科学研究院会同湖北超高压局武汉分局，组织了老中青男女人员，在直流输电线路下进行了感受试验。试验中人处在的地面合成场强的范围为 6.1kV/m～15.1kV/m。人体试验方式为：人触摸接地金属、人打伞触摸金属柄和人触摸架设在空中对地绝缘的 13m 长金属线时的感受。感受结果为：①穿普通鞋的人触摸接地金属体时无感觉；穿电工绝缘鞋的人触摸接地金属体时，在 15kV/m 的场强下时有明显但轻微的暂态电击感觉，在小于 12kV/m 的场强下无感觉。②人触摸架设在空中对地绝缘的 13m 长金属线时无感觉。③人打伞触摸金属柄，在地面合成电场小于 9.6kV/m 时，无感觉；在地面合成电场为 11kV/m～13kV/m 时，有明显但轻微的暂态电击感觉；在地面合成电场为 14.6kV/m～15.1kV/m 时，放电很明显，放电声较大，有明显刺痛感，与人在干燥的地板上走动后再触摸水龙头的感觉类似。同时这与葛上直流工程时所做的感受试验一致。

生态环境部组织的专家评审中，经过多方分析讨论，专家认为应充分考虑减少电击对人造成的不适或不快感，按80%测量值不超过15kV/m考虑，这样符合一般合格评定的规则，与无线电干扰限值的意义也一致。

据此，推荐直流输电线路下方地面最大合成电场强度为30kV/m邻近民房的地面最大合成场强为25kV/m(晴天)，同时满足80%测量值不超过15kV/m为控制指标。最大离子流密度限值晴天不超过$80nA/m^2$，雨天不超过$100nA/m^2$。这与我国±500kV直流输电线路基本相同，在世界上处于中等水平。

关于80%值和50%值，假设测量数据为100组，将测量结果按照由小到大的顺序排列，第81(或51)个数值，即80%(或50%)测量值，此时小于或等于15kV/m为满足要求。对于因80%和50%的差距可能带来的问题，建议在监测方法中以规定风向和更小的风速来解决。

(3)导线表面电晕可引起电晕损失、无线电干扰、电场效应(场强和离子流)和可听噪声等对环境的影响问题。

当导线的表面场强超过起晕场强时，导线表面附近的空气开始电离。表面场强比起晕场强大的越多，直流线路的合成场强、离子流、无线电干扰和可听噪声越大。世界上超高压直流线路的导线表面场强大部分控制在20kV/cm～25kV/cm。特高压直流线路，由于其电压高，对电晕更应重视。导线表面场强与导线分裂根数、子导线直径、分裂间距、极间距和极导线对地高度有关。

5.1.7 当导线排列方式有异于一般段时(跳线、进线档、换位塔)，导线的电磁环境可能恶化。

已建成的皖电东送同塔双回交流特高压工程一般段采用8×630导线，跳线、进线档和换位塔采用8×725扩900导线。

5.1.8 控制导线允许载流量的主要依据是导线的最高允许温度，后者主要由导线经长期运行后的强度损失和联接金具的发热而定。《电机工程手册》(试用本)(机械工业出版社，1979年)电线电缆第 26 篇提出当工作温度愈高，运行时间愈长，则导线的强度损失愈大，对 54/7 的钢芯铝绞线的强度损失见表 17。

表 17　54/7 钢芯铝绞线强度损失值

工作温度(℃)	运行时间(h)	
	1000	10000
85	−1%	−1.4%
100	−2%	−3.0%

1980 年国际大电网会议第 22 组苏联代表等的报告中提出钢芯铝绞线的强度损失见表 18。

表 18　钢芯铝绞线强度损失值

国家	苏联		比利时			加拿大	
导线温度(℃)	110	150	90	100	150	125	150
时间(h)	3	3	24	24	24	1000	1
强度变化(%)	+15	+20	+10	+12	+15	0	0

表 18 中数据说明钢芯铝绞线在 90℃～150℃时强度并未损失，短时间受热强度反而提高，这可能是由于线股在受热后调整伸长和位移使受力条件得到改善，钢芯强度能更好利用的结果。报告认为仅从导线耐热的角度考虑，钢芯铝绞线可采用 150℃，但为了避免接头氧化而损坏，在连续运行时，它们的温度不应超过 70℃。

我国输电线路钢芯铝绞线采用的电力金具，导线截面为 240mm^2 及以下的耐张线夹用螺栓型，跳线多用并沟线夹联接，运行中曾发生螺栓松动而将跳线烧红的情况。鉴此钢芯铝绞线的允许温度仍取以往设计规程采用值＋70℃(大跨越可取＋90℃)；钢芯铝合金绞线的允许温度采用值与钢芯铝绞线同。钢芯铝包钢绞线(包括铝包钢绞线)的允许温度，按华东电力设计院设计的 220kV 南京南热大跨越南江跨越和湖南省电力勘测设计院设计的220kV湘江大跨越采用的数值，取+100℃，此允许温度是通过单丝热强度损失试验确定的。考虑到长线路的连接点多，温升难以控制，对照钢芯铝绞线一般线路的允许温度较大跨越低20℃，故一般线路钢芯铝包钢绞线（包括铝包钢绞线）的允许温度采用+80℃，镀锌钢绞线仍取+125℃。工程设计中也可进行单丝热强度损失试验来选择恰当的绞线允许温度。当按允许温度选择导线截面时应对交叉跨越距离和对地距离进行相应的验算，并对导线连接点的发热问题做出相应考虑。

验算导线载流量时的环境气温采用最高气温月的平均最高气温（指最热月每日最高温度的月平均值，取多年平均值），太阳辐射功率密度采用0.1W/cm^2，一般线路的计算风速采用0.5m/s，大跨越由于导线平均高度在30m以上，风速要相应增加，故取0.6m/s。导线允许载流量的计算方法见附录G。国家标准《110kV～750kV架空输电线路设计规范》GB 50545—2010规定钢芯铝绞线和钢芯铝合金绞线的允许温度为“宜采用+70℃，必要时可采用+80℃”，钢芯铝包钢绞线（包括铝包钢绞线）可采用+80℃。

关于温度对导线及配套金具机械性能的影响，2001年原国家电力公司委托华东电力设计院进行“提高导线发热允许温度的实验研究”工作，华东院通过实验研究以及相关资料研究，获得了一些成果，进行摘要如下：

(1)对组成导线的线材。

1)电力建设研究所（以下简称电建所）和上海电缆研究所（以下简称上缆所）的试验结果。

试验采用的硬铝线、铝合金线和镀锌钢线的抗拉强度都较国际和IEC的标准要高；线材经过70℃～100℃持续加热1000h后，其残存强度与标准抗拉强度相比，没有或几乎没有下降；

对镀锌钢绞线，在长期加热至100℃，其抗拉强度不低于标准值；

对经过热处理的铝合金线，温度不超过80℃时，1000h强度损失为0.5%，10000h强度损失为8%；

对硬铝线，加热100℃，20000h强度不低于标准值。

2)加拿大ALCAN公司的试验结果。

H19硬铝线在100℃下，加热20000h强度没有损失。强度为305MPa的6101铝合金线，在75℃下，加热10000h，20000h，强度没有损失；在100℃下，加热10000h，强度损失8%。强度为250MPa的6101铝合金线，在75℃下，加热10000h，20000h，在100℃下，加热10000h，强度均没有损失。

3)IEC 1597—1995论文《架空电力线裸绞线计算方法》。

若导线每年的加热时间为10h，10年的累积效应相等于同样的温度连续加热100h。A1铝线加热到80℃持续1000h，强度基本上没有损失，而铝合金线A2强度损失为0.5%。

(2)对钢芯铝绞线。

国内试验数据表明，80℃时的钢芯铝绞线强度基本上不低于计算拉断力。

日本试验认为，ACSR钢芯铝绞线即使在90℃时强度稍有降低，但基本上不低于计算拉断力。而此时导线的运行张力不足拉断力的40%，而且高温过后拉断力仍会恢复，所以实用上不会有问题。

苏联、比利时和加拿大的试验表明，ACSR钢芯铝绞线的允许温度可以超过90℃。

(3)对导线配套金具。

根据国内外试验数据：①压缩型金具(耐张线夹，接续金具)的握力强度在80℃时高于导线实际拉断力的95%。②在线温80℃时，压缩型金具的温度在70℃以下。③压缩型金具的交流电阻为等长导线交流电阻的35%～66%。试验数据归纳如下：

国外试验，IEEE资料《钢芯铝绞线金具的高温试验》的结论：对悬垂线夹、耐张线夹、接续管、防振锤、护线条和并沟线夹所做试验表明，只要导线温度不超过200℃，线路金具就能够安全运行。

电建所对压缩型耐张线夹和接续管做的试验表明，导线温度80℃时，金具温度不超过67℃；从常温到100℃，金具电阻与等长导线的电阻之比在35%～66%范围以内；金具温度在80℃以下时，对握力没有影响。

(4)国内外有关标准对导线允许温度的规定。

1)各国对钢芯铝绞线规定的允许温度见表19。

表19　各国对钢芯铝绞线规定的允许温度

温度(℃)	国　　家
90	日本、美国
85	法国
80	德国、意大利、瑞士、荷兰、瑞典
75	比利时、印度尼西亚
70	中国、苏联
50	英国

2)中国线路设计规范对一般线路钢芯铝绞线规定的发热校验条件。

针对GB 50545，1957年规程版本，规定允许温度为70℃，发热校验环境：最热月份下午1点的平均气温；1959年规程版本，规定允许温度为90℃，发热校验环境：最热月份月平均气温；1979年、1999年规程版本，规定允许温度为70℃，发热校验环境：最高气温月的平均最高气温，风速0.5m/s，日照强度$0.1W/cm^2$；2010年规程版本，规定允许温度为70℃，必要时可提高至80℃，发热校验环境：最高气温月的平均最高气温，风速0.5m/s，日照强度$0.1W/cm^2$。

3)1980 年国际大电网会议 22 组资料。

苏联、比利时、加拿大认为钢芯铝绞线本身的允许温度可以取 150℃。为避免导线连接点高温氧化，导线的连续运行温度不得高于 70℃。如果接触良好，接头电阻通常为导线电阻的 30%～40%，导线 100℃～130℃时，其接头温度通常为 55℃～60℃。在 60℃持续加温之后，接头的强度和电阻并无任何变化。压结型接头的性能更好。2002 年电建所的金具试验也证实了这一点，其配套金具(耐张线夹、压接管、接续管)的通流温度为导线温度的 60%～80%。

4)行业标准《导体和电器选择设计技术规定》SDGJ 14—86。

根据国产导线性能和西安高压电器研究所、沈阳高压开关厂的高压端子温升试验、南京线路器材厂的金具接触电阻试验，以及《电力工业技术管理法规》编写组的调查资料，在行业标准《导体和电器选择设计技术规定》SDGJ 14—86 中，规定钢芯铝绞线的允许温度为 80℃。

5)PIEE 论文。

PIEE 论文归纳了许多国家的试验和调查资料后认为，事故过载时处于低风、高气温、强日照环境的概率较低，以平均每天发生 1h 计，27 年的累积效果相当于持续 10000h。钢铝比为 0.13 的 F 型导线(结构 54/7)在 85℃温度下，持续加热 10000h 的强度损失为 1.4%。提议对于 ACSR 导线，可按以下原则控制允许温度：正常最大负荷下取 80℃；事故负荷下(每年平均累计不可能超过 10 天)，可取 120℃。

6)日本电气协同研究第 26 卷 4 号《送电用特殊电线》。

该文认为，按日本现行法定使用年限 36 年累积下降 10%拉断力考虑，硬拉铝 HAL 长期运行温度应为 80℃。由于运行气象并非经常严酷，根据过去的实践建议取 90℃。

7)1980 年国际大电网会议瑞典报告。

瑞典规定导线正常运行允许 50℃，过负荷允许 70℃，大负荷和发电中心允许到80℃。报告结合地区最高负荷和环境条件的出现概率，选择正常和过负荷时最相宜的吸收和辐射系数、冬夏气温、风速、日照等载流量参数。从而使正常运行载流量提高10%～20%，过负荷提高20%～40%。

对于耐热铝合金线线材的允许温度，可参考国家标准《架空绞线用耐热铝合金线》GB/T 30551—2014的相关规定执行。

(5)由于温度提高，导线弧垂增加，对地及交叉跨越空气间隙距离减少，将影响线路对地及交叉跨越的安全裕度。

1)以往设计按经济电流密度选择导线截面，并以最高气温弧垂来校验对地和交叉跨越的安全间距。鉴于导线达到允许温度的时间在全年运行中所占比重很小，一般不要求对允许温度弧垂校验安全距离。

对于特定的交叉跨越如200m以上档距跨越铁路、高速或一级公路等，以往设计规程规定按允许温度弧垂校验交叉跨越间距。

2)对于按发热条件选择导线截面的线路，由于常常处于其允许传输容量的运行状态，自然应当按提高后的允许温度的弧垂来校验规定要求的安全距离。

3)对于按经济电流密度选择导线截面的线路，提高导线允许温度的影响，主要反映在系统规划"N－1"的工况下，在调度转移负荷的短时间内，允许传输容量和导线弧垂的适当增加，导致了适当补偿导线对地面和交叉跨越距离的需要。

4)对于按经济电流密度选择导线的线路，在导线允许温度提高到80℃之前，必须按50℃弧垂校验导线对地和交叉跨越间距、做好必要的调整，并检查、恢复导线接头的良好接触传导。

直流线路流过导线的直流电流，应取换流站整流阀在冷却设备投运时可允许的最大过负荷电流。在无可靠系统资料情况下，流过线路导线的最大过负荷电流可取1.1倍的额定电流。

5.1.9 为了平衡三相线路参数，充分利用导线截面和减小导线表面场强，紧凑型线路导线选型时，应尽量做到每相电荷平衡，每根子导线电荷基本平衡。以工作电容衡量每相导线电荷平衡情况，该工作电容乘以相电压等于该相单位长度线路电荷;用不均匀系数表示每根子导线电荷平衡情况,该系数等于该根子导线的实际电荷除以子导线的平均电荷。

昌平—房山 500kV 紧凑型线路和政平—宜兴双回 500kV 紧凑型线路相导线工作电容相差不超过 0.25%,子导线最大电荷不均匀系数不大于 1.05,最小电荷不均匀系数不小于 0.95。

昌平—房山 500kV 紧凑型线路导线电荷平衡情况见表 20,常规 500kV 线路导线电荷平衡情况见表 21。

表 20　昌—房 500kV 紧凑型线路导线电荷平衡情况

相间距离(m)	自然功率(MW)	工作电容(pF/m)			电荷不均匀系数	
		A 相	B 相	C 相	F_{max}	F_{min}
6.7	1333	17.79	17.75	17.79	1.05	0.95

表 21　常规 500kV 线路导线电荷平衡情况

相间距离(m)	自然功率(MW)	工作电容(pF/m)			电荷不均匀系数	
		A 相	B 相	C 相	F_{max}	F_{min}
12.3	996	13.06	14.06	13.06	1.05	0.96

5.1.11　对于高压交直流线路,还应考虑地线电晕问题,即地线上的感应电荷较大,有可能在地线上产生很大的表面电场强度,当超过起始电晕电场强度时,亦会产生电晕损失、无线电干扰和可听噪声干扰等,必须予以限制。

目前只能计算导线无电晕时地线的表面电场强度值,当导线有电晕时计算非常复杂,国内外尚未深入研究。

我国 500kV 输电线路地线表面场强与起晕场强之比约为 0.5;韩国 765kV 输电线路地线表面场强与起晕场强之比约为 0.6;日本 1000kV 地线截面达到 500mm^2,地线直径较大,地线表面场强与起晕场强之比约为 0.5;苏联在设计 1150kV 输电线路时没有考虑地线表面场强,但是他们采用了双分裂地线。我国 750kV 官兰线的地线表面工作场强与起晕场强之比约为 0.5。

1000kV 晋东南—南阳—荆门交流特高压试验示范工程猫头塔(ZM1)、酒杯塔(ZB1)及同塔双回路地线的表面最大场强与起晕场强之比 E_m/E_0 计算结果见表 22～表 25。

表 22　猫头塔(ZM1)地线 E_m/E_0 计算结果

地线直径(mm)	海拔高度(m)			
	0	500	1000	1500
15	0.735	0.748	0.762	0.775
16	0.699	0.712	0.725	0.738
17	0.668	0.679	0.692	0.705

注：表中导线平均高度分别为 30m、51m、30m，地线平均高度为 62m。

表 23　酒杯塔(ZB1)地线 E_m/E_0 计算结果

地线直径(mm)	海拔高度(m)			
	0	500	1000	1500
15	0.762	0.775	0.789	0.804
16	0.726	0.738	0.752	0.766
17	0.693	0.705	0.718	0.732

注：表中相间距离为 25.5m，导线平均高度为 30m、32m、30m，地线平均高度为 48m。

表 24　同塔双回路双回运行地线 E_m/E_0 计算结果

地线直径(mm)	海拔高度(m)			
	0	500	1000	1500
18.75	0.743	0.757	0.771	0.787
20	0.708	0.720	0.734	0.748

注：表中相间最大水平距离为 45m，导线平均高度为 30m、52m、75.5m，地线平均高度为 89.5m。

表 25　同塔双回路单回运行地线 E_m/E_0 计算结果

地线直径 (mm)	海拔高度(m)			
	0	500	1000	1500
18.75	0.945	0.962	0.980	0.998
20	0.899	0.915	0.933	0.951
22	0.836	0.851	0.867	0.884
24	0.781	0.795	0.811	0.827
26	0.734	0.748	0.762	0.777
28	0.693	0.706	0.720	0.734

注:表中相间最大水平距离为 45m,导线平均高度为 30m、52m、75.5m,地线平均高度为 89.5m。

参考我国超高压导线表面场强与起晕场强之比 0.8～0.85,地线表面粗糙系数按照 0.82 考虑,建议地线表面工作场强与起晕场强之比不宜大于 0.8。单回路相应的地线直径约 17mm,地线截面约 $170mm^2$;同塔双回路双回运行时相应的地线直径约 20mm,地线截面约 $240mm^2$,同塔双回路单回运行时相应的地线直径约 27mm～28mm,地线截面约 $400mm^2$,考虑同塔双回路单回运行时间概率较少,不予考虑。

一般直流线路导线的起始电晕电场强度采用 15kV/cm,计算地线时应留有裕度,因为导线常处于电晕状态,使地线上的表面电场强度有所增大(类似于导线的综合场强),但增大多少,目前尚在研究。此外尚有高海拔的影响。±500kV 直流线路地线选择,电晕不起控制作用,地线直径按习惯取 11.5mm。±660kV 直流线路地线选择,电晕起控制作用,宁东—山东直流线路建议地线表面电场强度取与±800kV 向家坝—上海特高压线路相同,不超过 13kV/cm(海拔高度 1000m 及以下用),建议的地线直径在 15.0mm 左右。根据中国电科院提供的最新计算和现场测试结果,表明地线的表面电场强度可以适当放宽,建议地线的表面电场强度不超过 18kV/cm,因此±660kV 直流线路的地线直径可适当减小。

5.1.12 根据运行经验,光纤复合架空地线外层线股 110kV 及以下线路应选取单丝直径 2.8mm 及以上的铝包钢线;220kV 及以上线路应选取单丝直径 3.0mm 及以上的铝包钢线。

5.1.14 地线选用镀锌钢绞线与导线配合以往设计时按表 26 所示。

表 26 地线选用镀锌钢绞线与导线以往配合表

导线型号	LGJ-185/30 及以下	LGJ-185/45～LGJ-400/50	LGJ-400/65 及以上
镀锌钢绞线最小标称截面(mm^2)	35	50	70

根据 2008 年 1—2 月我国南方地区大面积冰灾的情况,受灾线路的地线由于不通电,致使地线覆冰严重,引起地线拉断及地线支架折断。因此,覆冰区加大地线截面及加强地线支架强度是提高线路抗冰能力的有效措施。

经计算,按 $V=30$m/s、$C=10$mm 设计的线路导地线的过载能力见表 27。

表 27 导地线的过载能力(当 $t=-5$°C,$V=15$m/s 时)(mm)

代表档距 L_p(m)	400	500	600	700
LGJ-400/35	24.58	23.21	22.41	21.9
LGJ-400/50	26.40	24.67	23.64	22.98
GJ-80(1×7)	33.36	30.35	28.38	27.03
GJ-80(1×19)	32.76	29.87	27.99	26.71
GJ-100	36.5	33.07	30.81	29.25

地线覆冰厚度应比导线增加 5mm,则:LGJ-400/35 与 GJ-80 相匹配,LGJ-400/50 与 GJ-100 相匹配。

5.1.15 本条规定了导地线设计的最小安全系数。对悬挂点张力控制条件，限定其安全系数不应小于2.25，便于有关项目计算。

5.1.16 导地线安全系数的公式采用张力表达式；导地线额定拉断力作为表征导地线性能的技术参数之一，其计算方法和要求参照国家标准《圆线同心绞架空导线》GB/T 1179—2017；导地线用于工程设计的拉断力（统称设计拉断力），参照国家标准《圆线同心绞架空导线》GB/T 1179—2017中导线拉断力试验时导线应能承受不小于额定拉断力（RTS）的95%的要求，一般取导地线额定拉断力的95%；当有型式试验数据支撑时，设计拉断力也可在95% RTS基础上进行提高。

需要说明的是，国家标准《圆线同心绞架空导线》GB/T 1179中关于对导线拉断力的说明2017版与2008版存在差异，在2017版中，新增了如下内容：

（1）对单一绞线（铝绞线、铝合金绞线、镀锌钢绞线和铝包钢绞线），新增了“对于铝（铝合金）绞线，如铝（铝合金）单线的总股数为91股及以上时，导线额定拉断力应以所有单线最小拉断力的总和的95%计算；对于镀锌钢绞线和铝包钢绞线，如单线的总股数为61股及以上时，导线额定拉断力应以所有单线最小拉断力的总和的95%计算”。

（2）对钢或铝包钢芯铝（铝合金）绞线，新增了“如铝（铝合金）单线的绞层数为4层时，导线额定拉断力应以计算值乘以95%”。

（3）对铝合金芯铝绞线，新增了“如单线的总股数为91股及以上时，导线拉断力应以硬铝线部分拉断力与铝合金线部分的95%拉断力总和的95%计算”。

归纳起来，相较于2008版，2017版对达到一定股数、层数的大截面导线，额定拉断力在2008版基础上乘以了95%。

国家标准《圆线同心绞架空导线》GB/T 1179—2017实施以后，对于达到上述股数、层数的大截面导线，如900mm^2、1000mm^2、1250mm^{2}截面的钢芯铝绞线，国家电网公司的较早的特高压工程如陕北—武汉±800kV直流线路（6×1250mm^2）、雅中—江西

±800kV 直流线路（$6\times1250mm^2$、$6\times1000mm^2$），导线的额定拉断力沿用 2008 版取值，而之后的白鹤滩—江苏±800kV 直流线路（$6\times1000mm^2$、$6\times900mm^2$）则使用 2017 版取值；南方电网公司的乌东德—广东广西±800kV 多端直流线路昆北—柳北段（$8\times900mm^2$）使用 2017 版取值。

5.1.17 在稀有气象条件，相应的悬挂点最大张力不应超过设计拉断力的 66%。

（1）从已有的运行情况来看，重覆冰线路出现的导线事故，主要限于以下三个方面：

1）由于覆冰过载，即导线所覆冰重接近甚至超过导线本身最大抗冰能力，从而出现过载性断股、断线事故。

2）由于冰荷载大，导线张力大，这时，如果在导线悬垂线夹处再施加一个很大的不平衡张力，超过了线夹握着力，导线滑移，从而使部分或全部铝股出现非过载性断股事故。

3）由于导线覆冰舞动或脱冰跳跃，以致造成导线与导线之间，或者导线与地线甚至杆塔结构之间出现闪络跳闸和烧伤导地线事故。

上述导线事故，与安全系数密切相关的主要是过载断线事故。可以看出，若设计中考虑了冰重过载系数 1.6，从理论上讲不应该出现灾难性的断线事故。

其次，断线与否也不能作为安全运行的分界点，因为线路使用的导地线是由弹性线材构成的，远在拉断之前会因超越弹性限度而出现显著的塑性伸长，这将给安全运行带来很多隐患。如对地、被交叉跨越物的安全间距减少，三相导线或子导线间的弧垂不平衡等。故一般情况下应满足导线弧垂最低点的最大张力不超过其设计拉断力的 60%。

然而，目前由于覆冰资料缺乏，实际情况往往是设计冰厚偏小，过载比值往往大于 1.6 甚至在 2.0 以上，从而造成严重的断线倒塔事故。为防止这类事故的重复出现，务必要求提高线路各部件的安全储备。所以，规定要求导地线的最大稀有冰荷载条件下，其弧垂最低点的最大张力不宜超过设计拉断力的60%（导地线悬挂点张力可较弧垂最低点张力提高10%）。

(2)轻冰区导线安全系数取2.5，即导线允许最大使用张力为设计拉断力的40%，对导线最低点处允许的弹性限度70%来讲，安全储备系数为1.7。虽然过载比值可能在1.7以上，但鉴于导线张力增长与过载荷重增长是非线性的，导线张力增长较慢，且与档距大小有关。一般重冰线路档距都相对偏小，允许较大的过载冰重。据此认为，重冰区导线的设计安全系数采用2.5是合理的。

5.1.19 对未张拉过的导地线受力后除产生弹性伸长和塑性伸长外，还随着受力的累积效应产生蠕变伸长。塑性伸长及蠕变伸长均为永久变形(以下简称塑性伸长)。为考虑塑性伸长对弧垂的影响，线路理想的施工工艺是按塑性伸长曲线(蠕变曲线)架设导地线。我国电线制造厂家目前不提供塑性伸长曲线，对新国标的电线产品又无系统的塑性伸长资料，故导地线的塑性伸长相应的降温值仍取现行国家标准《110kV～750kV架空输电线路设计规范》GB 50545—2010的采用值，对钢芯铝绞线塑性伸长采用值如表28。

表28 《110kV～750kV架空输电线路设计规范》GB 50545—2010 钢芯铝绞线塑性伸长采用值

铝钢截面比	塑性伸长	降温值(℃)
4.29～4.38	3×10^{-4}	15
5.05～6.16	$3\times10^{-4}\sim4\times10^{-4}$	15～20
7.71～7.91	$4\times10^{-4}\sim5\times10^{-4}$	20～25
11.34～14.46	$5\times10^{-4}\sim6\times10^{-4}$	25(或根据试验数据确定)

现行国家标准《110kV～750kV架空输电线路设计规范》GB 50545—2010对塑性伸长的取值方法与IEC/TR3 61597—1995 *Overhead electrical conductors-calculation methods for stranded bare conductors*; *Technical Report Type* 3一致，即采用导线平均

运行应力作用下10年的蠕变值，并且不扣除张力架线和施工临锚过程中产生的蠕变量。

对现行国家标准《圆线同心绞架空导线》GB/T 1179—2017中铝钢截面比为4.29～7.91者，其长期运行后产生的塑性伸长取值如表29所示。

表29 钢芯铝绞线塑性伸长采用值

铝钢截面比	塑性伸长取值
7.71～7.91	4×10^{-4}～5×10^{-4}
5.05～6.16	3×10^{-4}～4×10^{-4}
4.29～4.38	3×10^{-4}

目前，输电线路输送容量增大，输电线路中大量选用大铝钢截面比导线，为此在钢芯铝绞线塑性伸长表及钢芯铝绞线降温值表中补充铝钢截面比11.34～14.46的内容；如导线制造厂家不能提供塑性伸长曲线，又无相关塑性伸长资料，可参考目前我国特高压直流线路常用的大截面导线降温值，如表30所示。

表30 大截面绞线降温值

绞线型号	降温值(℃)
JL1/G3A-1250/70-76/7	30
JL1/G2A-1250/100-84/19	30
JLHA1/G2A-1250/100	30
JLHA4/G2A-1250/100	30
JL1/G3A-900/40	25
JL1/G2A-900/75	25
JL1/G3A-1000/45	30
JL1/G2A-1000/80	30

上海中天铝线有限公司导线试验数据，JL/G3A-900/40钢芯铝绞线25%RTS的降温值为27.25℃，JL/G3A-900/75钢芯铝绞线25%RTS的降温值为27.55℃，JL/G2A-1000/80钢芯铝绞线

降温值为 27.22℃，JL/G3A-1000/45 钢芯铝绞线降温值为 27.68℃，JL/G3A-1250/70 钢芯铝绞线降温值为 26.93℃，JL/G2A-1250/100 钢芯铝绞线降温值为 26.86℃。

当无资料时，铝包钢绞线（导电率为 14%IACS、20.3%IACS）塑性伸长可采用 1×10^{-4}，并降低温度 10℃补偿，其他导电率的铝包钢绞线应采用制造厂家提供的塑性伸长值或降温值。

5.2 导线和地线防振

5.2.1 目前运行线路上的导地线大多采用我国以往国标电线产品，当其平均运行张力和相应的防振措施符合以往设计要求时，运行中未发现问题。导线型号和相应的铝钢截面比列入表 31。

表 31 运行线路导线型号和相应的铝钢截面比

导线型号	铝钢截面比
LGJQ 型	8.01～8.07
LGJ 型	5.29～6.00
LGJJ 型	4.29～4.39

（1）钢芯铝绞线的铝钢截面比愈小，则铝部的平均运行张力愈大。具有良好运行经验的钢芯铝绞线铝钢截面比最小值为 4.29，因此应采用现行国家标准《圆线同心绞架空导线》GB/T 1179—2017 中铝钢截面比不小于 4.29 的钢芯铝绞线。当采用镀锌钢绞线时，其平均运行张力上限仍可取以往设计规程规定值。如根据多年的运行经验证明所选用的年平均运行张力及相应的防振措施对导地线的振动危险很小时，可不受规范规定值的限制。

正文表 5.2.1 中的数据是根据铝钢截面比不小于 4.29 的钢芯铝绞线和钢绞线的运行经验总结出来的，现行国家标准《圆线同心绞架空导线》GB/T 1179—2017 中铝钢载面比 1.71 的 JL/G1A-95/55 耐振性能差，在 25% 拉断张力下不能通过 3×10^{7} 次振动考核。

单根导地线及2分裂导线仍采用以往防振措施。

4分裂导线与单根导线比较，分裂导线因自身的特性改变了其周围的气流状况，削弱了振动能量，另一方面间隔棒除了消耗导线的部分振动能量外，还牵制子导线相互的同步振动，使子导线的振动强度和持续时间均大为减小，分裂根数愈多，消振效果愈好，甚至可达到不再需要安装防振锤的效果。国内外有关资料如下：

意大利1980—1981年在威尼斯附近线路上实测悬垂线夹出口处动弯应变的最大值，单导线为250$\mu\varepsilon$；2分裂导线为200$\mu\varepsilon$；而3分裂导线则小于25$\mu\varepsilon$。

IEEE介绍4分裂导线的振幅可比单导线降低83%～90%。

西北电力设计院330kV工程的振动实测结果，2分裂水平排列导线的振幅为单导线的33%～60%。

东北电力设计院1978年在电力建设研究所进行的500kV元锦辽线消振性能试验中，4分裂导线采用单铰式间隔棒，次档距为64m，端次档距为35m，仅有0.1%的时间振动角超过10′，而装有防振锤的单导线则有0.2%的时间振动角超过10′。

华东电力设计院1983年在电力建设研究所进行的500kV淮繁线消振性能试验中，4分裂导线采用阻尼间隔棒时，在线夹出口处导线的动弯应变为不装间隔棒时的50%左右。

湖北省电力局超高压输变电局实测500kV平武线4分裂导线振动的结论为装有间隔棒的一般线路，档距小于500m时可以不采取防振措施。

日本的500kV线路普遍不装防振锤。

苏联1986年版《电气设备安装规程》提出：在开阔地带，单根钢芯铝绞线年平均运行应力超过40MPa应采取防振措施，而在相同条件下的2分裂钢芯铝绞线当年平均运行应力提高至大于45MPa时才要求采用防振措施。对3分裂和4分裂导线，当安装有间隔棒时，就不要求有防振措施（不包括跨越河流、水库和其他水域时档距大于500m的跨越段)。

到1994年年底我国投运的500kV线路已超过10000km,除个别大跨越外,导线均采用4分裂阻尼间隔棒。据有关专家提出档距在500m及以下没采用防振措施的线路,运行中未发现因振动断股而威胁线路的安全运行。

根据以上资料和国内线路的运行经验,对4分裂导线安装阻尼间隔棒的线路,当导线平均运行张力满足本条文的规定值,档距在500m及以下可不需要防振措施。如有可靠的运行经验也可适当放宽此项限值。

采用本条第1款以外的导地线,其允许平均运行张力的上限及相应的防振措施,应根据当地的运行经验或通过试验确定,也可采用制造厂家提供的技术资料。

华东电力设计院在500kV淮繁线及徐江线中采用LGJT-95钢芯铝绞线(与LGJ-95/55结构相同)作良导体地线,铝钢截面比为1.71,分别于1985年11月和1986年11月竣工;浙江省电力设计院在500kV北绍二回线中采用LGJ-95/55作良导体地线,于1993年7月投入运行。以上三条线路良导体地线的防振设计原则为:按年平均气温时良导体地线的铝部应力不超过当地有运行经验钢芯铝绞线的铝部应力作为控制条件,确定其平均运行张力的上限,运行中未发现问题。

(2)导地线的防振在高压线路设计中是一项重要的内容,高压线路由于档距较大,导地线悬挂点较高,在地形平坦,面粗糙度小的地区,高空层流风较稳定,输入给导地线的能量增达了,风速的增大,扩大了引起导线振动的风速的范围,增大了导地线振动的相对时间,且微风振动幅度比较大,容易引起导地线材料的疲劳,导致导地线断股断线事故的发生。例如500kV中山口、金口大跨越地线在1981—1988年期间多次发生振动故障,造成防振锤脱落,地线断股,金具损坏。在500kV荆门斗笠变附近,近年来也多次发生过舞动现象。由于特高压线路的重要性,因此,防止或减小特高压线路导地线的微风振动、次振距振荡及舞动造成的危害就成为线路设计的一个重要问题。

(3)微风振动及防振锤安装数量。迄今国内外输电线路防止微风振动的措施，主要是采用防振锤或阻尼线的方式，一般工程宜采用改进斯托克布里奇型防振锤，即带大小锤头的覆盖 4 频率的 FR 型防振锤。

国内有多种防振锤，常见的有 F 型(对称)和 FR 型(不对称)，其基本原理是一样的。由于 F 型防振锤是对称布置的。它有两种振型：一种是平动振型，即锤头质心上下振动；另一种是转动振型。由于 F 型防振锤两端对称，所以它只有 2 个自振频率；FR 型防振锤结构示意图见图 3，因其两端不对称，所以它有 4 个自振频率。

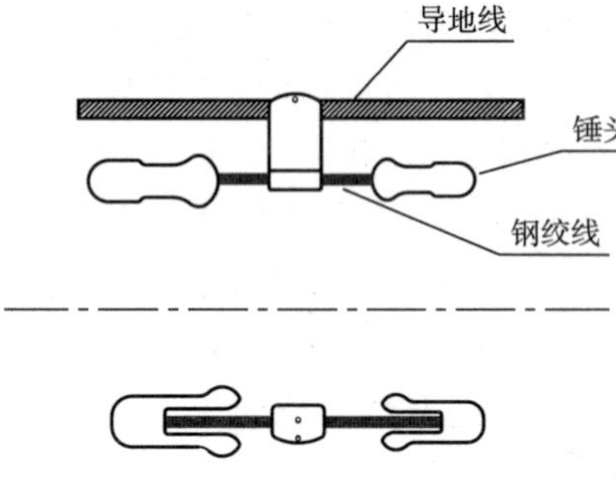

图 3　FR 型防振锤结构示意图

直流输电线路由于极导线结构型式的影响，使 6 分裂导线的微风振动强度较单导线或双分裂导线低。分裂导线安装间隔棒后具有一定的消振作用，使分裂导线组合体不易引起微风振动。借鉴以往 500kV 输电线路的运行经验及科研单位的研究成果，对 6 分裂导线安装间隔棒的线路，当导线平均运行张力不大于设计拉断力的 25%时，600m 及以下档距可不另加防振措施，当档距大于 600m 时，安装 1 个 FR-4 防振锤。防振锤的安装数量见表 32。

表 32　分裂导线防振锤安装数量

地区条件		每根子导线每档每端安装个数(个)	0	1	2	4
A	泥沼、平地	档距(m)	＜600	600～800	800～1200	＞1200
B	丘陵		＜600	600～800	800～1200	＞1200
C	一般山地		＜600	600～900	900～1300	＞1300
D	高山大岭		＜600	600～900	900～1300	＞1300

对于振动严重地段及大跨越档距的架空线建议采用联合防振，以获得较好的防振效果。如：护线条加防振锤，阻尼线加防振锤，护线条加阻尼线加防振锤等。

普通地线采用 JLB20A-180 铝包钢绞线防振锤采用 FR-2 型。根据有关课题承担单位采用能量平衡法微风振动计算程序，把档距从 100m 到 1000m 按每增加 50m 作为一种档距情况，每种档距情况又对安装不同数量的防振锤进行计算，并通过总结分析国内外的研究成果、设计经验，结合能量平衡法的数值计算结果，对防振锤安装数量建议如表 33。

表 33　地线防振锤安装数量

地区条件		每档每端安装个数(个)	0	1	2	3	4	5	6
A	泥沼、平地	档距(m)	≤200	200～300	300～450	450～600	600～800	800～1000	＞1000
B	丘陵		≤200	200～300	300～450	450～600	600～800	800～1000	＞1000
C	一般山地		≤300	300～400	400～600	600～800	800～1000	1000～1200	＞1200
D	高山大岭		≤300	300～400	400～600	600～800	800～1000	1000～1200	＞1200

根据中国电力科学研究院《准东—华东±1100kV 特高压直流工程导线微风振动、舞动及次档距振荡防治技术研究》最新研究结果，8 分裂 1250mm² 导线和 240mm² 地线的防振锤安装数量见表 34 和表 35。

表 34　导线防振锤安装数量(8 分裂)

防振锤个数(个)	0	1	2	3
档距(m)	<700	700～900	900～1200	≥1200

表 35　地线防振锤安装数量

防振锤个数(个)	1	2	3	4	5
档距(m)	<300	300～600	600～900	900～1200	≥1200

综合以上成果，目前特高压输电线路防振措施按照表 36 实施。

表 36　特高压输电线路导线防振措施

<table>
<tr><th>导线型式</th><th>范围</th><th>防振措施</th></tr>
<tr><td rowspan="2">8×500、8×630、
8×900、6×630、6×720、
6×900、6×1000、6×1250</td><td>档距不超过 600m</td><td>不需要</td></tr>
<tr><td>档距超过 600m</td><td>防振锤(阻尼线)或
另加护线条</td></tr>
<tr><td rowspan="2">8×1000、8×1250</td><td>档距不超过 700m</td><td>不需要</td></tr>
<tr><td>档距超过 700m</td><td>防振锤(阻尼线)或
另加护线条</td></tr>
</table>

(4)对于次档距振荡。分裂导线装设阻尼式间隔棒，并合理调整次档距距离，优化布置阻尼间隔棒，以加强对次档距振荡的防护。间隔棒的型式应结合防舞动措施一并考虑，以防止子导线鞭击、吸合，次档距分裂导线翻转、金具磨损，间隔棒疲劳等故障发生。

对于交流特高压线路，阻尼间隔棒宜不等距、不对称布置；导线最大次档距不宜大于 66m，平均次档距为 50m～60m，端次档距宜控制在 25m～35m。当线路经过重冰区时,平均次档距和端次档距都应适当减小。

根据高压直流线路设计经验,±500kV 直流线路采用 4 分裂导线,采用阻尼间隔棒时,档距在 500m 及以下可不再采用其他防振措施。导线推荐最大次档距不宜大于 66m,平均次档距为 50m～55m,端次档距宜控制在 28m～35m。当线路经过重冰区、易舞区时,平均次档距和端次档距都应适当减小。阻尼间隔棒采用不等距安装,并避免对称布置。

宁东—山东±660kV 直流线路采用大截面导线,采用阻尼间隔棒时,导线推荐最大次档距为 66m,平均次档距为 50m～55m,端次档距为 25m～35m(在导线的分裂间距取 450mm 情况下);当线路经过重冰区时,平均次档距和端次档距都应适当减小。间隔棒采用不等距安装,并避免对称布置。

±800kV 直流线路采用大截面导线,档距 1000m 以下平均次档距取 60m,最大次档距取 66m;档距 1000m 及以上平均次档距取 55m,最大次档距取 60m。在次档距振荡易发地区采用缩小平均次档距的方案进行防护,最大次档距取 50m,平均次档距取 45m。

(5)普通预绞丝防振锤在高空长期运行过程中由于与导线接触的不紧密,在风振碰撞、摩擦等作用下,可能造成导线磨损、变形,甚至断股和断线。在振动严重的区段应用预绞丝式防振锤应采取导线保护或加强固定等措施。

(6)自 20 世纪 70 年代,国内外科研、运行部门发现防振锤集中安装在档距端部超过两个以上时,其吸收振动能量并不与安装数量倍增。目前一些国家制定的防振规定或导则中,防振锤的安装数量有所减少,出现一档仅装一个防振锤的半档防振法及 T/m 判定振动强度法等。本规程考虑防振是基于导地线的 EDT 百分数,并在工程中根据档距大小安装不同数量的防振锤等措施,相较于半档防振法及 T/m 法,防振锤的安装数量较多,对线路运行的安全有利。

以下对 T/m 法进行简要介绍，供设计参考。20 世纪 70 年代，意大利 Rodolfo Claren 认为根据很多实际线路的运行经验和理论分析，以导线张力与其单位长度质量之比 T/m 来确定导线的微风振动特性是更为确切的，早期在调查和分析基础上推荐的 EDT 百分数估计导线疲劳损伤可能性的经验方法，适用于当时正常型和加强型的导线，但对其后出现的全铝合金导线和小、大铝钢截面比导线，如采用相同推荐值则可能导致全铝合金和特小铝钢截面比导线疲劳断股或大铝钢截面比导线强度不能充分利用；Rodolfo Claren 从导线的外层铝股应力来推算导线的期望寿命，而铝股应力恰与 T/m 成正比，因而用 T/m 作参数使问题变得简单明了。其部分结论摘述如下：

架空线路在 B 类地区（似指一般无水面平坦地区）的单导线，当档距不超过 500m 时，在最低气温月的平均气温条件下：

无护线条：$T/m \leqslant 16900\text{m}^2/\text{s}^2$，是安全的；

有护线条：$T/m \leqslant 17500\text{m}^2/\text{s}^2$，是安全的；

档中一个防振锤：$T/m = 19500\text{m}^2/\text{s}^2 \sim 20500\text{m}^2/\text{s}^2$，是安全的；

档中两个防振锤：$T/m = 21500\text{m}^2/\text{s}^2 \sim 22500\text{m}^2/\text{s}^2$，是安全的。

注：T—导线张力[N(kg · m/s²)]；m—导线单位长度质量(kg/m)。

以上表明，电线的张力越大，单位长度质量越小，其振动越严重。以此考虑防振也就照顾到了高强度铝合金导线和特强型钢芯铝绞线的振动严重性（T/m 大），并充分利用了大铝钢截面比导线的耐振强度（T/m 小）。

意大利塞尔维（SALVI）公司制定的防振锤使用导则中以电线最低气温月平均气温、无风、无冰下的张力 T 与电线单位质量 m 的比值来判断振动的强度和确定防振措施的标准，目前，我国生产的 FR 型防振锤，其安装标准就是应用上述 T/m 判据。

5.2.2 对于大跨越导地线防振技术要求，目前国内大跨越导地线防振措施有：纯防振锤防振方案，阻尼线防振方案，阻尼线加防振锤联合防振方案，交叉阻尼线加防振锤联合防振方案，圣诞树阻尼线防振方案等，具体的大跨越导地线防振方案应根据运行经验或通过实验来确定。

目前国内对导地线测振要求尚无正式标准。国际上也无统一的标准，但大多采用动弯应变值来判断导地线振动是否满足要求，且动弯应变的标准值差别不大。本规程结合国内外情况，并参考国家现行标准《110kV～750kV 架空输电线路设计规范》GB 50545—2010 以及《架空输电线路导地线微风振动现场测振技术规范》T/CSEE 0126—2019，给出各种导地线的微风振动许用动弯应变值，以供我国输电线路防振设计采用，导地线动弯应变许用限值见表 37。

表 37 导地线动弯应变许用限值表

电线类型	动弯应变许用值 $\mu\varepsilon$	
	大跨越	一般线路
钢芯铝绞线、铝包钢芯铝绞线	±100	±150
铝包钢绞线（导线）	±100	±150
铝包钢绞线（地线）	±150	±200
钢芯铝合金绞线	±120	±150
全铝合金绞线	±120	±150
镀锌钢绞线	±200	±300
OPGW（全铝合金线）	±120	±150
OPGW（铝合金和铝包钢混绞）	±120	±150
OPGW（全铝包钢线）	±150	±200

为保障大跨越的安全运行，新建大跨越线路在防振安装完成后及运行半年后宜进行测振；现场测振时间不少于 14 天。

5.3 导线防舞

5.3.1 输电线路通过导线易舞动地区时，应适当提高线路抗舞能力，并预留导线防舞措施安装孔位。东北的鞍山、丹东、锦州一带，湖北的荆门、荆州一带是全国范围内输电线路发生舞动较多的地区，导线舞动对线路安全运行所造成的危害十分重大，诸如线路频繁跳闸与停电、导线的磨损、烧伤、断线，金具及铁塔部件损坏等，可能导致重大的经济损失与社会影响。

现行的防舞措施，概括起来大约可分为三大类：其一，从气象条件考虑，避开易于形成舞动的覆冰区域与线路走向；其二，从机械与电气的角度，提高线路系统抵抗舞动的能力；其三，从改变与调整导线系统的参数出发，采取各种防舞装置与措施，抑制舞动的发生。防舞装置有集中防振锤、失谐摆、双摆防舞器、终端阻尼器、空气动力阻尼器、扰流防舞器、大电流融冰等，国内目前用得较多的防舞装置为集中防振锤、失谐摆、双摆防舞器等。具体方案可通过运行经验或试验确定。

5.3.2 经过易舞动地区的大跨越线路进行舞动校验，必须进行舞动情况及气象、地形条件的调研。由于舞动的必要条件是覆冰，若冬季不可能覆冰地区大跨越线路则舞动校验及防舞设计。舞动调研应对工程所在地区已有线路历史上舞动情况进行收资，具体到线路经过地区的市县级范围，同时调研该地区冬季（11 月至次年 3 月）主导风向、风速、结构物的覆冰情况、空气湿度、气温等。

5.3.3 从经济角度而言，“合理选择跨越方案”“加大舞动电气间隙”及“提高机械强度”等往往造价较高，且技术难度较大，对线路进行防舞设计更多的是在设计阶段进行加装防舞器的防舞方案设计，在建设过程中加装防舞器。根据舞动线路的技术条件，应用稳定性防舞设计方法，通过分析计算来确定双摆防舞器的理论摆长、理论摆角、理论质量等设计参数，结合实际使用的间隔棒确定防舞器的实际臂长、实际摆角、实际质量，初步定型防舞器。双摆防舞器在档内的布置方式可采取宏观集中、微观分散的布置方式，即宏观上，把双摆总质量均分为三份，分别布置在档长的 2/9、1/2、7/9 处；为防止过重的集中质量影响导线的防微风振动性能，在微观上，则把各部分集中质量按适当间隔（如 7m）做分散布置，具体的布置间隔应根据微风振动考核试验的优选结果确定。对一些特大跨越，还可采取部分集中，部分分散的布置方式，即除了按上述方式做宏观集中、微观分散的布置外，另取一部分防舞器做沿档分散布置，以抵御高阶舞动。

失谐摆的计算实际上就是计算导线在覆冰和加装失谐摆之后的扭转与横向固有频率，并以 $f_t = Nf_{v3}$（其中，f_t 为扭转固有频率，f_{v3} 为横向振动的第三阶固有频率，N 为安全系数，一般取为 1.5）为设计准则，计算出失谐摆的质量、摆臂长，并确定失谐摆在导线上的分布方案。当失谐摆安装于档距中点时，对导线总刚度的贡献最大，对导线扭振固有频率提高的贡献最大，配置点愈靠近两端，对刚度与固有频率的贡献愈小。为了避免集中布置可能对导线造成损伤，另外，舞动发生的阶数主要为一、二、三阶，为能同时抑制一、二、三阶振型，较为合适的配置方案是 2、3 阶波腹的中点及档距中点，即档距的 2/9、1/2、7/9 等处。

双摆防舞器在国内防舞实践中应用较为广泛，大量应用于输电线路的分裂导线的防舞设计，防舞效果明显，是经实践证明具有成功经验的防舞技术。偏心重锤的防舞机理类似于双摆防舞器，其重量和布置方式对防舞效果影响大。压重防舞器主要指集中防振锤方式的防舞技术，应注意重量的配置和沿档的布置，应用较少。扰流防舞器为国外防舞技术，国内很少采用，主要应用于覆冰较薄的场合。失谐摆国内应用较少，对于单导线有一定的防舞效果，但对分裂导线有待进一步研究和实践。线夹回转式间隔棒近些年在国内应用逐渐增多，其对我国架空线路的防舞效果有待实践检验。其他诸如阻尼器、动力减振器等国外有所应用。

6 绝缘配合

6.1 基本要求

6.1.1 输电线路悬垂型杆塔上悬垂绝缘子串的绝缘子片数选择，一般需能耐受长期工频电压的作用和能耐受操作过电压，至于雷电过电压除大跨越外一般不作为选择绝缘子片数的决定条件，仅作为校验线路的耐雷水平是否满足要求。输电线路的绝缘配置还应与变电站内的绝缘配置相适应。这些设计原则的合理性已为我国几十年来的线路运行经验所证实。

6.1.2 根据有关规定，新建的 110kV～1000kV 输电线路的绝缘配置应以污区分布图为基础，并综合考虑环境污染变化因素。对于 c 级及以下污区，可提高一级进行绝缘配置；d 级污区按照上限配置；e 级污区按照实际情况配置，同时应结合线路附近的污秽和发展情况，绝缘配合应适当留有裕度。

6.1.3 确定工频（工作）电压下的绝缘子片数主要采用爬电比距法或污耐压法。

（1）爬电比距法。

国家标准《110kV ～ 750kV 架空输电线路设计规范》GB 50545—2010 给出的爬电比距法公式中，沿用了系统标称电压及标称电压对应下的爬电比距来计算绝缘子片数。在 2011 年发布的国家标准《污秽条件下使用的高压绝缘子的选择和尺寸确定 第 1 部分：定义、信息和一般原则》GB/T 26218.1 中，推荐采用统一爬电比距来进行绝缘子片数选择和尺寸确定；在后来的工程实践中，大部分采用统一爬电比距和最高运行相电压作为爬电比距法的计算参数进行绝缘子片数选择，因此本标准推荐在爬电比距法中使用统一爬电比距来计算；计算时最高运行电压可按照国家标准《标准电压》GB/T 156—2017 来取值。

采用爬电比距法时，其中的绝缘子爬电距离有效系数 K_e 主要由各种绝缘子几何爬电距离在试验和运行中所对应的污耐压来确定，并以 XP-70、XP-160 型绝缘子为基准，其 K_e 值取为 1。K_e 应由试验确定。不同类型的悬式绝缘子的积污性能大不相同。根据实测，普通型、双伞型和钟罩型绝缘子的自然积污量之比约为 1∶(0.3～0.5)∶(1.0～1.4)。

《高压架空线路和发电厂、变电所环境污区分级及外绝缘选择标准》GB/T 16434—1996 中各污秽等级所对应的参考盐密，均指由普通型绝缘子悬垂串上测得的值，其他类型应按实际积污量加以修正。绝缘子爬电距离有效利用系数 K_e 值能综合地体现悬式绝缘子的结构造型和自然积污量。K_e 值的计算公式为：

$$K_e = E_{C1} / E_{C2} \tag{1}$$

式中：E_{C1}——相同自然条件，相同积污期内被试绝缘子积污盐密值的人工污闪电压梯度；

E_{C2}——相同自然条件，相同积污期内基准绝缘子积污盐密值的人工污闪电压梯度。

常用绝缘子的 K_e 值可根据《高压架空线路和发电厂、变电所环境污区分级及外绝缘选择标准》GB/T 16434—1996 附录 D 中给出的污闪电压回归方程计算。以深棱型绝缘子 XWP_5-160 为例，以 XP-160 为基准绝缘子，并假设二者的积污盐密比为 1.1∶1，则 XWP_5-160 的 K_e 值在Ⅰ、Ⅱ级污区约为 0.90，在Ⅲ、Ⅳ级污区约为 0.88。其他类型的绝缘子可根据其积污特性计算。根据《高压架空线路和发电厂、变电所环境污区分级及外绝缘选择标准》GB/T 16434—1996 附录 D 中实例，双伞型绝缘子的 K_e 值可取为 1。

在《高压架空线路和发电厂、变电所环境污区分级及外绝缘选择标准》GB/T 16434—1996 附录 D 中并没有给出大爬距钟罩型绝缘子的污闪电压回归方程。江苏省电力公司和日本 NGK 绝缘子公司技术研究所开展了国际合作项目，评估钟罩型绝缘子的污耐压特性，试验结果如图 4。

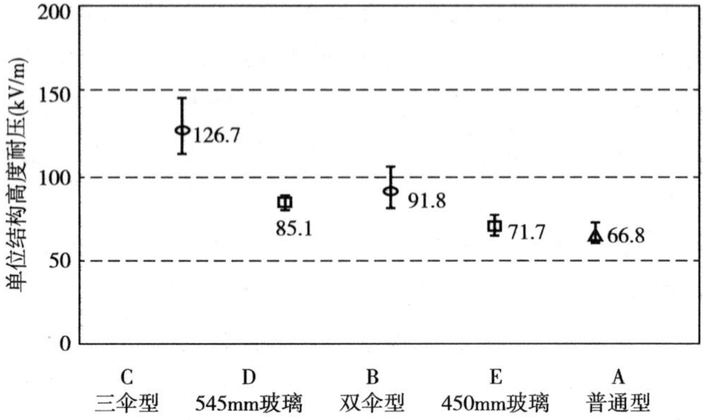

图 4　各类型绝缘子单位结构高度的污耐压值比较

由于上述绝缘子的结构高度相同，上述绝缘子的 K_e 值可由单位高度污耐压和爬距确定。以 XP-160 为基准的各绝缘子的 K_e 值如下所示。

双伞型：0.99；　　　三伞型：1.13；

小钟罩型：0.77；　　大钟罩型：0.76。

几种常见绝缘子爬电距离有效系数 K_e 如表 38 所示。

表 38　常见绝缘子爬电距离有效系数 K_e

绝缘子型号	盐密			
	0.05 (mg/cm²)	0.10 (mg/cm²)	0.20 (mg/cm²)	0.40 (mg/cm²)
浅钟罩型绝缘子	0.90	0.90	0.80	0.80
双伞型绝缘子 (XWP_2-160)	1.0			
长棒型瓷绝缘子	1.0			
三伞型绝缘子	1.0			

续表 38

绝缘子型号	盐密			
	0.05 (mg/cm^2)	0.10 (mg/cm^2)	0.20 (mg/cm^2)	0.40 (mg/cm^2)
玻璃绝缘子（普通型 LXH-160）	1.0			
深钟罩玻璃绝缘子	0.8			
复合绝缘子	≤2.5(cm/kV)		>2.5(cm/kV)	
	1.0		1.3	

表 38 中各类绝缘子的造型图及典型型号见表 39。

表 39 各类绝缘子的造型图及典型型号

造型名称、材质		造型图	典型绝缘子型号	主要生产厂家
普通型	瓷质	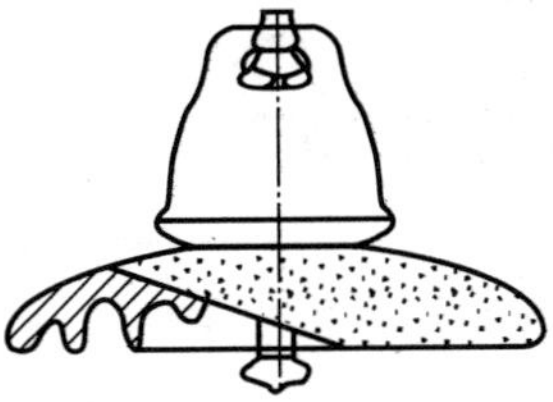	XP 系列	大连电瓷厂 苏州电瓷厂
			CA5 系列	唐山 NGK
	玻璃	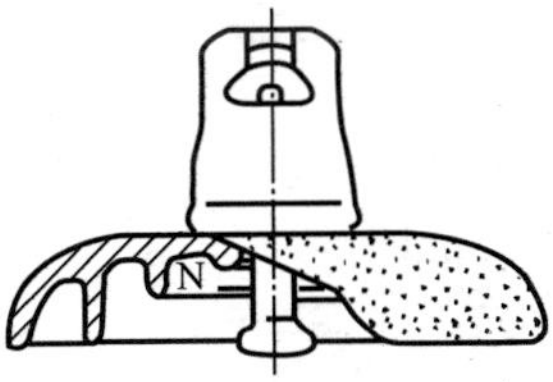	LXY 系列 LXP 系列	南京电瓷厂
			FC 系列	自贡塞迪维尔

续表 39

造型名称、材质		造型图	典型绝缘子型号	主要生产厂家
钟罩型深棱型	瓷质	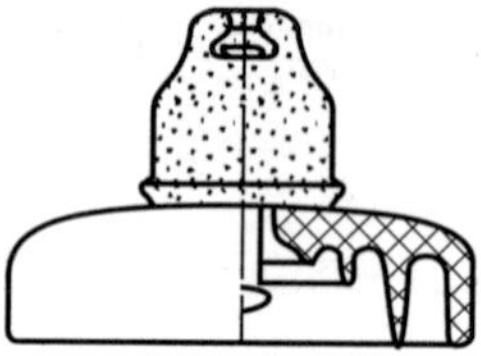	XHP 系列	大连电瓷厂 苏州电瓷厂
钟罩型深棱型	瓷质	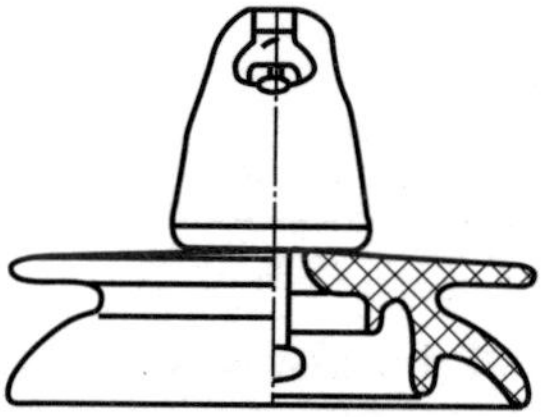	XWP_5 系列	大连电瓷厂
钟罩型深棱型	瓷质	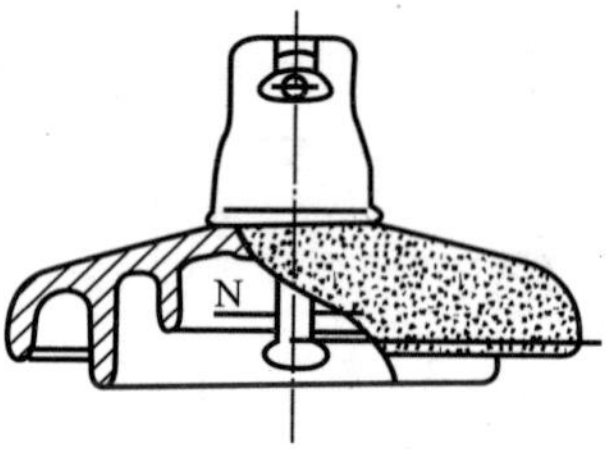	LXHY 系列	南京电瓷厂
			FCP 系列	自贡塞迪维尔
双伞型	瓷质	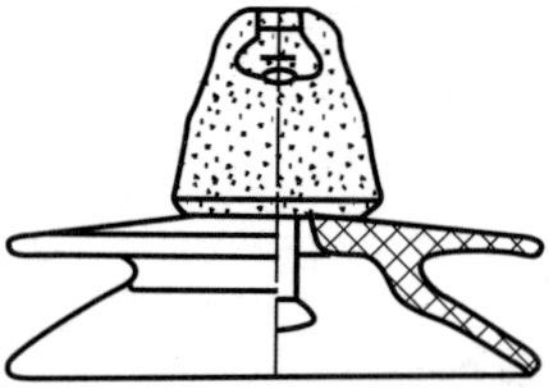	XWP 系列 XWP_1 系列 XWP_2 系列	大连电瓷厂 苏州电瓷厂
			CA88 系列	唐山 NGK
三伞型	瓷质	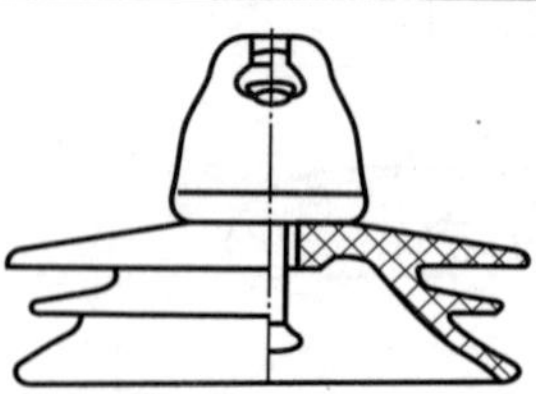	XSP 系列	大连电瓷厂
			CA87 系列	唐山 NGK

《西北电网 750kV 输电线路绝缘子在高海拔低气压条件下的污闪特性研究》报告提供了 750(2#)和 750(4#)试验 $U_{50\%}$ 值(ESDD:0.05;NSDD:0.1mg/cm²),见表 40。

表 40 西北电网污闪特性研究的瓷绝缘子 $U_{50\%}$ 值

编号	材料	盘径(mm)	伞形	结构高度(mm)	爬距(mm)	表面积(cm²)	机械强度(kN)	单片绝缘子 $U_{50\%}$(kV)
750(2#)	瓷	300	双伞	170	459	2784.86	210	15.4
750(4#)	瓷	340	三伞	170	530	3627.04	210	17.8

根据 750kV 线路建设过程中的研究成果,750kV 线路绝缘子爬电距离的有效系数 K_e 的取值,普通型取 1.00,防污型(双伞型和三伞型)取 0.95,防污型(钟罩型)取 0.90。

国网武汉高压研究院《1000kV 交流输电线路绝缘子长串污秽特性及污秽外绝缘设计的研究》报告中提供的常压下绝缘子的单片 $U_{50\%}$ 值,具体数据和相应绝缘子的有效系数 K_e 计算值见表 41。

表 41 有效系数 K_e 的计算

序号	数据来源	型号	ESDD/NSDD(mg/cm²)	$U_{50\%}$(kV)	串长(片)	单片绝缘子 $U_{50\%}$(kV)	σ(%)	有效系数 K_e
1	武高院	XP-160	0.1/1.0	208.0	28	7.43	—	1.00
2	武高院	FC-400/205	0.1/1.0	566.4	48	11.8	7.2	0.84
3	武高院	CA590-EZ	0.1/0.5	537.6	48	11.2	7.7	0.87
4	武高院	FC300/195	0.1/0.5	513.6	48	10.8	4.8	0.86
5	武高院	CA596-EZ	0.1/0.5	609.6	48	12.7	7.4	0.9
6	武高院	CA887-EZ	0.1/0.5	561.6	48	11.7	7.5	0.94
7	750(2#)	双伞(459)	0.05/2.0	—	3	15.4	—	0.99
8	750(4#)	三伞(530)	0.05/2.0	—	3	17.8	—	0.97

表 41 中盘型(钟罩型)绝缘子的有效系数 K_e 的计算值基本在 0.86～0.90 之间，由于 3# ～6# 绝缘子为灰密 0.5mg/cm^2 条件下 $U_{50\%}$ 值，其值偏大，因此，绝缘子的有效系数 K_e 计算值偏大；7# ～8# 双伞和三伞绝缘子的有效系数 K_e 的计算值基本在 0.94～0.99 之间，由于其 $U_{50\%}$ 无法进行灰密修正，且 7# 和 8# 绝缘子的 $U_{50\%}$ 值为短串试验得到，其值偏大，因此，有效系数 K_e 的计算值也偏大。

对于 1000kV 特高压输电线路，建议在轻污区普通型、双伞和三伞绝缘子的有效系数 K_e 取值为 1.0；防污型绝缘子的有效系数 K_e 取值为 0.9；中等及以上污秽区普通型、盘型、双伞和三伞型绝缘子的有效系数 K_e 取值为 0.95；防污钟罩型绝缘子的有效系数 K_e 取值为 0.85。

采用爬电比距法计算所得绝缘子片数见表 42。

表 42 采用爬电比距法计算所得绝缘子

绝缘子型号	污区及配置水平	爬电距离(mm)		绝缘子片数(片)		绝缘子串长(mm)	
		1000m 及以下	1500m	1000m 及以下	1500m	1000m 及以下	1500m
普通型 485mm	Ⅱ级 (0.06～0.10)mg/cm^2 2.5cm/kV	2500	2574	52	54	10140	10530
普通型 505mm		2500	2574	50	51	9750	9945
普通型 550mm		2500	2574	51	53	10455	10865
三、双伞型 485mm		2500	2574	52	54	10140	10530
三伞型 635mm		2500	2574	40	41	7800	7995
钟罩型 690mm		2500	2574	41	42	9840	10080
合成型		2500	2574	—	—	—	—

续表 42

绝缘子型号	污区及配置水平	爬电距离(mm)		绝缘子片数(片)		绝缘子串长(mm)	
		1000m及以下	1500m	1000m及以下	1500m	1000m及以下	1500m
普通型 485mm	Ⅲ级 (0.10～0.25)mg/cm² 3.20cm/kV	3200	3295	70	72	13650	14040
普通型 505mm		3200	3295	67	69	13065	13455
普通型 550mm		3200	3295	62	64	12710	13120
三、双伞型 485mm		3200	3295	66	72	12870	14040
三伞型 635mm		3200	3295	54	55	10530	10725
钟罩型 690mm		3200	3295	55	57	13200	13680
合成型		3200	3295	—	—	—	—
普通型 485mm	Ⅳ级 >0.25mg/cm² 3.80cm/kV	3800	3913	83	85	16185	16575
普通型 505mm		3800	3913	80	82	15600	15990
普通型 550mm		3800	3913	73	75	14965	15375
三、双伞型 485mm		3800	3913	83	85	16185	16575
三伞型 635mm		3800	3913	63	65	12285	12675
钟罩型 690mm		3800	3913	65	67	15600	16080
合成型		3800	3913	—	—	—	—

直流线路推荐采用污耐压法，即根据直流绝缘子的人工污秽的闪络特性确定绝缘子片数，当直流绝缘子无可靠数据时，可参照污秽等级按爬电比距法估算绝缘子片数。按爬电比距选择绝缘子片数是交流线路常用的方法，直流线路采用爬电比距法是根据交流线路的运行经验，再考虑二者积污特性和污闪特性的差别，外推到直流线路的设计中。

±500kV 葛南线设计时，根据对原电力部提出的我国电网110kV～220kV 线路防污运行经验数据的分析，得出导线相电压下的爬电比距与等值盐密的关系曲线及对数拟合表达式，见式(2)：

$$L = 0.8891 \times \ln(ESDD) + 6.2606 \tag{2}$$

式中：L——相电压下要求的爬电比距(cm/kV)；

$ESDD$——等值盐密(mg/cm^2)。

±500kV 葛南线于 2000 年进行运行情况调查及调爬工作，根据其与附近交流线路绝缘子串表面放电状态的比较，得出如下结论：

1)葛南直流线路的运行状况要比目前邻近 500kV 交流线路(包括 110kV 或 220kV 线路)差得多，就是与未调爬前的交流线路相比也要差。

2)直流绝缘子串的爬电比距低于交流绝缘子串的 1.7 倍时，表面放电状态就会存在较为明显的差别；当这一倍数增至 1.9 倍～2.0 倍时，两者的表面放电现象就会趋向同一。

3)同一环境条件下±500kV 直流绝缘子的爬电比距不应小于 500kV 交流绝缘子爬电比距的 2.0 倍。

直流线路极电压相当于同等级交流线路相电压的$\sqrt{3}$倍，直流的爬距要求至少是交流的$\sqrt{3}$倍，另外还应考虑两者之间的积污差异和污闪特性差异。参考现行电力行业标准《高压直流架空输电线路设计技术规程》DL 5497—2015，参照电科院对交直流积污比的研究，根据对葛南直流线路与附近交流线路绝缘子积污的测试结果，当用爬电比距法选择绝缘子片数时，直流线路的爬电比距不宜小于同地区交流线路爬电比距(对应线电压)的 2.0 倍；此时，考虑积污差异和污闪特性因素的爬电比距修正系数 K_{dc} 为$\frac{2}{\sqrt{3}}$，对式(2)的计算结果，乘上修正系数 K_{dc} 即为直流线路的爬电比距要求。

直流线路用爬电比距法估算绝缘子片数时，若采用统一爬电比距表征污秽度，参考现行电力行业标准《高压直流架空输电线路设计技术规程》DL 5497—2015 及以往直流工程设计经验，建议直流线路的统一爬电比距不宜小于同地区交流线路统一爬电比距的1.15 倍～1.2 倍。

(2)污耐压法。

绝缘子片数选择也可采用污耐压法。污耐压法是根据试验得到绝缘子在不同污秽程度下的污秽耐受电压，使选定的绝缘子串的污秽耐受电压大于该线路的最大工作电压。该方法和实际绝缘子的污耐受能力直接联系在一起，是一种较好的绝缘子串长的确定方法，但人工污秽试验结果同自然污秽条件下的污耐受电压值存在等价性问题。

不同国家污秽外绝缘设计原则相同，仅是设计参数取值不同。不同的国家确定污耐压和污秽设计目标电压值也不同。苏联取标准偏差 σ 为 8%，校正系数 1-4σ；美国取 σ 为 10%，校正系数 1-3σ；国网武汉高压研究院和中国电力科学研究院按试验来计算 σ 取7%，污耐压校正系数为 1-3σ。日本单片绝缘子最大耐受电压 U_{max} 按长串绝缘子试验来确定，苏联还考虑爬电距离有效系数对不同型绝缘子串的 U_{max} 进行校正；污秽设计目标电压值均取系统最高运行相电压 $U_{\Phi max}$，$U_{\Phi max}$ 校正系数苏联、美国、日本分别为 1、1、1.15～1.6。绝缘子串片数 N 由校正后的 $U_{\Phi max}$ 与 U_{max} 之比确定，即：$N=U_{\Phi max}/U_{max}$。不同国家污秽外绝缘设计基本参数如表 43 所示。

表 43　不同国家污秽外绝缘设计基本参数对比

国家	污耐压求取方法	标准偏差 σ	污耐压校正系数 k	试品布置	目标电压值 $U_{\Phi max}$
苏联	$U_{50\%}$	8%	4	真型布置	1
美国	$U_{50\%}$	10%	3	真型布置	1

续表 43

国家	污耐压求取方法	标准偏差 σ	污耐压校正系数 k	试品布置	目标电压值 $U_{\Phi max}$
日本	U_{max}	—	—	真型布置	1.15～1.6
中国	$U_{50\%}$	试验确定（推荐 7%）	3①/1.04②	真型布置	1.1（推荐 1.1～1.732）

注：①500kV 及以下线路设计污耐压校正系数取 3（对应单串闪络概率为 0.14%，查正态分布表得出）。

②1000kV 线路设计污耐压校正系数取 1.04（对应单串闪络概率为 15%，查正态分布表得出）。

国网武汉高压研究院《1000kV 交流输变电工程设备外绝缘特性研究》报告中推荐的污耐压设计方法如下（海拔高度 1000m 以下）：

1）确定现场污秽度 SPS（ESDD/NSDD）；

2）将现场污秽度 SPS（ESDD/NSDD）校正到附盐密度 SDD；

3）单片绝缘子最大耐受电压 U_{max} 的确定；

4）污秽设计目标电压值 $U_{\Phi max}$ 的确定；1000kV 交流特高压试验示范工程按 1.1 倍的最高运行相电压取值；

5）绝缘子串片数 N 的求取 $N=U_{\Phi max}/U_{max}$；

6）按表 44 校核确定的 N。

表 44　不同性质工作电压确定绝缘子串片数

不同性质工作电压	计算方法	备　　注
长时间工作电压	$N=\dfrac{U_{max}}{\sqrt{3}U_{耐}}$	—
工频过电压	$N=\dfrac{U_{max}}{\sqrt{3}U_{耐}}\times K$	K——工频过电压倍数在直接接地系统通常取 1.1 倍～1.3 倍，在消弧圈接地系统取 1.5～1.732

续表 44

不同性质工作电压	计算方法	备　注
操作过电压	$N=\frac{K'U_{max}}{\sqrt{3}U_{耐}}$	K'——操作过电压倍数，操作过电压倍数在 2 倍时，由于操作波的耐受电压与工频耐受电压之比为 2 左右，操作波的片数与工频片数是一致的

注：按污秽设计确定不同污秽等级的绝缘子片数满足以上不同性质工作电压和条件对其要求。

国网武汉高压研究院根据试验结果修正后得到的不同污秽等级下不同类型单片绝缘子 U_{max} 见表 45。

表 45　不同污秽等级下不同类型单片绝缘子 U_{max}(kV)

污秽等级	SDD (mg/cm²)	CA-590EZ		CA-596EZ		FC-300/195	
		$U_{50\%}$	U_{max}	$U_{50\%}$	U_{max}	$U_{50\%}$	U_{max}
0	0.028	14.5	13.4	16.0	14.9	13.5	12.5
Ⅰ	0.045	13.1	12.2	14.6	13.5	12.3	11.4
Ⅱ	0.069	12.0	11.2	13.4	12.4	11.3	10.5
Ⅲ	(0.099) 0.158	11.2 10.2	10.4 9.5	12.5 11.4	11.6 10.6	10.5 9.6	9.8 8.9
Ⅳ	0.217	9.6	8.9	10.7	9.9	9.0	8.4

注：SDD 为附盐密度($CaSO_4$按 41%修正)。

按照污耐压法确定的悬垂单Ⅰ串片数见表 46。

表 46　不同污秽等级下不同类型绝缘子所对应的片数

污秽等级	ESDD (mg/cm²)	CA-590EZ(瓷普通型)				FC-300/195(玻璃普通型)			
		N	N_1	N_2	N_3	N	N_1	N_2	N_3
0	0.03	48	48	48	48	51	51	51	51
Ⅰ	0.06	55	52	53	54	58	55	57	58
Ⅱ	0.10	60	56	58	59	65	60	62	64

续表 46

污秽等级	ESDD (mg/cm²)	CA-590EZ(瓷普通型)				FC-300/195(玻璃普通型)			
		N	N_1	N_2	N_3	N	N_1	N_2	N_3
Ⅲ	(0.15)	66	60	62	64	70	64	66	68
	0.25	73	66	68	71	78	71	73	75
Ⅳ	0.35	78	71	73	75	83	75	78	79

注:1 ESDD 为等值附盐密度(未修正)。

2 N 为 ESDD 未进行修正后的片数，N_1 为 ESDD 按 41%$CaSO_4$ 修正后的片数，N_2 为 ESDD 按 30%$CaSO_4$ 修正后的片数，N_3 为 ESDD 按 20%$CaSO_4$ 修正后的片数。

我国的直流线路主要采用污耐压法。我国以前没有足够的试验数据，只凭日本 NGK 提供，从±500kV 葛南、天广、龙政、三广、贵广到三沪线无不如此。绝缘子盐密与耐压的关系采用日本 NGK 的直流绝缘子 CA-735EZ(ϕ320×H170)的污耐压值进行计算。从表 47 可看出，其数据也存在较大分散性。

表 47 单片 CA-735EZ 绝缘子的污耐压值(kV)

等值盐密	ESDD(mg/cm²)				备　注
	0.03	0.05	0.08	0.15	
污耐压值	17.8	15.2	13.2	10.7	1988 年日本 NGK 提供葛南线设计用
	15.01	12.72	10.86	9.08	2000 年日本 NGK 提供龙政线设计用
	13.5	11.9	9.8	7.9	1986 年日本在国际大电网会议上介绍

注:1 所有数据灰密为 0.1mg/cm²。

2 葛南数据为硅藻土，按 4 次耐压法得出。

3 龙政数据为高岭土，按上下法求出 $U_{50\%}$。

考虑到污秽导致放电的关键是污秽物溶于水造成的导电性，而不溶于水的成分起的作用是在潮湿气候条件下吸收水分，以保持污层潮湿促进导电性能的增长。因此，在等值盐密相同的情况下，绝缘子的污闪特性还受灰密的影响，根据有关试验结果，绝缘子的人工污耐受电压与灰密的－0.12 次方成比例的降低。

自然污秽绝缘子每片上下表面、同一表面的不同部位及同一串绝缘子各片之间污秽量分布不一样，有时上、下表面积污量相差2倍～10倍，其污闪电压较均匀积污提高10%～20%。根据美国电科院有关试验得出初步增大系数 $Y=1-0.38\lg(T/B)$，其中 (T/B) 为上下表面积污比。

特高压直流工程按绝缘子下表面盐密选择的绝缘子片数及计算过程如表48所示。

表48　按绝缘子下表面盐密选择片数

污秽等级	轻污区	中污区	重污区
盐密（mg/m^2）	0.05	0.08	0.15
绝缘子上下表面积污比	1∶5	1∶8	1∶10
灰密 H_1（mg/cm^2）	0.30	0.48	0.90
线路最高运行电压（kV）	816		
要求耐受电压 $V_{耐}$（kV）	$816/(1-3\times0.07)=1033$		
日本NGK提供 $U'_{50\%}$（kV）（灰密 $H_2=0.1mg/cm^2$）	15.0	12.8	10.7
灰密修正系数 $K_1=(H_1/H_2)^{-0.12}$	0.876	0.828	0.768
灰密校正后 $U''_{50\%}=U'_{50\%}\times K_1$（kV）	13.14	10.6	8.22
上下表面积污比校核系数 $K_2=1-0.38\lg(T/B)$	1.266	1.343	1.38
积污比校正后 $U'''_{50\%}=K_2\times U''_{50\%}$（kV）	16.64	14.24	11.34
要求绝缘片数	62	73	91

以往我国±500kV线路的绝缘配置，是按日本NGK公司推荐的方法和污耐压曲线进行的。±800kV线路V型串绝缘子片数分别采用中国电科院方法和日本NGK公司推荐方法的计算结果对比见表49。

表 49　中国电科院和日本 NGK 污耐压法片数的比较

绝缘子型号	ESDD(mg/cm^2)	H=1000m	H=2000m	H=3000m
CA-745	0.05	63(64)	67(68)	72(73)
	0.08	77(75)	82(80)	88(86)
	0.15	88(91)	94(97)	101(104)
CA-774	0.05	59(60)	61(63)	64(68)
	0.08	71(70)	74(74)	77(80)
	0.15	83(85)	86(90)	90(96)

注:()中的值为按日本 NGK 的方法选定的绝缘子片数。

从表 49 可以看出,两种计算方法得到的结果差别不大,基本处于同一绝缘水平。

6.1.4　和使用盘型绝缘子类似,使用复合绝缘子时,应按相应污秽条件下的工作电压计算绝缘子的爬距,然后按照相应的操作和雷电过电压计算复合绝缘子应满足的最小绝缘距离,复合绝缘子加装均压环时,应注意校核加装均压环之后的绝缘距离。

6.1.5　高海拔地区,随着海拔升高或气压降低,污秽绝缘子的闪络电压随之降低,高海拔所需绝缘子片数按本标准公式(6.1.5)修正,公式(6.1.5)在之前的各种规范中给出的使用海拔高度均为2000m 以下。但实际在西北 750kV 线路设计中,海拔高度 4000m范围内均使用此公式对绝缘子片数进行修正,例如 750kV 西宁—日月山—格尔木输电线路工程及班多水电站送出工程,多年来均运行良好。

我国特高压直流工程在高海拔地区的绝缘子片数一般由科研单位结合高海拔地区的相关实验结论给出,经过高海拔地区的典型直流线路有青海—河南特高压直流工程,锦屏—苏南特高压直流工程等。其中青海—河南±800kV 特高压直流输电线路工程最高海拔高度为 4300m,工程中使用的绝缘子片数如表50 所示。

表 50　青海—河南特高压直流工程绝缘子片数

污秽等级		每串片数(片)							
		海拔高度1000m	海拔高度1500m	海拔高度2000m	海拔高度2500m	海拔高度3000m	海拔高度3500m	海拔高度4000m	海拔高度4500m
轻污区(0.05 mg/cm²)	550kN(钟罩)	60	64	66	68	70	72	74	76
	550kN(三伞)	44	45	46	61	63	65	67	69
	760kN(钟罩)	52	56	58	60	62	64	66	68
中污区(0.08 mg/cm²)	550kN(钟罩)	74	79	81	78	80	82	84	86
	550kN(三伞)	55	57	59	71	72	73	75	77
	760kN(钟罩)	67	71	74	71	72	73	75	77
重污区(0.15 mg/cm²)	550kN(钟罩)	85	90	93	90	93	96	98	100
	550kN(三伞)	73	76	78	85	88	91	93	95
	760kN(钟罩)	80	85	88	81	84	87	89	91

6.1.6　高海拔修正是根据 IEC 60071-2《绝缘配合　第 2 部分　应用指南》(*Isulation co-ordination　Part 2 Application guide*)规定确定的，本条文在之前的规程规范中给出的适用海拔高度为 2000m 以下。对于 2000m～4000m 海拔高度的交流线路，目前，我国有多条运行中的 750kV 线路均使用此方法进行的间隙修正，均运行良好，证明用此公式也可适用 2000m～4000m 海拔高度交流线路的空气间隙修正。

我国特高压直流工程在高海拔地区的空气间隙一般由科研单位结合高海拔地区的相关实验结论给出，经过高海拔地区的典型直流线路有青海—河南特高压直流工程，锦屏—苏南特高压直流工程等。其中青海—河南±800kV 特高压直流输电线路工程最高海拔高度为4300m，工程中设计中给出的操作间隙如表51所示。

表51 青海—河南特高压直流工程中给出的操作间隙(V串)

海拔高度(m)	操作过电压倍数				
	1.50p.u.	1.52p.u.	1.54p.u.	1.56p.u.	1.58p.u.
0	5.30	5.38	5.46	5.54	5.62
500	5.70	5.78	5.86	5.94	6.02
1000	6.00	6.08	6.16	6.24	6.32
1500	6.30	6.38	6.46	6.54	6.62
2000	6.60	6.68	6.76	6.84	6.92
2500	6.90	6.98	7.06	7.14	7.22
3000	7.20	7.28	7.36	7.44	7.52
3500	7.50	7.58	7.66	7.74	7.82
4000	7.80	7.88	7.96	8.04	8.12
4500	8.10	8.18	8.26	8.34	8.42

6.2 交流线路的绝缘配合及空气间隙

6.2.1 绝缘子类型和片数一般都按电网公司审定的污区分布图，结合现场污秽调查，由工频电压下的单位爬电距离决定。如果有污耐压法的试验数据，可采用污耐压法选择绝缘片数，当没有相关数据时可采用爬电比距法。

6.2.2 110kV～220kV架空输电线路悬垂型杆塔上悬垂绝缘子串的绝缘子个数的合理性已为运行经验所证实。根据《110～500kV架空送电线路设计规范报批稿专家讨论会纪要》(电规送〔1997〕32号)，将330kV操作和雷电过电压要求的片数改为17片，以与其操作过电压倍数2.2相适应。对500kV线路，按操作过电压选择绝缘子片数时，应考虑到过电压与绝缘子串绝缘放电强度二者均为随机变量，选定的绝缘子片数应保证线路有一可以接受的绝缘子闪络率。按国家标准《交流电气装置的过电压保护和绝缘配合设计规范》GB/T 50064—2014 第 6.2.1 条，线路绝缘子串操作过电压统计配合系数 K_1 取 1.27，500kV 线路采用 25 片单片绝缘子高度为 155mm 的绝缘子组成的悬垂绝缘子串时可以满足此要求，并且绝缘子串在操作过电压作用下闪络率非常低。对于 1000kV 线路，1000m 海拔下操作工况和雷电工况控制下的最小绝缘子片数分别为 39 片和 43 片。

运行经验表明，由于耐张绝缘子串受力比悬垂绝缘子串大，容易产生零值绝缘子。为了补偿它对操作过电压放电强度的影响，要求耐张串绝缘子片数在本标准表 6.2.2 基础上适当增加，对 110kV～330kV 输电线路加 1 片，对 500kV 输电线路增加 2 片；对于 750kV 线路及 1000kV 线路，由于串长较长，可不考虑零值绝缘子的影响；由于耐张绝缘子水平放置易受雨水冲洗，其自洁性能较好，因此，在同一污区，1000kV 线路耐张串的爬电距离可较悬垂串减少。

6.2.3 全高超过 40m 有地线的杆塔，高度每增加 10m 应增加一片绝缘子。由于高杆塔防雷而增加绝缘子数量时，按照绝缘配合要求，雷电过电压的间隙也要相应增加。

750kV 及以上电压等级线路杆塔较高（据 750kV 官兰线统计，平均呼高为 44.3m，已超过 40m），其耐雷水平按现行规程法计算 32 片结构高度 170mm 绝缘子耐雷水平已超过 150kA 要求，而且西北地区（除陕南外）平均雷暴日一般在 20 及以下，雷电流幅值较小，对其高杆塔，可根据实际情况（雷暴日，接地电阻值）计算确定是否需要增加绝缘子片数。

大跨越杆塔很高，需要根据具体工程情况通过计算确定在雷电过电压下所要求的实际绝缘子片数。随着杆塔高度的增加，大跨越杆塔的反击耐雷水平呈下降趋势，宜适当增加杆塔的绝缘水平。

6.2.4 运行经验表明，在 c 级及以下污区复合绝缘子爬距不宜小于盘型绝缘子。国家标准《110kV～750kV 架空输电线路设计规范》GB 50545—2010 规定：在重污区其爬电距离不应小于盘型绝缘子最小要求值的 3/4 且不应小于 2.8 cm/kV（Ⅳ级污区爬电比距上限的 3/4），按此原则，d 级及以上污区复合绝缘子的统一爬电比距不应小于 45mm/kV（e 级污区统一爬电比距上限的 3/4）；对于 1000kV 线路，d 级及以上污区复合绝缘子的爬电距离应根据污秽闪络试验结果确定。

由于复合绝缘子两端有均压装置，使复合绝缘子的有效绝缘长度减小，而线路耐雷水平与绝缘长度密切相关，因此强调其有效绝缘长度应满足雷电过电压的要求，同时还要满足操作过电压的要求。

相间绝缘间隔棒的绝缘设计过程与相对地绝缘子一样，其工作电压为线电压，即是相对地绝缘子工作电压的$\sqrt{3}$倍，依据国家标准《交流电气装置的过电压保护和绝缘配合设计规范》GB/T 50064—2014 中的规定：

（1）持续运行电压和暂时过电压下的绝缘配合应符合下列规定：

1）电气装置外绝缘应符合现场污秽等级下的耐受持续运行电压要求，电气设备应能在设计寿命期间内承受持续运行电压；

2）线路、变电站的空气间隙和电气设备应能承受一定幅值和时间的暂时过电压。

（2）操作过电压下的绝缘配合应符合下列规定：

1）110kV～220kV 架空线路绝缘子串和空气间隙的绝缘强度，宜以最大操作过电压为基础，将绝缘强度作为随机变量加以确定。计算用相对地最大操作过电压的标幺值取 3.0p.u.。

2）110kV～220kV 系统，相间操作过电压可取相对地过电压的 1.3 倍～1.4 倍。

3)220kV 以上的架空线路确定其操作过电压要求的绝缘强度时，应采用将过电压幅值和绝缘强度作为随机变量的统计法。每回线路的操作过电压闪络率对 330kV、500kV、750kV 线路分别不宜高于 0.05 次/a，0.04 次/a 和 0.03 次/a。

空载线路合闸、单相重合闸和成功的三相重合闸（如运行中使用时），在线路上产生的相对地统计过电压，对 330kV 和 500kV 系统分别不宜大于 2.2p.u. 和 2.0p.u.。对 220kV 系统，相对地计算用最大操作过电压不宜大于 3.0p.u.。相间与相对地操作过电压的比值，330kV 和 500kV 系统取 1.7，220kV 系统取 1.4。

相间绝缘间隔棒工频电压、操作冲击电压最小耐受计算值见表 52：

表 52 相间绝缘间隔棒工频电压、操作冲击电压最小耐受计算值(kV)

标称电压	220	330	500
最高电压	252	363	550
工频耐受电压计算值	$252\times\sqrt{2}=356$	$363\times\sqrt{2}=513$	$550\times\sqrt{2}=778$
操作冲击耐受电压计算值	$3\times252\times\sqrt{2}\times1.4\div\sqrt{3}=865$	$2.2\times363\times\sqrt{2}\times1.7\div\sqrt{3}=1108$	$2\times550\times\sqrt{2}\times1.7\div\sqrt{3}=1527$

(1)昌平—房山 500kV 紧凑型线路相间绝缘间隔棒电气技术条件如下：

1)最高运行电压：550kV；

2)雷电冲击耐受电压：2900kV；

3)操作冲击耐受电压：1900kV；

4)工频干耐受电压：1200kV；

5)工频湿耐受电压：1080kV；

6)爬电距离：14000mm。

(2)安定—廊坊 220kV 紧凑型线路相间绝缘间隔棒电气技术条件如下：

1)最高运行电压：252kV；

2)雷电冲击耐受电压：1230kV；

3)操作冲击耐受电压：950kV；

4)工频干耐受电压：800kV；

5)工频湿耐受电压：700kV；

6)爬电距离：7000mm。

为保证相间合成绝缘间隔棒在重污秽地区的安全运行，建议在重污秽地区相间合成绝缘间隔棒的爬电距离适当提高。

6.2.5 本条规定了最小间隙的取值。

(1)风偏后导线对杆塔的最小间隙，应分别满足工频电压、操作过电压及雷电过电压的要求。

(2)表 6.2.5 中 110kV～750kV 线路的间隙值采用现行国家标准《110kV～750kV 架空输电线路设计规范》GB 50545—2010 及国网通用设计的相关数据，1000kV 线路的间隙值采用现行国家标准《1000kV 架空输电线路设计规范》GB 50665—2011 中的数值。

确定 750kV 同塔双回路间隙的过程如下：

1)工频电压间隙的确定。

风偏后线路导线对杆塔空气间隙的工频 50%放电电压 $U_{50\%}$ 的计算，根据国家标准 GB/T 50065—2014 和《110kV～750kV 架空输电线路设计规范》GB 50545—2010，按公式(3)计算。

$$U_{50} \geqslant k_2 \cdot \sqrt{2}U_m / \sqrt{3} \tag{3}$$

式中：U_m——系统最高运行电压，取 800kV；

k_2——线路空气间隙工频运行电压统计配合系数，取 1.13。

在西北 750kV 关键技术研究项目中，武高院按同塔双回路真型塔尺寸 1∶1 模拟风偏进行了工频放电试验，得到同塔双回路 750kV 上中下三相Ⅰ串工频 50%放电电压与导线对塔身空气间隙的关系曲线如图 5。由于该实验数据由真型尺寸得出，故可不进行塔宽修正。

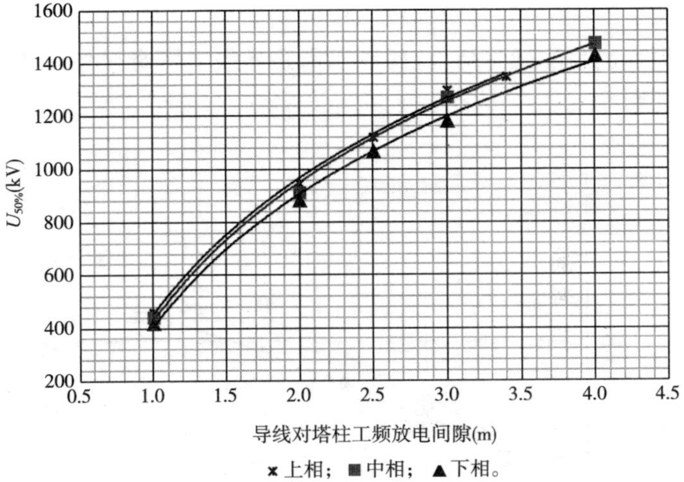

图 5 同塔双回路 750kV(Ⅰ串)工频 50%放电电压与导线对塔身空气间隙的关系曲线

按以上方法，再经过海拔高度修正，计算得到 750kV 同塔双回路边相Ⅰ串工频间隙值如表 53。

表 53 750kV 同塔双回路工频间隙(m)

海拔高度 H(m)	1000	1500	2000	2500	3000
双回路边相Ⅰ串工频间隙(m)	2.00	2.15	2.35	2.55	2.80

2)操作过电压间隙的确定。

操作过电压下线路导线对杆塔空气间隙的正极性操作冲击电压 50%放电电压 $U_{l.s.s}$应满足公式(4)的要求。

$$U_{l.s.s} \geqslant k_3 \cdot U_s \tag{4}$$

式中：U_s——线路相对地操作过电压，1.8p.u. $=1.8\times800\times\sqrt{2}/\sqrt{3}$(kV)；

k_3——线路空气间隙操作过电压统计配合系数；按国家标准《110kV～750kV 架空输电线路设计规范》GB 50545—2010，统一取1.27。

根据武高院试验结果，同塔双回路导线对塔身操作冲击放电曲线如图6。

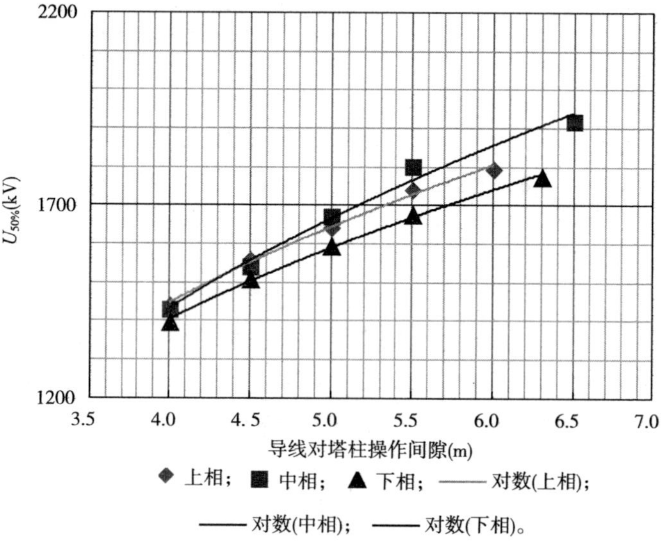

图6 750kV同塔双回路导线对塔身操作冲击放电曲线

按以上方法，取三相计算的最大值，得到750kV操作过电压间隙值如表54。

表54 750kV操作过电压空气间隙

海拔高度 H(m)	1000	1500	2000	2500	3000
同塔双回边相Ⅰ串操作间隙(m)	4.50	4.70	4.90	5.10	5.30

操作过电压塔头间隙海拔高度修正流程，见图7。

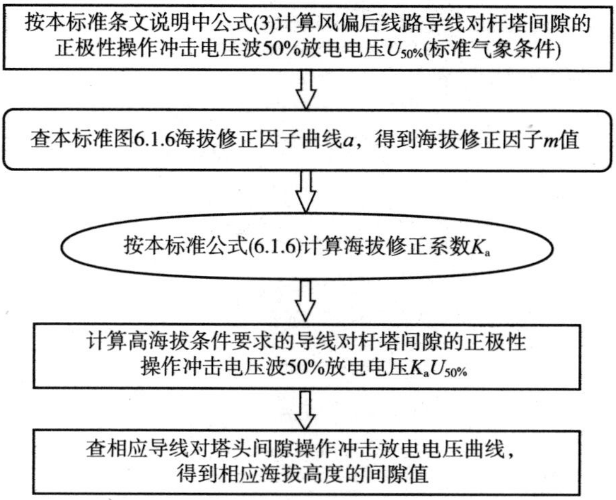

图 7　操作过电压塔头间隙海拔高度修正流程

示例：

①750kV 单回路边相导线(采用I串)风偏后线路导线对杆塔间隙的正极性操作冲击电压波 50%放电电压 $U_{50\%}$ 应符合下式规定：

$$U_{50\%} \geqslant K_3 U_S = 1.27 \times 1.8 \times 800 / \sqrt{\frac{3}{2}} = 1493\text{kV}$$

查相关导线对塔头空气间隙操作冲击放电电压曲线，得到标准气象条件下操作过电压边相间隙值为 3.84m。

②查本标准图 6.1.6 海拔修正因子曲线 a，得到海拔修正因子 m=0.532。

③按本标准公式(6.1.6)计算海拔高度 1000m 时修正系数 K_a=1.067。

④计算高海拔条件要求的导线对杆塔间隙的正极性操作冲击电压波 50%放电电压 $K_aU_{50\%}$=1594kV。

⑤查相应导线对塔头间隙操作冲击放电电压曲线，得到海拔高度 1000m 时操作过电压边相间隙值为 4.20m。

⑥对间隙分别进行塔宽、波头长度修正，得到海拔高度 1000m

时操作过电压边相间隙值为4.00m。

3)雷电过电压间隙的确定。

在雷电过电压情况下，空气间隙的正极性雷电冲击放电电压应与绝缘子串的50%雷电冲击放电电压相匹配。绝缘子串的50%雷电冲击放电电压$U_{50\%}$可根据绝缘子串的雷电冲击试验获得或由绝缘长度按下列公式求得。

边相：$U_{50\%}=530\cdot l+35\quad(3.5\text{m}<l<5\text{m})$ (5)

中相：$U_{50\%}=531\cdot l\quad(3.72\text{m}<l<6.2\text{m})$ (6)

式中：l——绝缘子串绝缘长度(m)。

空气间隙的正极性雷电冲击放电电压不必按绝缘子串50%雷电冲击放电电压$U_{50\%}$的100%确定间隙，对于750kV线路只需按轻污区绝缘子串50%雷电冲击放电电压的80%确定间隙(污秽区可仍按0级污秽区配合)，即按式(7)进行配合。

$$U'_{50\%}=80\%\cdot U_{50\%}\tag{7}$$

西北750kV关键技术研究通过试验获得的绝缘子串的雷电冲击放电电压$U_{50\%}$如图8。

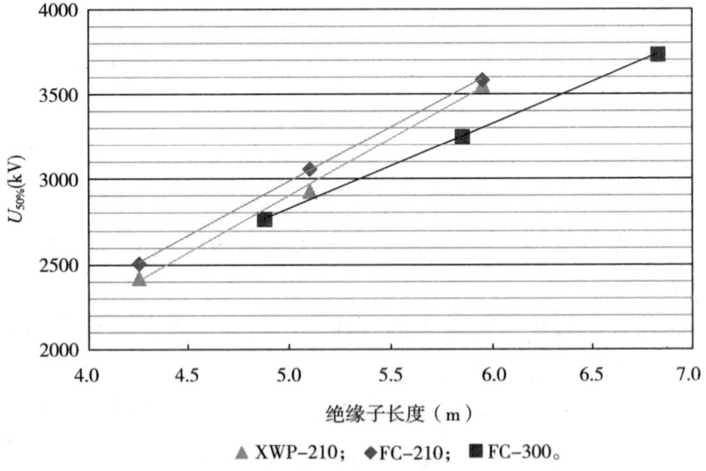

图8　750kV绝缘子串标准雷电冲击放电电压

雷电冲击放电电压 $U'_{50\%}$ 与间隙的关系可由下列公式确定：

$$悬垂型杆塔导线与塔柱：U'_{50\%} = 615 \cdot d \quad (8)$$

$$ZB 塔中相 V 串：U'_{50\%} = 552 \cdot d \quad (9)$$

式中：d——空气间隙(m)。

西北 750kV 关键技术研究通过试验获得的导线对同塔双回路杆塔横担、塔身的间隙雷电冲击放电电压 $U'_{50\%}$ 如图 9。

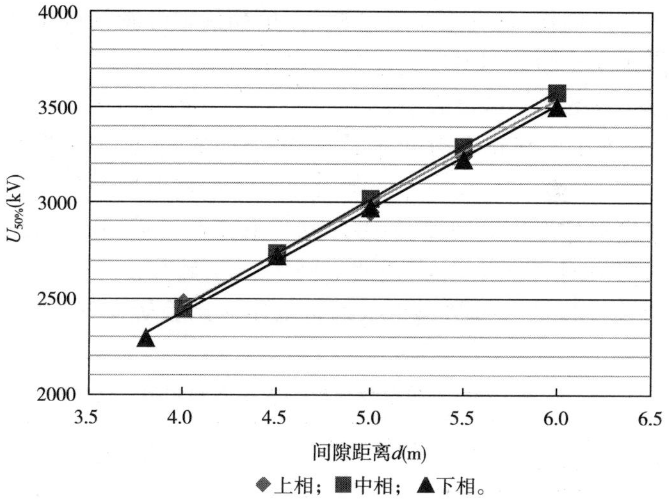

图 9　750kV 同塔双回路导线对塔身空气间隙标准雷电冲击放电电压

按公式和试验数据两种计算方法得到的 750kV 雷电空气间隙如表 55。

表 55　750kV 雷电过电压空气间隙

海拔高度 H(m)	1000	1500	2000	2500	3000
同塔双回雷电过电压空气间隙(m)	4.40	4.60	4.80	5.00	5.20

6.2.6　大跨越线路的雷电过电压控制的绝缘子片数随塔高的增加而增加，雷电过电压最小间隙也应随之增大。根据电力行业标准《110kV～750kV 架空输电线路大跨越设计技术规程》DL/T 5485—2013，110kV～750kV 大跨越线路雷电过电压间隙按绝缘

子串放电电压的 0.85 配合。根据电力行业标准《特高压架空输电线路大跨越设计技术规定》DL/T 5504—2015，1000kV 大跨越线路的雷电过电压间隙按绝缘子串放电电压的 0.8 配合。

6.2.7 在现行国家标准《带电作业工具基本技术要求与设计导则》GB/T 18037—2008 中，规定可以接受的危险率水平为 1.0×10^{-5}。

检修人员停留在线路上进行带电作业时，系统不可能发生合闸空载线路操作，并应退出重合闸，而单相接地分闸过电压是确定带电作业安全距离时必须考虑的过电压。

操作过电压幅值一般用 $U_{max}=U_{50\%}(1+3\sigma)$ 及 $U_{2\%}=U_{50\%}(1+2.05\sigma)$ 来表示。在正态分布中，U_{max} 指大于它的过电压值出现的概率仅 0.135%，$U_{2\%}$ 指大于它的过电压值出现的概率为 2%。

在决定带电作业间隙时，考虑到带电作业人员的安全，操作过电压的幅值按 U_{max} 计算。“西北电网 750kV 输变电工程关键技术研究”课题《西北 750kV 输电线路带电作业试验研究》的研究结论见表 56。

表 56 750kV 带电作业最小安全间隙距离(m)

海拔高度 H	标准气象条件	1000	1500	2000	2500	3000
最小安全间隙距离 S（边相Ⅰ串）	3.60	4.00	4.30	4.60	4.90	5.20
最小组合间隙距离 S_c（边相Ⅰ串）	3.90	4.30	4.50	4.80	5.10	5.40
最小安全间隙距离 S（中相Ⅴ串、对塔窗侧边）	3.90	4.30 (4.40)	4.60	4.80 (4.90)	5.10 (5.20)	5.50
最小安全间隙距离 S（中相Ⅴ串、对塔窗顶部）	4.80	5.20	5.30 (5.40)	5.50 (5.60)	5.80	6.00
最小组合间隙 S_c（中相Ⅴ串）	4.00	4.40	4.70	4.90	5.20	5.60
同塔双回路（边相对塔身）	—	4.10	4.30	4.50	4.80	5.10

注：()中数值适用于拉 V 塔。

苏联各电压等级带电作业间隙见表 57。

表 57　苏联各电压等级带电作业间隙

标称电压(kV)	110	150	220	330	400	500	750
操作过电压倍数 k_0	3.0	3.0	2.5	2.5	2.5	2.5	2.1
带电间隙 D(m)	0.8	1.2	1.6	2.0	2.5	3.2	4.5

对于 1000kV 线路，单回路带电作业最小校验间隙值如表 58 所示。

表 58　1000kV 单回线路带电作业最小校验间隙值

海拔高度 H(m)		500	1000	1500	危险率
间隙距离 d(m)有分闸电阻最大过电压 1.66p.u.	边相	5.6	6.0	6.4	8.84×10^{-6}
	中相	6.2	6.7	7.2	9.64×10^{-6}

注：不同海拔高度要求的最小间隙距离不同，其危险率不同，均小于 1.0×10^{-5}，这里列出的危险率是其中的最大值。

根据国网武汉高压研究院《1000kV 交流同塔双回输电线路带电作业技术研究》的结论，确定同塔双回带电作业时的最小校验间隙见表 59。

表 59　1000kV 双回路带电作业时对杆塔接地部分的最小校验间隙(1.61p.u.)

间隙类型	海拔高度(m)	最小间隙距离(m)	危险率($\times10^{-6}$)
等电位作业人员对塔身/下横担/顶部构架最小安全距离	0	5.2/5.4/6.5	8.46/8.65/7.74
	500	5.5/5.7/6.8	6.47/7.08/7.74
作业人员进出等电位时与塔身/下横担构架/顶部构架应满足的最小组合间隙	0	5.8/6.1/7.2	7.91/8.85/8.28
	500	6.1/6.4/7.5	6.92/8.29/9.25

带电作业时，对操作人员需要停留工作的部位，还应考虑人体活动范围 0.5m。

我国 750kV 及以下交流线路在设计时，考虑到经济性因素，为缩减塔头尺寸，某些电压等级线路在设计时仅用带电作业间隙去控制部分塔窗平面的位置，例如750kV单回线路，在设计时常常用带电作业间隙控制屈臂的位置，横担上平面则不用带电作业间隙控制。1000kV特高压交流线路为避免输电线路塔头间隙过大，带电作业安全距离不作为线路绝缘间隙尺寸的控制因素，带电作业安全距离加上人体活动范围后不宜大于操作过电压要求的间隙，当不能满足上述要求时带电作业应考虑特殊保护措施。

带电作业间隙计算的起点应根据不同带电体的结构合理确定。

6.2.8 相间最小间隙通过以下方面确定。

(1)工频电压相间最小间隙。

确定配合的工频50%放电电压 $U_{c(50\%)}$ 按下式计算：

$$U_{c(50\%)} = \frac{U_m \cdot k_a}{1-3\sigma} \tag{10}$$

式中：U_m——相间工频过电压(kV)；

k_a——高海拔闪络电压气象修正系数；

σ——间隙放电电压的标准偏差值，取值为3%。

工频电压相间最小间隙计算值见表60。

表60 工频电压相间最小间隙计算值

标称电压(kV)	110	220	330	500	750
最高运行电压(kV)	126	252	363	550	800
最高运行相电压(kV)	178.2	356.4	513.4	777.8	1131.4
安全系数	1.05	1.05	1.05	1.05	1.05
1000m海拔修正系数	1.131	1.131	1.131	1.131	1.131
工频相间电压 $U_{c(50\%)}$(kV)	232	465	670	1015	1476
相间最小间隙(m)	0.38	0.74	1.14	1.76	2.73

参照现行行业标准《220kV～500kV紧凑型架空输电线路设计技术规定》DL/T 5217—2013表7.0.11，工频电压相间最小间隙值见表61。

表 61 工频电压相间最小间隙

标称电压(kV)	110	220	330	500	750
工频电压相间最小间隙(m)	0.50	0.90	1.60	2.20	2.80

对于 1000kV 线路，单个间隙的 50%放电电压要求值为：

$$U_{50.1.t} = k_s \cdot k_c \cdot \sqrt{2} \cdot U_m \tag{11}$$

式中：k_s——安全裕度，取 1.05(包括有可能多间隙并联对放电电压的影响)；

k_c——配合系数，取值为 1.06；

U_m——系统最高运行线电压，取 1100kV。

按照现行国家标准《绝缘配合 第 1 部分：定义、原则和规则》GB 311.1—2012 的海拔高度修正公式，计算得到不同海拔地区相间工频放电电压所需的最小空气距离值见表 62。

表 62 不同海拔地区相间工频放电电压所需的最小空气距离值(m)

海拔高度	500	1000	1500	2000
K_a	1.06	1.13	1.20	1.28
间隙距离	4.2	4.6	5.0	5.4

(2)操作过电压相间最小间隙。

相间绝缘的电气强度不仅取决于相间绝缘距离，还取决于导体对接地体的距离。

相间操作波冲击绝缘强度受多种因素的影响，比相地间要复杂得多，例如：

1)波形的影响：如相地绝缘试验一样，正极性操作波也有一个临界波头长度(此时放电电压最低)，一般为 $20D_e$～$25D_e$(D_e 为电气距离)，但是国外实际试验的波头长度为 250μs～2500μs，长波头的 50%放电电压稍高，定量关系尚待确定。我国试验一般为短波头。

2)正负极性的比例影响：试验发现，当相间电压全部为正极性

时，其绝缘强度最低；而全部为负极性时，其绝缘强度最高。当电压 50%为正极性和 50%为负极性时，则介于上述两者之间。试验数据采用效应指标 $\alpha=\frac{|V_-|}{V_+ + |V_-|}$ 来表示。显然，α 越小，放电电压越低。

3）分裂导线数目的影响：由于分裂导线表面电场的不均匀性，试验表明，4 分裂导线比单导线的放电电压要高 1%～5%。

4）第三相存在的影响：由于三相导线布置在同一框中，第三相的存在（其状态为接地、绝缘或带电），对其他两相间的 50%放电电压会产生影响。试验证明，第三相带负电时，其他两相间的放电电压值最低。

5）试验线段长度的影响：一般试验用钢管模拟导线，其长度在 10m 左右，这时得到的 50%放电电压不同于实际档距线长情况，不少研究者按并联间隙方式进行修正。然而实际运行线路在风偏条件下，仅在档距中央存在一个最小电气距离，似无修正的必要性。另外，一部分试验是在模拟塔头上做的，框中的电场分布不可能同于档距中央，故 50%放电电压存在一定的误差。

6）气象条件的影响：由于试验地点的气象条件不同于标准条件，故试验电压必须进行校正。但相间外绝缘试验的气象校正尚无标准，故多数试验数据未进行校正，少数试验按相地气象校正系数。

操作过电压的相间最小间隙取决于相间操作过电压倍数。相间操作过电压倍数与相对地操作过电压倍数有一定的关系。按统计，IEC 建议相间操作过电压与相对地操作过电压的比值取为：

$$N = 1.34 + \frac{0.39}{n} \tag{12}$$

式中：n——相对地操作过电压倍数。

当 500kV 相对地操作过电压倍数为 2.0 时，相间操作过电压与相对地操作过电压比值 $N=1.34+\frac{0.39}{2}=1.534$，其相间操作

过电压倍数为 $N \cdot n = 3.068 \approx 3.1$。

西南电力设计院《紧凑型线路相间距离选取》一文中对500kV线路在不同相间操作过电压倍数时的相间最小距离做了计算，结果如表63。

表63 操作过电压相间最小间隙

相间操作过电压倍数	3.0	3.1	3.2	3.3
相间最小距离(m)	4.00	4.15	4.30	4.45

500kV昌平—房山紧凑型线路，按相间操作过电压为3.3p.u.，计算档距中相间操作过电压间隙为4.6m与西南电力设计院计算值相接近；塔头相间操作过电压间隙为5.2m，相间操作冲击闪络概率低于0.006。

220kV安定—廊坊紧凑型线路，按相间操作过电压4.20p.u.，计算档距中相间操作过电压间隙为2.1m；塔头相间操作过电压间隙为2.4m，相间操作冲击闪络概率低于0.001。

对500kV昌平—房山和220kV安定—廊坊紧凑型线路工程相间操作冲击绝缘强度研究，得出线路在杆塔处的相间操作冲击绝缘强度比无杆塔处低约10%；所以塔头处的相间间隙要较档距中的相间间隙增大。

水平距离 $D = 0.4L_k + \frac{U}{110} + 0.65\sqrt{f_c}$ 中的 $\frac{U}{110}$ 实际上就相当于相间操作过电压作用时在档距中的相间最小间隙值。

按此计算，500kV及以下电压等级相间操作过电压作用下的档距中相间最小间隙见表64。

表64 相间操作过电压作用下的档距中相间最小间隙

标称电压(kV)	110	220	330	500
相间间隙值(档距中)(m)	1.00	2.00	3.00	4.55

本标准表6.2.8中操作过电压相间最小间隙值，220kV是按相间操作过电压4.20p.u.，500kV是按相间操作过电压3.30p.u.计算得来的。

现行行业标准《220kV～500kV 紧凑型架空输电线路设计技术规程》DL/T 5217—2013 对 220kV～500kV 紧凑型线路的相间间隙规定如表 65。

表 65　紧凑型线路操作过电压作用下的相间最小间隙

标称电压(kV)	220		330		500	
校验位置	塔头	档中	塔头	档中	塔头	档中
操作过电压相间最小间隙(m)	2.4	2.1	3.4	3.0	5.2	4.6

在变电所进出线档，其相间最小间隙可根据工程实际情况确定，但不应小于现行国家标准《交流电气装置的过电压保护和绝缘配合设计规范》GB/T 50064—2014 所规定的变电站相间最小间隙值。

根据“750kV 同塔双回紧凑型交流输电线路关键技术”科研项目成果，750kV 相间 2%操作过电压值取 2.78p.u.、最高运行电压为 800kV，当相对标准偏差 $\sigma=0.03$ 时，海拔 1000m 时的空气间隙放电电压海拔修正系数 $K_a=1.083$，则相间操作冲击 50%放电电压 $U_{50\%}$ 为：

$$U_{50\%}=\frac{U_s\cdot k_a}{(1-3\sigma)}=2160\text{kV} \tag{13}$$

依据“750 千伏单回紧凑型输电线路外绝缘特性试验研究”“750 千伏紧凑型输电线路外绝缘特性(双回)试验研究”的结果，塔头处的相间操作间隙为 7.70m，档距中的相间操作间隙为 5.40m。相间操作冲击闪络概率低于 0.001。

当相间操作过电压值与上述不同时可通过计算或试验具体求得。

对于 1000kV 线路，空气间隙 50%操作冲击过电压选择时考虑的计算条件如下：

1)相间统计过电压取 2.9p.u.。

2)相-地统计过电压取 1.70p.u.。

计算公式：

$$U_{50.1.t}=\frac{k_s k_{cs} U_{rp}}{1-1.28\sigma_1} \tag{14}$$

式中：k_s——安全因数，取1.05；

k_{cs}——统计配合因数，取1.15；

U_{rp}——相间统计过电压，取2.9p.u.；

σ_1——操作冲击放电电压分布变异系数，取0.03。

则海拔高度0m地区，特高压交流输电线路所要求的相间50%操作冲击放电电压最小为3270kV。

中国电力科学研究院曾针对1000kV特高压交流紧凑型输电线路开展过1000μs长波前操作冲击相间放电特性试验，在此借鉴当时的试验结果，如图10所示。根据曲线和公式推荐间隙距离如表66所示。

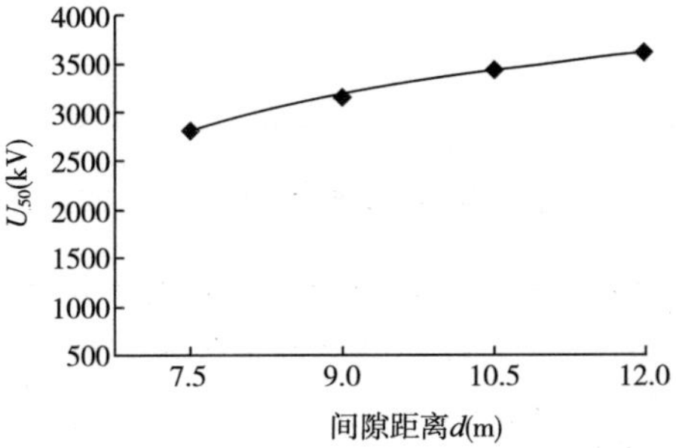

图10 10分裂导线长波前放电特性曲线

表66 相间操作冲击要求的最小空气距离(U_{rp}=2.9p.u.)(m)

海拔高度	海拔校正系数	推荐的间隙距离
500	1.021	10.0
1000	1.043	10.3
1500	1.066	10.6
2000	1.086	10.9

按照同样的方法，分别计算相间统计过电压为2.7p.u.和

2.8p.u. 时相间操作冲击所需的最小空气距离值，见表 67 和表 68。

表 67 相间操作冲击要求的最小空气距离(U_{rp}=2.7p.u.)(m)

海拔高度	海拔校正系数	推荐的间隙距离
500	1.021	9.0
1000	1.043	9.3
1500	1.066	9.6
2000	1.086	9.9

表 68 相间操作冲击要求的最小空气距离(U_{rp}=2.8p.u.)(m)

海拔高度	海拔校正系数	推荐的间隙距离
500	1.021	9.5
1000	1.043	9.8
1500	1.066	10.1
2000	1.086	10.4

6.3 直流线路的绝缘配合及空气间隙

6.3.1 直流输电线路的防污绝缘设计应根据绝缘子的污耐压特性，参考最新审定的污区分布图和直交流积污比，结合现场实际污秽调查结果，选择合适的绝缘子类型和片数。对无可靠污耐压特性参数的绝缘子，也可参照污秽等级按爬电比距法选择合适的绝缘子类型和片数。

6.3.2 本条中±500kV、±600kV 直流线路的轻污区的绝缘子片数沿用行业标准《高压直流架空输电线路设计技术规程》DL 5497—2015 中第 7.0.5 条的取值，±800kV 直流线路沿用国家标准《±800kV 直流架空输电线路设计规范》GB 50790—2013 中第 7.0.3 条的取值。

对于±1100kV 直流线路，条文中的数据是根据中国电科院在溪洛渡—浙西±800kV 特高压直流线路工程中给出的钟罩瓷绝缘子 XZP-210 和 CA-756EZ 在直流盐密 0.05mg/cm² 下的 V 型串片数基础上外推到±1100kV 线路绝缘水平。

6.3.3 在雨量充沛地区，耐张绝缘子串由于水平放置容易受雨水冲洗，因此其自洁性较悬垂绝缘子串要好，运行经验表明，耐张绝缘子串很少污闪。因此在同一污区内，其爬电距离可较悬垂串减少。

6.3.4 国内外污闪试验结果（包括瑞典 STRI 试验）证实：同等污秽，即便在亲水性状态下，复合绝缘子污闪电压比瓷和玻璃绝缘子高 50%以上，因此，同样运行电压下，复合绝缘子爬距仅需要瓷和玻璃绝缘子爬距的 2/3 即可；按照目前±500kV 超高压直流输电线路绝缘配置，复合绝缘子爬距定为瓷绝缘子爬距的 3/4 以上已经有相当裕度。

2005 年底，南方电网技术研究中心、中国电力科学院和瑞典 STRI 联合完成了±800kV 直流复合绝缘子的研制和试验工作，试验的复合绝缘子的长度和爬距为 8.16m 和 28.32m。2007 年 8 月 22 日在北京召开的"±800kV 直流线路绝缘选择讨论会"上，各方统一了工程设计原则，轻污区低海拔的复合绝缘子计算推荐最小长度和爬距为 8.8m 和 33.0m。由于铁塔塔头尺寸主要由极间距控制（导线采用 6×LGJ-630/45），为保证一定的极间距，导线 V 型悬垂串肢长需达到 13m 以上，所以工程上采用了较长规格的复合绝缘子。

云南—广东±800kV 直流线路工程采用的复合绝缘子及爬距配置见表 69。

表 69 云广±800kV 直流线路采用的复合绝缘子长度和爬距(m)

ESDD (mg/cm^2)	海拔高度(m)			
	1000	1500	2000	2300
0.05	10.2/38.25	10.6/39.75	10.6/39.75	10.6/39.75
0.08	10.6/39.75	10.6/39.75	10.6/39.75	10.6/39.75
0.15	10.6/39.75	12.0/45.00	12.0/45.00	12.0/45.00

向家坝—上海、锦屏—苏南±800kV 直流线路工程推荐的复合绝缘子长度及爬距配置见表 70。

表 70　向上线、锦苏线复合绝缘子长度和爬距(m)

ESDD (mg/cm²)	海拔高度(m)			
	1000～1500	1500～2000	2000～2500	2500～3700
≤0.08	10.6/36.30	11.5/39.60		12.0/41.40
0.15	11.5/39.60	12.0/41.40	—	

考虑到在线路实际运行中复合绝缘子完全亲水性出现的可能性不大，因此按照弱憎水性的污闪特性推荐复合绝缘子长度，并考虑到绝缘配置裕度，溪浙线、哈郑线、酒湖线、灵绍线、山西—江苏、锡盟—江苏、上海庙—山东特高压直流线路工程采用的复合绝缘子长度和爬电距离如表 71。

表 71　溪浙线、哈郑线等±800kV 直流线路采用的复合绝缘子长度和爬距(m)

ESDD (mg/cm²)	海拔高度(m)				
	500	1000	1500	2000	2300
0.05	9.6/36.96	9.6/36.96	9.6/36.96	10.6/40.81	10.6/40.81
0.08	9.6/36.96	9.6/36.96	10.6/40.81	10.6/40.81	10.6/40.81
0.15	10.6/40.81	10.6/40.81	11.0/42.35	11.8/45.43	11.8/45.43

6.3.5　本条中±500kV、±600kV 直流线路的空气间隙沿用电力行业标准《高压直流架空输电线路设计技术规程》DL 5497—2015 中第 7.0.9 条的取值，±800kV 直流线路沿用国家标准《±800kV 直流架空输电线路设计规范》GB 50790—2013 中第 7.0.7 条的取值。

对于±1100kV 线路，主要参照了昌吉—古泉±1100kV 输电线路的研究成果。

(1)工作电压间隙。

根据中国电力科学研究院试验结果，分裂导线对塔身间隙在直流正极性电压作用下的放电特性见图 11。将试验结果与棒—板间隙和棒—棒间隙的试验结果进行比较表明，在正极性直流电压下，放电电压与间隙距离呈线性关系，并且与棒—棒、棒—板的试验结果很接近。在负极性直流电压下，电极形状对放电电压有一定的影响，分裂导线对塔身间隙的放电特性更接近棒—板的情况。可见直流电压要求的空气间隙距离远小于冲击电压要求的间隙距离，在杆塔间隙距离的设计中可不予考虑。

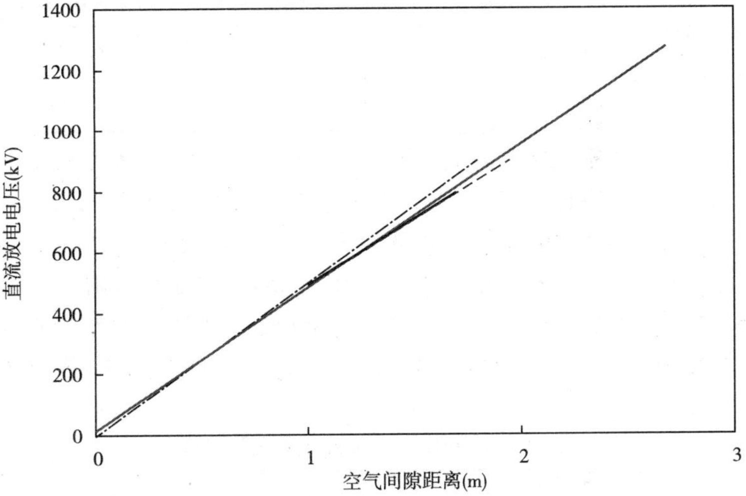

——6分裂导线—立柱；- - -4分裂导线—立柱；—·—棒—棒；——棒—板。

图 11　分裂导线对塔身间隙的正极性直流放电特性

参照现行电力行业标准《高压直流架空输电线路设计技术规程》DL 5497—2015，导线对杆塔空气间隙的直流 50%放电电压应符合下式的规定。

$$U_{50\%}\cdot N=\frac{K_2\cdot K_3}{(1-3\sigma_N)\cdot K_1}U_e \tag{15}$$

式中：U_e——额定运行电压(kV)；

K_1，K_2——直流电压下间隙放电电压的空气密度、湿度校正系数；

K_3——安全系数，1.15；如绝缘子串为V型串，K_3取1.25；

σ_N——间隙直流放电电压的变异系数，0.9%。

我国以往±800kV线路的工频间隙取值如表72所示。

表72 部分工程的工频间隙取值

海拔高度 H (m)	500	1000	2000	3000	3700	备注
工作电压 (kV)	2.1	2.3	2.5	2.85	3.1	向上线、锦苏线
	2.55	2.7	3.05	—	—	云广线
	2.1	2.3	2.5	—	—	溪浙线、哈郑线

对于±1100kV线路，最高运行电压取1122kV，安全系数取1.15，空气间隙直流放电电压的变异系数取为0.9%，则海拔高度0m，导线对杆塔的净空距离为2.7m时，即可满足±1100kV直流电压对空气间隙的要求。考虑工作电压间隙对塔头尺寸没有影响，±1100kV直线线路1000m海拔高度时工作电压间隙值采用3.2m。±1100kV吉泉线的工频间隙最终取值如表73。

表73 ±1100kV吉泉线工频间隙取值

海拔高度 H(m)	500	1000	1500	2000	2500	3000
工作过电压间隙值(m)	3.0	3.2	3.5	3.7	4.0	4.2

(2)操作过电压间隙。

直流线路的操作过电压，其产生机理及出现的频度与交流系统有一定的不同，主要波形为直流分量之上叠加一冲击波。交流操作波形更复杂，虽千差万别，IEC的统一试验标准操作波为250/2500μs。目前尚无直流操作波形的规定，试验也不多。国际上多引用瑞典试验数据，尽管很不完善，它的试验波形为120/4000μs，叠加在直流分量之上。对于棒板间隙，直流分量的叠加影响甚大，其闪络电压可提高10%，少量的试验数据表明，对于导线-塔身间隙，直流分量的叠加影响甚微，参见图 12。

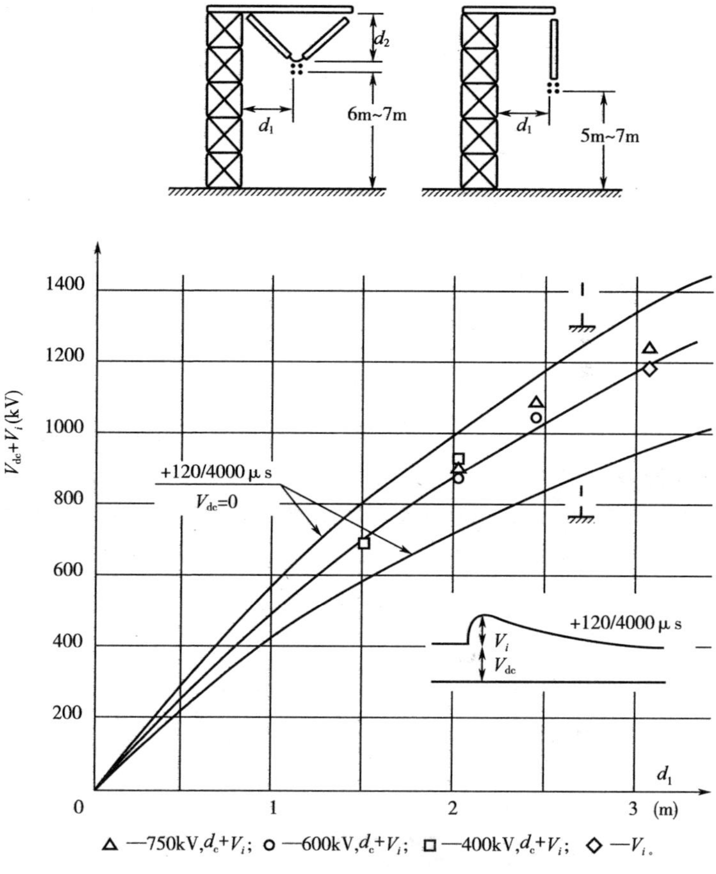

图 12　瑞典导线-塔身间隔放电特性

图 12 上部曲线为棒—棒间隙，下部曲线为棒—板间隙，中间部分为直流电压叠加操作冲击电压试验数据，拟和曲线为美国 BPA 后期采用，与交流操作波间隙因数 $K=1.28$ 非常接近。

中国电科院在 ±800kV 直流 V 型绝缘子串杆塔塔头空气间隙操作冲击放电特性试验中，通过对 V 型串塔头空气间隙进行的正极性 50%操作冲击放电特性试验，获得了直流线路杆塔V型串空气间隙距离与正极性 50%操作冲击放电电压的特性曲线，如图13 所示。

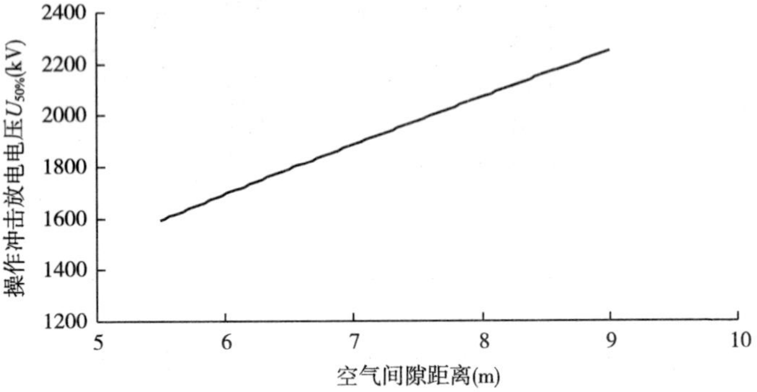

图 13　±800kV 直流线路杆塔空气间隙操作冲击放电特性

参照现行电力行业标准《高压直流架空输电线路设计技术规程》DL 5497—2015，直流杆塔空气间隙的正极性 50%操作冲击放电电压应符合下式规定。

$$U_{50\%\cdot s} = \frac{K_2' \cdot K_3'}{(1-2\sigma_s)\cdot K_1'} U_m \tag{16}$$

式中：U_m——系统最高电压(kV)；

K_1'，K_2'——操作冲击电压下间隙放电电压的空气密度、湿度校正系数；

K_3'——操作过电压倍数；

σ_s——空气间隙在操作电压下放电电压的变异系数。

根据《高压直流架空输电线路设计技术规程》DL 5497—2015，操作冲击对 σ_s 可取 5%，另外国际大电网会议于 2002 年出版的 *Hvdc converter stations for voltages above* ±600kV 报告中对于操作的 σ_s 取 6%。

近年来，针对±800kV 特高压直流输电线路，中国电力科学研究院在北京(海拔高度 55m)、宝鸡(海拔高度 900m)和青海硝湾

(海拔高度 2200m)进行了大量V串塔头空气间隙的50%操作冲击放电特性试验,结果见图14。

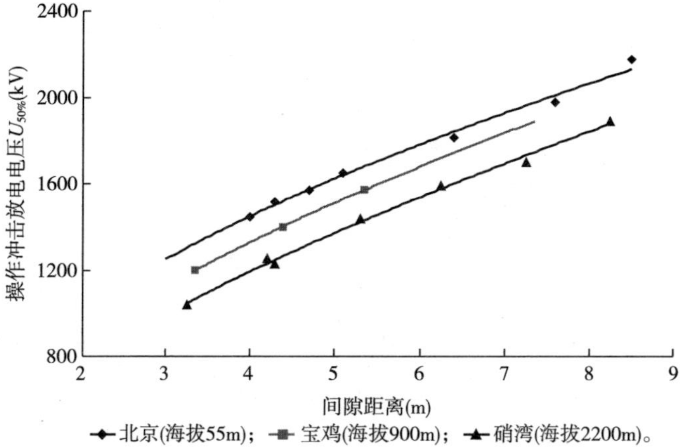

图14 ±800kV 塔头空气间隙试验结果

中国电力科学研究院根据北京、宝鸡和青海硝湾的最新试验结果,采用插值法,得到0m、500m、1000m、1500m 和 2000m 的50%操作冲击放电特性曲线见图15。

绝缘子串风偏后导线对杆塔空气间隙的正极性50%操作冲击放电电压$U_{50\%}$应符合下式规定:

$$U_{50\%\cdot s}=\frac{K_2'\cdot K_3'}{(1-3\sigma_s)\cdot K_1'}U_m \tag{17}$$

式中:U_m——最高运行电压;

K_1'——操作冲击电压下间隙放电电压的空气密度校正系数;

K_2'——操作冲击电压下间隙放电电压的空气湿度校正系数;

K_3'——操作过电压倍数;

σ_s——空气间隙在操作冲击电压下放电电压的变异系数,可取5%。

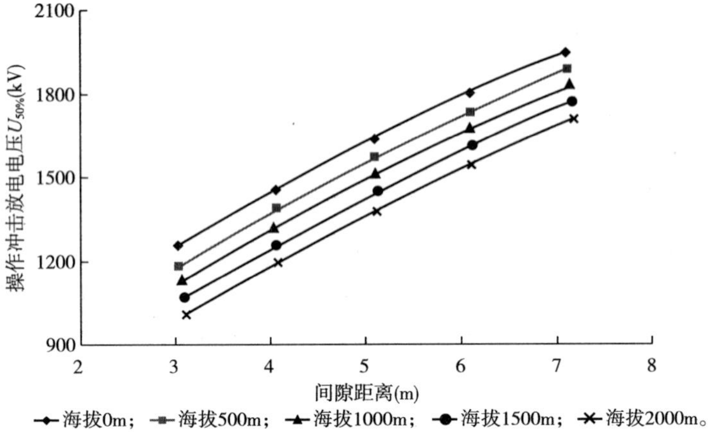

图 15　±800kV 不同海拔高度空气间隙放电特性试验曲线

按以上试验结果及计算方法，不同操作过电压倍数及不同海拔高度下操作过电压间隙如表 74。

表 74　不同海拔高度不同过电压倍数下的操作过电压间隙(m)

过电压倍数	海拔高度(m)					备注
	0	500	1000	1500	2000	
1.7	5.1	5.5	5.8	6.2	6.5	—
1.65	4.8	5.2	5.5	5.9	6.2	—
1.64	4.8	5.2	5.5	5.9	6.1	锡盟—江苏
1.63	4.7	5.1	5.4	5.9	6.1	酒湖线
1.62	4.6	5.0	5.4	5.7	6.0	晋北—江苏、上海庙—山东
1.6	4.5	4.9	5.3	5.6	5.9	溪浙线、哈郑线、灵绍线
1.55	4.3	4.6	5.0	5.3	5.6	—
1.5	4.0	4.35	4.7	5.0	5.3	

中国电力科学研究院经过计算推荐±1100kV 吉泉线的操作间隙取值如表 75 所示，500m 海拔高度的间隙可根据海拔修正得到。

表 75　±1100kV 吉泉线操作间隙取值

海拔高度 H(m)	1000	1500	2000	2500	3000
操作过电压间隙值 S(m)1.5p.u.	8.1	8.4	8.7	9.0	9.2
操作过电压间隙值 S(m)1.58p.u.	8.9	9.2	9.5	9.7	9.9

如果采用双节复合绝缘子串，操作过电压间隙值需根据真型塔试验结果确定。

(3)雷电过电压要求的空气间隙。

在雷电过电压情况下，其空气间隙的正极性雷电冲击放电电压应与绝缘子串的 50%雷电冲击放电电压相匹配。不必按绝缘子串的 50%雷电冲击放电电压的 100%确定间隙，只需按绝缘子串的 50%雷电冲击放电电压的 80%确定间隙(间隙按 0 级污秽要求的绝缘长度配合)或雷电过电压间隙不予规定，即按下式进行配合。

$$U'_{50\%}=80\%\cdot U_{50\%} \tag{18}$$

式中：$U_{50\%}$——绝缘子串的 50%雷电冲击放电电压(kV)。其数值可根据绝缘子串的雷电冲击试验获得或由绝缘长度求得。

对于直流线路，中国电力科学研究院曾在 500kV 塔头上进行了直流叠加雷电冲击波的绝缘子串闪络试验，其复合闪络电压(V_i+V_{dc})见表 76。

表 76　绝缘子串的雷电波闪络电压(V_i+V_{dc})(kV)

直流电压(kV)	绝缘子片数(片)		
	10	20	30
$V_{dc}=0$	961.4	1910.2	2881.1
$V_{dc}=170$	969.7	1900.4	—
$V_{dc}=330$	932.6	1921.7	2852.9
$V_{dc}=500$	—	1902.0	2823.7

从表 75 可知，复合闪络电压与单独雷电冲击基本一致。因

此，可以用单独施加雷电波时（如交流线路）的试验数据来进行防雷计算。

由于直流线路串长大于交流线路，如按交流配合比选择大气过电压下的间隙值则明显偏大，而按操作过电压间隙值进行防雷计算，比较合理。科研单位正在研究较为合适的特高压直流线路的防雷计算新方法。

对于高压直流线路而言，雷击跳闸主要是由绕击引起的。直流换流阀在直流线路遭受电击时，换流阀很快动作，由换流状态转换为逆变状态，对线路进行抽能和去空气游离电子作用，然后重新启动，时间极短，全过程不超过100ms，基本不影响线路连续运行。塔头间隙设计时目前一般暂不考虑雷电过电压影响。

(4)苏联的研究表明，导线距横担、导线距塔身的距离不同空气间隙的电气特性也不同，放电电压与对应导线位置的塔身宽(B)之间，可由下式确定：

$$U'_{50\%}(B)=U_{50\%}(1)\cdot(1.03-0.03B) \tag{19}$$

式中：$U_{50\%}(1)$——塔身宽 $B=1\text{m}$ 时的放电电压，B 的取值范围为 0.02m～5m。

根据中国电力科学研究院所做复合绝缘子试验情况，在两支复合绝缘子串联使用时，两复合绝缘子间的联结金具上发生跳弧现象，因此复合绝缘子是否可以串联使用要进一步试验，在工程设计中宜采用单支复合绝缘子。中国电力科学研究院采用不同绝缘子串类型的±800kV直线塔空气间隙冲击50%击穿电压试验结果见表77。

表77　±800kV直线塔空气间隙冲击50%击穿电压试验结果

绝缘子串类型	复合绝缘子		瓷绝缘子		
每联绝缘子支(片)数	2支串联	1支	50片	60片	64片
操作冲击电压(kV)	1638	1776	1740	1950	2091

由表 76 可以看出，由 2 支串联复合绝缘子组成的V型绝缘子串，由于受中间均压环的影响，导线对铁塔 50%操作冲击耐受电压最低，其次为玻璃绝缘子及整支复合绝缘子组成的V型绝缘子串。经折算，在操作冲击电压下，由 2 支串联复合绝缘子及玻璃绝缘子组成的V型绝缘子串所需的空气间隙，分别比由整支复合绝缘子组成的V型绝缘子串多 0.2m～0.8m。对于工作电压，由于其放电间隙距离相对于绝缘子串长要小很多，因此，在工作电压下，由两支串联复合绝缘子组成的V型绝缘子串，电气间隙距离仅做适当调整。

6.3.6 直流线路串长远大于交流线路，对于一般线路可不考虑雷电过电压空气间隙，但是对于大跨越来说，因跨越塔较高，应考虑雷电过电压对空气间隙的影响。

6.3.7 以往超高压输电线路设计时，对需要带电作业的杆塔，应考虑带电作业所需的安全空气间隙距离。由于带电作业方式是灵活多样的，根据多年的设计及运行经验，在一般情况下不会也不宜因考虑带电作业而增大塔头尺寸，不过在设计中应尽可能从塔头结构及构件布置上为带电作业创造方便条件。近些年，从雅江±800kV 直流线路工程开始，国网公司的±800kV 直流线路工程设计时开始考虑带电作业间隙作为塔头设计的控制条件。

操作过电压幅值具有正态分布、韦尔斯分布或极值分布的特点，在进行绝缘设计时，一般均假定幅值为正态分布。操作过电压幅值可用 U_{max} 和 $U_{2\%}$ 来表示。U_{max} 指大于该过电压值出现的概率仅为 0.135%，$U_{2\%}$ 指大于该过电压值出现的概率为 2%。在决定带电作业间隙时，考虑到带电作业人员的安全，操作过电压按 U_{max} 来进行计算，并考虑 0.3m～0.5m 的人体活动范围。根据绝缘配合的原则，直流线路塔头组合间隙的 50%操作冲击放电电压，可参照上述公式计算，但其分母括号内需取 3 倍放电电压变异系数，即耐压保证率为 99.86%。对于海拔高度在 1000m 及以下的地区，500kV 直流线路由上述公式计算得到 50%操作冲击放电电压为 1121kV,660kV 线路为 1470kV。

根据中国电力科学研究院在 1985 年进行的±500kV 直流输电线路导线-杆塔空气间隙放电特性试验结果可知,在 3m～5m 的间隙距离范围内,直流叠加操作冲击放电电压约高于单独加操作冲击的 3%～4%。50%操作冲击放电电压 1121kV 对应的操作冲击间隙距离为 2.85m,而直流叠加操作冲击间隙距离大约为 2.62m,即按操作冲击选取的间隙距离比较偏于保守。

葛南直流线路带电作业间隙根据国外咨询公司推荐为 3.8m,其中考虑了 0.9m 的裕度。国内带电作业间隙考虑的裕度为 0.3m～0.5m,因此,直流线路带电作业校验间隙可取为 3.8－0.9＝2.9m(1.8p.u.),与中国电力科学研究院的试验推荐值相吻合,再考虑 0.3m～0.5m 的人体活动范围,带电作业间隙距离总长度为 3.4m。

根据中国电力科学研究院位于北京和西宁的试验站开展的操作冲击电压 V 型绝缘子串模拟塔头间隙操作冲击放电试验结果得出,宁东—山东±660kV 线路带电作业空气间隙距离为 4.6m(1.7p.u.)。直流输电线路带电作业所需空气间隙距离应由操作过电压确定。

早期±800kV 线路中,中国电力科学研究院对带电检修进行了研究。根据分析和试验结果,计算出满足带电作业危险率小于 1×10^{-5}的最小安全距离如表 78 所示。

表 78　±800kV 直流线路满足带电作业危险率的最小安全距离(m)

位置	线路中点		线路起点	
计算内容	危险率(1×10^{-6})	最小安全距离	危险率(1×10^{-6})	最小安全距离
地电位作业	5.49	6.9	6.05	5.8
等电位作业	5.49	6.8	8.8	5.7
等电位作业	9.04	6.9	4.71	5.9

据此初步建议±800kV 直流输电工程带电作业最小校验间隙取值不宜小于6.9m，但该间隙不作为塔头设计的控制条件。采用双节复合绝缘子串的带电作业间隙值需根据真型塔试验结果适当增加。

在雅中—江西、白鹤滩—江苏、白鹤滩—浙江±800kV 特高压直流输电线路工程中，带电作业间隙作为塔头设计的控制条件，中国电力科学研究院对不同海拔地区开展了±800kV 输电线路带电作业安全距离试验，根据分析和试验结果，不同海拔不同操作过电压下的带电作业间隙要求如表79、表80所示。

表79 雅江±800kV 直流工程不同海拔高度下的带电作业间隙(m)

过电压倍数	海拔高度(m)										
	0	500	1000	1500	2000	2500	3000	3500	4000	4500	5000
1.40p.u.	4.5	4.8	5.1	5.4	5.7	6.0	6.3	6.6	6.9	7.3	—
1.46p.u.	4.7	5.0	5.3	5.6	5.9	6.2	6.5	6.9	7.2	7.5	—
1.50p.u.	4.8	5.2	5.5	5.8	6.1	6.4	6.7	7.1	7.4	7.7	—
1.52p.u.	4.9	5.2	5.6	5.9	6.2	6.5	6.8	7.1	7.4	7.7	—
1.58p.u.	5.1	5.4	5.8	6.1	6.4	6.7	7.0	7.3	7.6	7.9	—
1.60p.u.	5.2	5.5	5.9	6.2	6.5	6.8	7.1	7.4	7.7	8.0	—
1.70p.u.	5.6	5.9	6.3	6.6	6.9	7.2	7.5	7.8	8.1	8.4	—

注：表中带电作业间隙未包含人体活动范围0.5m。

表80 白江(浙)±800kV 直流工程不同海拔高度下的带电作业间隙(m)

过电压倍数	海拔高度(m)						
	500	1000	1500	2000	2500	3000	3500
1.35p.u.	4.7	5.0	5.3	5.6	5.9	6.2	6.6
1.40p.u.	4.8	5.1	5.4	5.7	6.0	6.3	6.7
1.45p.u.	5.0	5.3	5.6	5.9	6.2	6.5	6.9

续表 80

过电压倍数	海拔高度(m)						
	500	1000	1500	2000	2500	3000	3500
1.50p.u.	5.2	5.5	5.8	6.1	6.4	6.7	7.1
1.60p.u.	5.5	5.9	6.2	6.5	6.8	7.1	7.4
1.62p.u.	5.6	6.0	6.3	6.7	6.9	7.2	7.5
1.64p.u.	5.7	6.1	6.4	6.7	7.0	7.3	7.6
1.70p.u.	5.9	6.3	6.6	6.9	7.2	7.5	7.8

注:表中带电作业间隙未包含人体活动范围 0.5m。

昌吉—古泉±1100kV 线路设计时,中国电力科学研究院对±1100kV 直流线路的带电作业间隙进行了研究,研究结论如下:

地电位作业时,塔上地电位作业人员与带电体间的最小安全距离应满足表 81 的规定。

表 81 地电位作业人员与带电体最小安全距离(1.58p.u.)(m)

海拔高度	最小安全距离
0	9.1
1000 及以下	9.7
1000～2000	10.3

等电位作业人员与接地构架之间的最小安全距离应满足表 82 的规定。

表 82 等电位作业人员与接地体最小安全距离(1.58p.u.)(m)

海拔高度	最小安全距离
0	9.2
1000 及以下	9.9
1000～2000	10.7

正文中的带电作业间隙要求是参考了昌吉—古泉±1100kV 线路工程的取值,供工程设计参考。在昌吉—古泉±1100kV 线

路工程中，带电作业间隙不作为塔头设计的控制条件。

带电作业时，对操作人员需要停留工作的部位，还应考虑人体活动范围0.5m。带电作业间隙计算的起点应根据不同带电体的结构合理确定。

7 防雷和接地

7.1 基本要求

7.1.1 本条是防雷设计的基本要求，是根据现行国家标准《110kV～750kV 架空输电线路设计规范》GB 50545—2010、《交流电气装置的过电压保护和绝缘配合设计规范》GB/T 50064—2014 及运行经验总结而来的。

7.2 交流线路的防雷

7.2.1～7.2.5 这 5 条是根据现行国家标准《110kV～750kV 架空输电线路设计规范》GB 50545—2010、《交流电气装置的过电压保护和绝缘配合设计规范》GB/T 50064—2014 等设计规范总结而来。

条文借鉴了现行国家标准《交流电气装置的过电压保护和绝缘配合设计规范》GB/T 50064—2014 的内容，用少（中、多、强）雷区来衡量线路可能遭受的雷害水平，比单纯用雷暴日来衡量更为科学。

条文中的少雷区指平均年雷暴日数不超过 15d 或地面落雷密度不超过 0.78 次/(km^2 · a)的地区。强雷区指平均年雷暴日数超过 90d 或地面落雷密度超过 7.98 次/(km^2 · a)以及根据运行经验雷害特殊严重的地区。

条文中关于 110kV～750kV 线路是否需要架设地线以及架设几根地线的内容，则综合了现行国家标准《110kV～750kV 架空输电线路设计规范》GB 50545—2010 和《交流电气装置的过电压保护和绝缘配合设计规范》GB/T 50064—2014 的有关内容，并根据已有线路的设计经验和习惯确定。110kV～750kV 常规线路保护角沿用了《110kV～750kV 架空输电线路设计规范》GB 50545—2010 的相关规定。

对于大跨越线路，在跨越塔地线对边导线保护角设计时，提出一个下限范围，主要与塔高挂钩，即单回路330kV及以下线路的保护角不宜大于15°，500kV～750kV线路的保护角不宜大于10°；同塔双回或多回路，110kV线路的保护角不宜大于10°，220kV及以上线路的保护角均不宜大于0°。结合工程所在地的雷电活动情况（含线路遭雷击），凡雷电活动比较强的地区，塔又比较高的工程（具体来说，对220kV及以下工程，塔高150m及以上，330kV工程，塔高180m及以上，500kV及以上工程，塔高200m及以上时）可取下限，而一般地区，仍可维持原规定。具体可见表83。

表83　高塔保护角的设计取值

电压(kV)	110～220	330	500～750
保护角/塔高(°/m)	20°/＜150	15°/＜180	10°/＜200
	15°/≥150	10°/≥180	5°/≥200

最近几年，各地电网纷纷反映超高压线路的雷击（其中主要为绕击）有增加的趋势。这与电网发展，尤其是双回路的大量出现，塔高趋长有密切的关系。有些省公司（如江苏，福建）已明确行文，要求各地在新建工程中，将线路保护角大幅度缩小，双回路的保护角在0°左右。但运行经验表明，在大跨越工程中，雷击（含绕击）问题并不突出，甚至可以说比较少见，这和《架空送电线路大跨越设计技术规定》（试行，1998年）调研时的结论基本一致。这可能和大跨越工程的绝缘配置本身已足够强，雷击（包括绕击）不足以引起跳闸有关。

在20世纪90年代以后的大跨越工程，保护角有减小的趋势，这些工程的跨越塔也比较高，综合分析比较这些工程的运行经验，结合晋东南—南阳—荆门1000kV特高压线路及大跨越设计经验，进行了一些修改，要求特高压大跨越地线对边导线的保护角宜小于一般线路保护角。

条文中的保护角未包含地线对跳线的保护角，根据以往线路工程的设计经验，交流线路不以地线对跳线的保护角作为耐张塔塔头设计的控制因素。

7.2.6 本条沿用了国家标准《110kV～750kV架空输电线路设计规范》GB 50545—2010中的相关内容。

7.2.7 本条沿用了国家标准《1000kV架空输电线路设计规范》GB 50665—2011中的相关内容。其中$U_{ph-e}=U_m/\sqrt{3}$，U_m为系统最高运行电压。

7.2.8 本条沿用了行业标准《110kV～750kV架空输电线路大跨越设计技术规程》DL/T 5485—2013及《特高压架空输电线路大跨越设计技术规定》DL/T 5504—2015中的相关内容。

7.3 直流线路的防雷

7.3.1 本条中±500kV、±660kV直流线路的保护角沿用了《高压直流架空输电线路设计技术规程》DL 5497—2015中第7.0.13条的内容，±800kV直流线路的保护角沿用了《±800kV直流架空输电线路设计规范》GB 50790—2013中第7.0.10条的内容。

昌吉—古泉±1100kV直流线路在设计时对线路的绕击进行了计算，全线平丘段线路地线保护角取−2°，山区段线路地线保护角取−15°时，全线平均综合雷击闪络率为0.088次/(100km·a)，±1100kV吉泉线最终也采用此保护角进行杆塔设计。

本条中的保护角未包含地线对跳线的保护角，根据以往线路工程的设计经验，直流线路不以地线对跳线的保护角作为耐张塔塔头设计的控制因素。

7.3.2 我国±500kV直流大跨越线路跨越塔一般取负保护角，宁东—山东±660kV直流线路黄河大跨越的地线保护角为−8.5°；±800kV直流输电线路一般线路的在平地采用负保护角，山区保护角不宜大于−10°，大跨越线路地线对边导线的保护角宜不小于一般线路保护角；昌吉—古泉±1100kV线路长江大跨越地线对导线的保护角为−5.9°在档距中央导地线间距25m条件下，长江大跨越段雷击无故障时间为52年[折合雷击闪络率为0.656次/(100km·a)]，大于雷击无故障时间50年的指标，满足防雷保护要求。

7.3.3 本条沿用了电力行业标准《高压直流架空输电线路设计技术规程》DL 5497—2015中的相关内容。

7.3.4 本条沿用了国家标准《±800kV直流架空输电线路设计规范》GB 50790—2013中的相关内容。其中U_{ph-e}即为系统最高运行电压U_m。

7.3.5 根据中国电力科学研究院研究成果，对特高压大跨越工程，由于线路工作电压高，档距中央导地线间距离不考虑线路的工作电压影响是不合适的，宜在计算公式中增加反映线路工作电压的影响项。

一般大跨越档为防止雷击档距中央地线时反击导线，气温+15℃，无风、无冰时，档距中央导线与地线的距离宜按本标准公式(7.3.5)计算，并与本标准公式(7.3.3)或公式(7.3.4)比较，并选其较小者。对发电厂，变电所进线段内的大跨越档，导线与地线间的距离必须符合公式(7.3.5)的要求。

7.4 输电线路的接地

7.4.1 本条根据国家标准《交流电气装置的接地设计规范》GB/T 50065—2011和运行经验而确定。对土壤电阻率大于2000Ω·m地区，除采用加长接地体降低接地电阻外，也可采用其他措施如降阻剂等。线路经过居民密集地区时，应适当降低接地装置的跨步电压。

7.4.2 本条引用了电力行业标准《110kV～750kV架空输电线路大跨越设计技术规程》DL/T 5485—2013及《特高压架空输电线路大跨越设计技术规定》DL/T 5504—2015中的相关内容，大跨越杆塔的接地电阻要求值与一般线路工程相比要小，本标准没有直接和电压挂钩，当土壤电阻率较高，在采用降阻模块等技术措施后，要达到所要求的工频接地电阻值并不困难。

7.4.3 此条引用自国家标准《110kV～750kV 架空输电线路设计规范》GB 50545—2010。

7.4.4 根据电力行业标准《高压直流输电大地返回系统设计技术规范》DL/T 5224—2014 的要求，对靠近接地极约 2km 以内的杆塔，基础对地、杆塔对基础应绝缘（在断开接地引下线情况下，接地装置与杆塔的接触电阻宜大于 500Ω）；对靠近接地极 1km 以内的杆塔，杆塔对基础螺栓还应绝缘；对靠近接地极至少 5km 以内的线路，杆塔宜使用单点接地，以减小电腐蚀的影响。此外，为了防止接地极直流电流沿避雷线返回到换流站，在靠近接地极至少 10km 范围内，避雷线应有效对地绝缘。

7.4.5 南方一些水田烂泥较深，耕作深度也比一般旱田大，所以加以说明。位于居民区和水田的接地体应敷设成环形，主要是减小跨步电压，确保安全。

7.4.6 输电线路设计若采用地线绝缘运行方式，应通过导线和地线的换位，以及适当的地线接地安排来限制地线上的静电、电磁感应电压和电流；选用可靠的地线间隙来保证各运行状态的可靠绝缘和雷击前或相对地闪络时及时击穿，并能随后自行可靠熄灭。

（1）220kV 及以上线路采用绝缘地线时，地线上的感应电压可以高达几千伏甚至几十千伏，感应电流可高达几到上百安培。工程实践中曾发生过地线间隙长期放电引起严重通信干扰，甚至烧断地线绝缘子造成停电的事故。究其原因，地线间隙不稳定或施工不准确往往具有一定影响，但主要还是限制地线感应电压和电流的措施不够完备。导线换位是限制地线感应电压和电流的根本措施。尤其是三角或垂直排列的线路，导线换位更是必不可少。但还必须辅以地线换位，并且导地线的换位必须统一安排，综合平衡。绝缘地线中的电压和电流的控制与导地线排列方式和换位情况，地线绝缘子形式，地线间隙大小，地线接地方式等多种因素有关。一般说来，能够控制地线电压到500V～1000V以下是比较现实和可靠的。

（2）为了充分发挥地线的防雷保护作用，间隙的整定必须使它在雷击前的先导阶段能够预先建弧，并在雷击过后能够及时切断间隙中的工频电弧恢复正常运行状态，并在线路重合闸成功时，不致重燃；在线路发生短路事故时，地线间隙也能击穿而且应保证短路事故消除后，间隙能熄弧恢复正常。

（3）在线路采用距离保护的情况下，对于本塔接地电阻较高而不能满足距离保护整定要求时，还须保证线路发生相对地闪络后，至少本塔间隙能够及时建弧，以便汲出必要的短路电流降低距离保护的附加电阻。

对绝缘地线接地点长期通电的引线和接地装置，必须做好各项稳定校验和人身安全设计，并考虑好运行中对接地装置的检测办法。

由于用作限制感应电压和电流的地线接地点往往长期流通较大电流，可能造成发热腐蚀和伤害人畜等事故，应该在设计中严格计算，慎重安排，并于投运后即予检测验证。此外，由于正常通流较大，若需于运行中断开接地引线检测接地装置，必须预先设置相应的带负荷切合开关，并做好该点断开后整条地线电量变化的预计和对策。

虽然绝缘地线设计中限制了危险的感应电压和电流，但线路运行中可能存在某些接地点松脱或连接变化导致感应电压和电流失控。即使完全正常，也可能由于人们对地线即地电位线的传统观念，忽略了残余电压和电流对人的刺激，从而因接触地线时受惊导致高空作业二次事故的危险。因此，应对施工和运行单位提出有关注意事项，并采取必要的保护措施。

7.4.7 根据现行行业标准《交流电气装置的过电压保护和绝缘配合》DL/T 620规定，输电线路与电信线路交叉时，交叉档电信线路的木质电杆应有防雷措施。

7.4.8 本条引用自电力行业标准《110kV～750kV 架空输电线路大跨越设计技术规程》DL/T 5485—2013 及《特高压架空输电线路大跨越设计技术规定》DL/T 5504—2015。

8 绝缘子和金具

8.0.1 国内自20世纪80年代末开始批量使用复合绝缘子,荷载设计安全系数大都为3.0,至今运行情况良好,虽出现极个别串脆断,多属产品质量问题,故复合绝缘子最大使用荷载设计安全系数取3.0较为合适。20世纪90年代开始使用瓷棒绝缘子,根据德国运行经验最大使用荷载设计安全系数取3.0,运行情况良好。经过对特高压耐张用复合绝缘子的试验研究,建议特高压耐张复合绝缘子安全系数取4.0。

以前的线路设计规程对瓷质盘型绝缘子有校验常年荷载安全系数的要求,是针对当初瓷绝缘子质量不稳定,发生事故较多而提出的,目前国产瓷绝缘子产品质量不断提高,在目前有条件择优选购的情况下,在限制常年荷载的问题上瓷质绝缘子和玻璃绝缘子可以等同看待;电力规划设计总院对华东电力设计院《关于盘型绝缘子常年荷载安全系数的复函》(电规总送〔2002〕73号),已明确在择优采购的情况下,瓷和玻璃绝缘子在限制常年荷载问题上可以等同看待,其常年安全系数一般线路工程按不低于4.0考虑。常年荷载状态下安全系数不仅对绝缘子有影响,对金属件也有影响,电力行业标准要求所有绝缘子均通过微风振动的试验,因此对于一般线路的绝缘子常年荷载安全系数取4.0。考虑到大跨越工程的重要性,由于年平均气温时的安全系数达到5.0及以上时,绝缘子老化率趋向于0,因此大跨越线路的绝缘子常年荷载安全系数取5.0。

国家现行标准《110kV～750kV架空输电线路设计规范》GB 50545—2010、《高压直流架空输电线路设计技术规程》DL 5497—2015、《220kV～500kV紧凑型架空输电线路设计技术规程》DL/T

5217—2013、《110kV～750kV 架空输电线路大跨越设计技术规程》DL/T 5485—2013 均规定验算荷载下绝缘子机械强度的安全系数为 1.5，验算荷载下金具强度的安全系数为 1.5；《1000kV 架空输电线路设计规范》GB 50665—2011 和《±800kV 直流架空输电线路设计规范》GB 50790—2013 规定验算荷载下绝缘子机械强度的安全系数为 1.8，验算荷载下金具强度的安全系数为 1.5；《特高压架空输电线路大跨越设计技术规定》DL/T 5504—2015 规定验算荷载下绝缘子机械强度和金具强度的安全系数均为 1.8。验算荷载下的气象条件为根据工程沿线的极端气象资料确定，稀有风速或稀有覆冰厚度取值并无统一的数值要求，而依赖于工程实际需要和设计经验；且架空线路绝缘子和金具的机械强度一般是由最大使用荷载工况或者常年荷载工况确定，调整验算荷载下的绝缘子和金具的安全系数，一般也不会控制绝缘子和金具机械强度的选择。为此，将验算荷载下绝缘子与金具的机械强度安全系数按照一般线路和大跨越线路予以统一，即：验算荷载下一般线路的绝缘子和金具安全系数统一取 1.5，大跨越线路统一取 1.8。为与前文的术语和气象条件一致，统一将“验算荷载”改为“稀有荷载”。

金具强度安全系数取值与国外一些国家所用数值基本相近，经运行考验，无不良反映。

双联串也可采用两个单联分别悬挂的方式，但仍应视为双联串；4 联也可分为 2 个双联串分别悬挂的方式，但断联时的机械强度应按各单元承担的荷载分别计算。

8.0.2 本条提出了绝缘子和金具承受荷载的计算公式。

8.0.3 热镀锌仍是金具有效的防腐措施，为了给今后采用更有效的措施留有余地，因此本条也规定可以采取其他防腐措施。

8.0.4 与横担联接的第一个金具受力较复杂，国内早期运行经验已经证明这一金具不应采用可锻铸铁制造的产品。1988 年发生在 500kV 大房线上的球头断裂事故证明：第一个金具不够灵活，不但本身易受磨损，还将引起相邻的其他金具受到损坏。因此在选择第一个金具时，应从强度、材料、类型三方面考虑。国外对此金具也有特殊考虑的事例，加拿大不列颠哥伦比亚省水电局是采取提高一个强度等级的措施；日本则通过疲劳，磨损等试验对各种金具类型进行选择；意大利设计了一种两个方向的回转轴心基本上在同一个平面上的金具，使得两个方向转动都较灵活。因此，对联塔第一个金具的选择，除了要求结构上灵活外，同时要求强度上提高一个等级。但对安全系数较大的放松档（如进线档），第一个金具吨位强度可与串内其他金具强度一致。

8.0.5 在输电线路设计中，为了缩小走廊宽度，减少悬垂串的风偏摇摆，V型串的使用日益广泛，根据试验和设计研究成果，输电线路悬垂V串风偏卸荷角（即最大风偏角与两肢间夹角的一半之差）宜小于5°～10°。广东院在开展广东地区第一代500kV线路设计时，曾于1989年委托华中工学院开展了盘型绝缘子的相关试验工作，结果表明盘型绝缘子悬垂V型串风偏卸荷角不宜大于15°，故对于采用盘型绝缘子的悬垂V型串，其卸荷角可较复合绝缘子悬垂V串适当增大，但不宜大于15°。

8.0.6 当导线的最大风偏角大于V型串两肢间夹角的$\frac{1}{2}$时，V型串背风肢绝缘子将受压，尤其是复合绝缘子产生的反作用力较大，使碗头挂板中的弹簧销受压变形失效，近些年运行中发生多起复合绝缘子V型串在大风情况下球、碗头脱落事故。因此，应采取控制球、碗头加工尺寸、新型金具方案或改变复合绝缘子端部联接方式等防脱落设计。

8.0.7 绝缘子串及金具防止发生电晕的措施一般可采用均压环屏蔽环、抬高导线位置及金具自身防电晕等办法。防电晕的目的主要是控制无线电干扰，对于减少电能损耗及防止金具腐蚀也有作用。

一般认为绝缘子的无线电干扰是恒定电流源产生，因此可取与试品串联的检测电阻的两端电压来进行度量，所测得的电压称为无线电干扰电压（RIV），通常用单位 dB 表示，且取 1μV 为 0dB，一般每相绝缘子串干扰电压上限为 60dB。测量方法可按现行国家标准《电力金具试验方法　第 2 部分：电晕和无线电干扰试验》GB 2317.2 或参考美国全国电气制造商协会（NEMA）法、国际无线电干扰特别委员会（CISPR）法及 IEC 1284《电晕和无线电干扰电压试验》。用于海拔高于 1000m 地区时，金具的起晕电压需要考虑海拔修正。

特高压金具设计时需重点对跳线、间隔棒、绝缘子串等金具的表面场强复核校验，优化设计，并控制其表面场强。

8.0.8　电力行业标准《110kV～750kV 架空输电线路大跨越设计技术规程》DL/T 5485—2013 第 8.0.7 条和《特高压架空输电线路大跨越设计技术规定》DL/T 5504—2015 第 8.0.8 条均规定：耐张线夹安装后，导地线的强度降低值不应超过抗拉强度的 5％。

现行国家标准《电力金具通用技术条件》GB/T 2314—2008 第 4.2.4 条规定："架空电力线路用压缩型金具（耐张线夹、接续金具）、预绞式接续金具和预绞式耐张线夹对导地线的握力，其与导地线计算拉断力之比不应小于 95％。"现行国家标准《圆线同心绞架空导线》GB/T 1179—2017 第 6.5.2 条规定："当要求进行导线的拉断力试验时，应能承受不小于按 5.7 规定的 RTS（注：额定拉断力）的 95％。"

线路设计时，考虑压接损失，设计一般基于导线额定拉断力的 95％计算导线的最大使用张力和年平均使用张力。考虑到耐张线夹的握着强度可以通过延长钢锚、控制尺寸误差等予以提高，因此对一般线路也要求压缩型耐张线夹和预绞式耐张线夹的握着强度不得小于导地线额定拉断力的 95％。

8.0.9　运行经验及机理分析证明：单片瓷质绝缘子一旦老化，钢帽与钢脚之间将形成电气通路，通过电流而发热，以致烧熔胶装水泥或绝缘体导致地线落地。从安全方面考虑，工程设计中绝缘地线一般均选用双联绝缘子串。

进线档构架侧使用的地线耐张串宜采用绝缘设计，以方便变电站接地电阻测量。地线耐张绝缘子串上应设置接地引下线，正常运行时接地引下线与构架相连，使发电厂、变电所的接地装置与线路地线处于贯通状态；必要时，断开地线耐张绝缘子串上的接地引下线，使发电厂、变电所的接地装置与线路地线处于断开状态。

8.0.10 直流系统以大地返回方式运行（特别是大电流运行）时，由于大地电位升高，直流地电流可能通过杆塔和地线从一个杆塔流进，从另一个杆塔流出，从而导致杆塔和基础被腐蚀。

此外，如果输电线路与接地极很近，直流系统以大地返回方式运行（特别是大电流运行）时，地电流可能通过杆塔和地线返回到换流站（变电站）接地网，再通过接地网、中性点接地的变压器流入交流系统中，从而导致变压器磁饱和。缓解或消除接地极地电流对杆塔的腐蚀影响，需将靠近接地极的线路地线进行绝缘。离接地极 5km 以外的地线是否绝缘要经过模拟计算确定。

8.0.11 在路径选择时应尽量避开易发生舞动地区，无法避让时，应采取措施提高线路的机械强度，并按相关要求或运行经验安装防舞装置。

8.0.12 对 750kV 线路和特高压交直流线路，由于绝缘子片数多、吨位大，从而导致跳线档距变长，引起跳线弧垂增大，跳线风偏后对铁塔构件的间隙往往决定着杆塔横担长度及经济指标。由于交流 750kV 线路和特高压交直流线路耐张塔比较重，应尽量减少塔头尺寸，采用合理的跳线方式可以降低综合费用。

减小跳线弧垂及其风偏偏移值是缩小耐张塔尺寸的有效方法。而跳线弧垂及偏移主要决定于采用的跳线或固定跳线的方式，国内外曾做过大量研究试验工作，采取了多种耐张塔引流方式，使用最多的为软跳线及刚性跳线。软跳线主要有直跳、加单跳线串、加双跳线串、加三跳线串等形式。刚性跳线主要有铝管式刚性跳线及鼠笼式刚性跳线。

1000kV 交流特高压线路的刚性跳线允许风偏角见表 84。

表 84　1000kV 线路刚性跳线允许风偏角

工况	工频电压	操作过电压	带电作业
允许风偏角(°)	35	15	8

采用刚性跳线时，大风工况下刚性跳线风偏摆动或者耐张串摆动时，耐张线夹的引流板承受较大的荷载，南京线路器材厂曾对 500kV 线路 I 型刚性跳线的耐张线夹引流板强度开展过试验研究工作，发现耐张线夹本体引流板采用垂直套焊工艺的抗弯强度大，而平行拍扁式和平行焊接式本体引流板抗弯强度小。大风工况下引流板受到跳线水平风荷载和跳线张力的综合作用，可能导致平行拍扁式和平行焊接式耐张线夹的引流板弯曲。因此采用刚性跳线时要求采用垂直套焊工艺的耐张线夹本体引流板。

8.0.13　紧凑型线路导线有两种悬挂方式，如图 16 所示。昌平—房山 500kV 紧凑型线路、新乡—邯东 500kV 紧凑型线路和政平—宜兴双回 500kV 紧凑型线路，直线塔下部导线 V 型绝缘子金具组装串最大夹角为 141°，V 型串抗垂直力和纵向力的能力差。为了使下导线 V 型串受力合理，在紧凑型单回路直线塔大垂直档距及紧凑型同塔双回路直线塔下导线加设一悬垂绝缘子串，即采用 V 型绝缘子串加悬垂绝缘子串的组合。

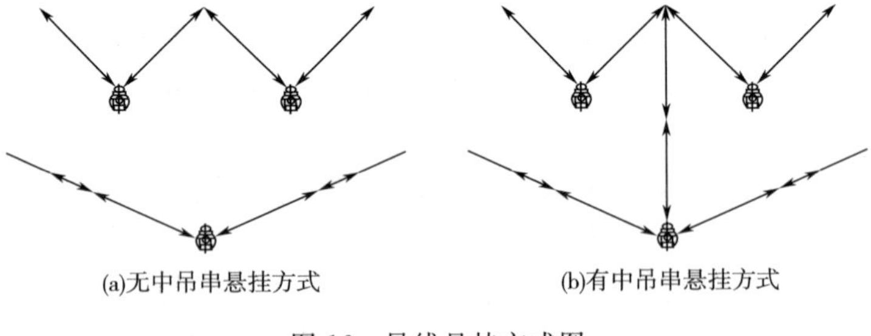

图 16　导线悬挂方式图

有中吊串悬挂方式，中吊串与下 V 串构成了超静定力学体系。为了避免出现超静定情况，要求在无风时下 V 型串应处于松弛状态，由悬垂串承受垂直荷载。下V型串内需配置调节长度金具，以满足对下V型串的安装要求。

有中吊串悬挂方式受力分析：无风、无纵向张力差情况下，下V型串呈松弛状态，由中吊串承受全部垂直荷载；有风、无纵向张力差情况下，垂直荷载主要由中吊串承受，风压荷载主要由下V串承受；无风、有纵向张力差情况下，中吊串退出工作，下V型串承受下导线全部荷载。

中吊串退出工作过程：纵向张力差荷载引导中吊串下V串的联合体，共同向大张力侧偏移，下相V串由松弛状态偏移到被拉紧状态时，下相V串承受的垂直荷载逐渐增大，中吊串承受的垂直荷载逐渐减小，其过程的临界点是下相V串承受全部垂直荷载，中吊串退出工作。在上述动态过程中，中吊串及下V串的带电端分别沿各自的转动半径移动，中吊串的转动半径受下V串围绕V串转动半径的制约，当下V串完全承受导线全部荷载后，中吊串带电端与其挂点间的连线长度小于中吊串标称长度，中吊串处于松弛状态而退出承力状态。上述动态过程见图17。

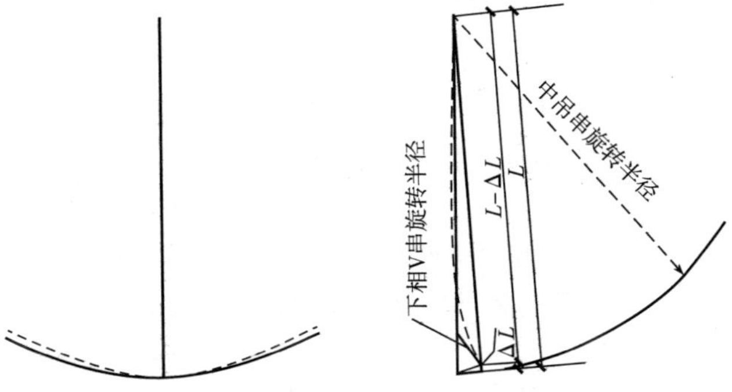

(a)无张力差时塔窗平面内中吊串和V串状态(实线)

(b)有张力差时垂直塔窗平面内中吊串退出工作过程

图17　有纵向张力差情况下中吊串退出工作过程示意图

这一瞬间中吊串从减少受力直到退出工作，下相V串则刚开始承受直到承担下相全部荷载。可见，下相从结构设计上只要考虑中吊串或下相V串各自承载力的最大状态的工作情况，即满足结构内力分析的需要。

8.0.14 复合绝缘子具有质量轻、抗拉压，且压曲后仍具有承受压力的能力和压曲后仍能保证质量特性的特点，因此相间绝缘间隔棒应采用复合绝缘子。

相间绝缘间隔棒按复合绝缘子使用的芯体材料，一般可分为棒形复合相间间隔棒和柔性复合相间间隔棒两类。棒形复合相间间隔棒的复合绝缘子芯体由环氧树脂玻璃纤维引拔棒制成，柔性复合相间间隔棒的复合绝缘子芯体由合成纤维复合材料制成。

我国第一条500kV昌平—房山紧凑型线路设计时，相间绝缘间隔棒机械技术条件如下：

(1)拉伸破坏荷载不低于100kN。相间绝缘间隔棒实际运行中，所受拉伸荷载较小，为检验相间绝缘间隔棒的质量，并留有一定裕度，将相间绝缘间隔棒拉伸破坏荷载定为不低于100kN。

(2)初始后屈曲轴向压缩荷载不低于600N，而且后屈曲特性应是稳定的。

(3)相间绝缘间隔棒棒芯直径为30mm。

(4)需进行20万次反复屈曲试验(卧式)，试验时最大侧向挠度不应小于600mm，试验后相间绝缘间隔棒仍能保证良好的电气性能。

(5)需进行5次特大挠度屈曲试验，试验时最大侧向挠度不应小于1500mm，试验后相间绝缘间隔棒仍能保证良好的电气性能。

复合绝缘子的承力单元是芯棒，直径30mm芯棒的抗拉强度可达300kN，增大芯棒直径可提高复合绝缘相间间隔棒的抗疲劳性能、抗舞动性能，其刚度也可相应增加。

后来经过总结多年的设计运行经验和科研成果，电力行业标准《交流架空线路用复合相间间隔棒技术条件》DL/T 1058—2016中规定了相间绝缘间隔棒以及相间复合绝缘子和配套金具的技术要求、所需的试验项目和试验方法。因此今后相间绝缘间隔棒的设计和试验应遵循和符合该标准的要求和规定。

导线相间间隔棒的安装是通过与子导线间隔棒的连接来实现的，连接处常年受力，且拉压交变，易产生磨损。另外导线相间间隔棒较长，有一定的柔韧性，导线的振动必然会传递到此连接处，因此导线相间间隔棒与子导线间隔棒的连接应灵活可靠，具有耐磨性和转动灵活性。昌平—房山500kV紧凑型线路，研制的导线相间间隔棒与子导线间隔棒的连接金具是球碗型，该类型间隔棒在工程使用中曾发生过多起疲劳断裂事故，产品存在缺陷的位置为复合绝缘相间间隔棒球头附近或在与其联接的子导线间隔棒碗头附近。2008年10月～2010年4月期间，北京超高压公司运行的500kV紧凑型线路共发生过6起上述类型事故，详细情况说明见表85。

表85　500kV紧凑型线路相间间隔棒及支架断裂统计表

序号	线路名称	发现时间	缺陷具体情况	断裂位置
1	源霸一线	2008.10.23	0154号直线塔小号侧第1支相间间隔棒安装支架断裂	铝制安装支架
2	沽太一线	2009.04.23	0042号～0043号塔相间间隔棒A相(左相)端安装支架断开，相间间隔棒悬挂于C相上	铝制安装支架
3	沽太二线	2009.04.23	0047号～0048号塔第2相间间隔棒A相(左相)端安装支架断开，相间间隔棒悬挂于C相上	铝制安装支架
4	沽太一线	2010.03.30	0053号直线塔大号侧第9组子线间隔棒位置处安装的B-C相相间间隔棒的B相侧球头断裂，相间间隔棒悬挂于C相上	相间间隔棒球头

续表 85

序号	线路名称	发现时间	缺陷具体情况	断裂位置
5	源霸一线	2010.04.03	0221 号直线塔大号侧第 4 组子线间隔棒位置处安装的 C-B 相相间间隔棒的 B 相侧支架断裂	铝制安装支架
6	源霸二线	2010.04.03	0235 号直线塔中相大号侧第 3 组子线间隔棒位置处安装的 C-B 相间间隔棒的 B 相侧支架断裂	铝制安装支架

对表 85 中 6 起事故情况分析表明，发生事故的同期均存在导线舞动情况。分析认为，线路在发生导线舞动时，三相导线存在不同步翻转、扭转，使相间间隔棒与子导线间隔棒连接处会受到复杂的扭转应力和剪应力，集中体现在安装支架位置和相间间隔棒球头处，特别是处于舞动峰谷位置的相间间隔棒安装支架和球头处。表 83 中事故处使用的相间间隔棒的端部采用的是球碗联接结构，其结构特点限制了相间间隔棒的端部自由度较大的转动，造成应力集中，在相间间隔棒与子导线间隔棒联接部位存在较大的剪切力，该剪切力可在薄弱部位造成破坏，这个薄弱部位可能是球头或是子导线间隔棒的支撑架。要解决以上问题，必须解决相间间隔棒与子导线间隔棒的联接结构设计，工程上采取的方法是取消球碗联接结构，改用环形联接结构，该方法解决了联接处自由转动问题，解决了相间间隔棒脱落问题，消除了应力集中点，有利于提高相间间隔棒的抗疲劳性能。

8.0.15 对大跨越线路，绝缘子串长期承受较大荷载，一旦故障影响面广且修复极为困难，因此绝缘子每串不得少于两联，且各串中断任何一串时，余下绝缘子串的安全系数不小于 2。

由于大跨越金具串基本上均为特殊设计、加工相对复杂，且目前金具采用的强度标准不统一，同时大跨越高空安装复杂，为此要求绝缘子金具串安装前应进行试组装，校核强度及连接尺寸是否相匹配。

8.0.16 由于大跨越的跨越档档距及弧垂大，跨越塔与锚塔的高差也大，而弧垂允许偏差要求高，故大跨越两端耐张金具串应有弧垂调整装置，且调整长度需满足施工架线的要求。

8.0.17 大跨越光纤复合架空地线的悬垂线夹(类型、悬垂角、曲率半径等)和耐张线夹应根据工程情况、悬挂点局部弯曲引起的附加张力及光纤复合架空地线具体类型确定，悬垂串宜使用双线夹。

大跨越工程用光纤复合架空地线的一种常用类型是双悬垂预绞式线夹，如图 18 所示，这种线夹包括一定数量的护线条、预绞丝，氯丁橡胶制成的衬垫(两片)以及两个悬垂夹体。橡胶内衬包裹住缠有护线条的光纤复合架空地线，外层预绞丝从外面包裹住橡胶内衬，铝合金夹体在最外层，它起到锁紧护线条装置的作用，并有效地防止光缆的轴向移动。此种线夹的缺点是它的握力难以超过 38kN。此种线夹目前常用于层绞式光纤复合架空地线。

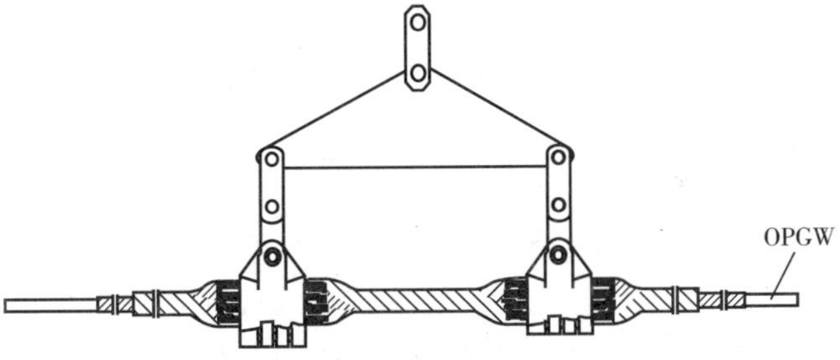

图 18 双悬垂预绞式线夹

另一种常用的是船式悬垂线夹，如图 19 所示，更确切地说是提包式悬垂线夹。对此种线夹的技术要求主要有下列几点：第一，具有比较好的机械强度；第二，对电线具有一定的握力；第三，线槽具有一定的曲率半径，能够降低电线的弯曲应力和较好的降低由于振动对光纤复合架空地线造成的应力损伤；此种悬垂线夹船体常用材料是铝合金。目前常用于铝骨架式 OPGW。

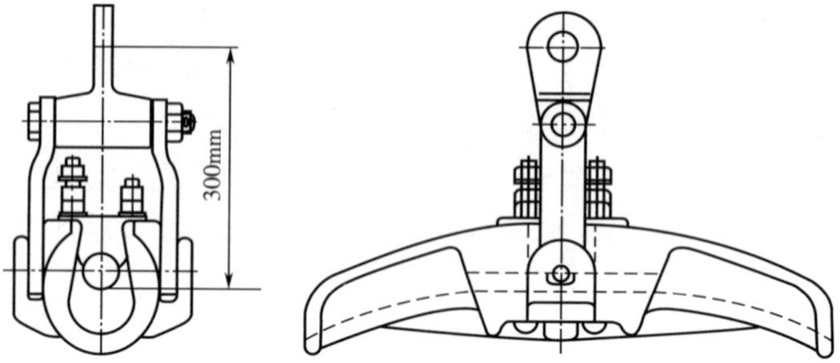

图 19　固定式悬垂线夹

第三种常用的是悬垂-双耐张线夹，如图 20 所示，更确切地说是两个预绞式耐张线夹通过一个三联板用作一个悬垂线夹。对此种线夹的特点主要有以下几点：第一，对电线具有足够的握力；第二，可以满足 30°以上的悬垂角的要求；第三，对直线塔的要求与一般悬垂串相同。

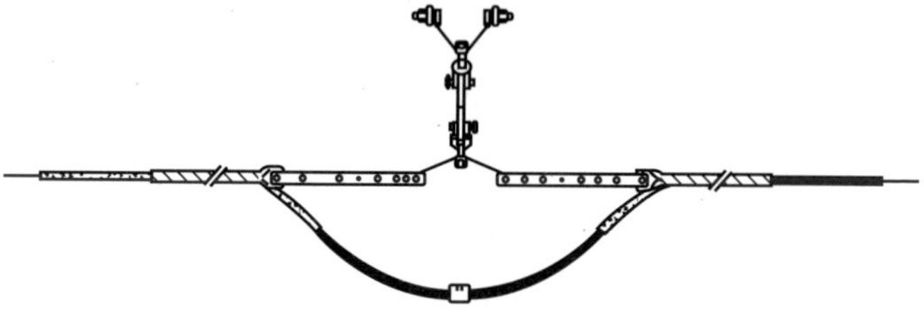

图 20　悬垂-双耐张线夹

为此光纤复合架空地线的悬垂线夹选择应根据工程情况、悬挂点局部弯曲引起附加应力及光纤复合架空地线具体形式优化确定，以上类型供参考。

光纤复合架空地线的耐张线夹一般有下列几种类型：

一种常用类型是双预绞丝式耐张线夹，如图 21 所示，它的预绞丝一般由 5 根或更多螺旋状的金属丝组合而成，并在组合体的内表面附有细小且均匀的金刚砂，以增大接触面的摩擦系数。通过嵌环来保护预绞丝环状末端，使其不受磨损。由于沿光缆的环向压力被分布到了较大的接触面积上，此种线夹目前常用于层绞式光纤复合架空地线。

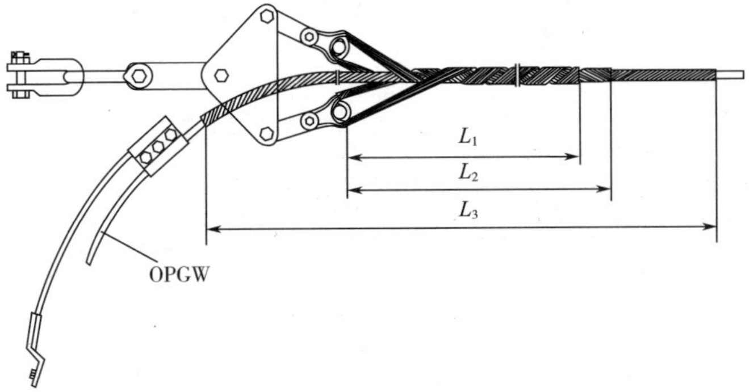

图 21　双预绞式的耐张线夹

另一种常用的是 U-bolt 耐张线夹，如图 22 所示，由开槽的线夹体、夹持线条与楔子组成。夹持线条与楔子、线夹体相连，它将轴向力和压应力分布到光纤复合架空地线一个比较长的区域上。此种线夹的缺点是对施工工艺要求比较严格，通常需使用测力扳手按规定扭矩紧固螺栓。目前常用于层绞式光纤复合架空地线。

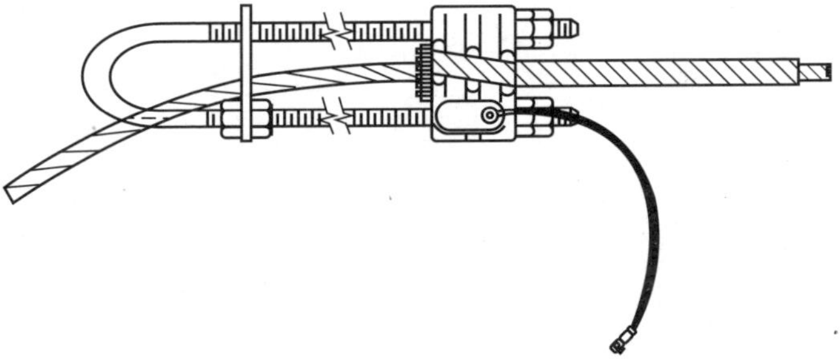

图 22　U-bolt 耐张线夹

第三种常用的是楔形耐张线夹，如图 23 所示，此种线夹对光纤复合架空地线有比较大的挤压力，目前常用于铝骨架式光纤复合架空地线。

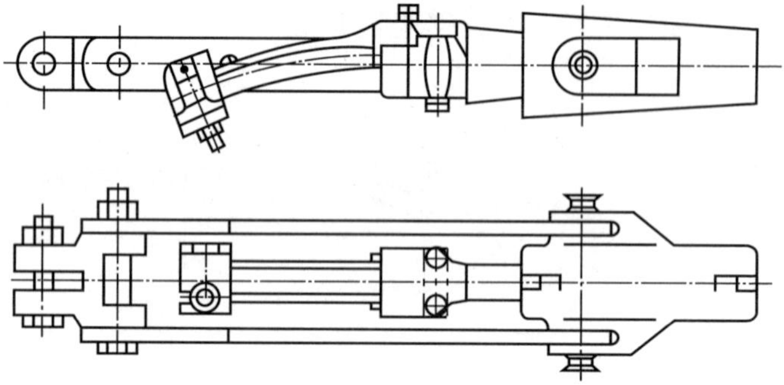

图 23　楔形耐张线夹

为此光纤复合架空地线的耐张线夹应根据工程情况光纤复合架空地线的具体形式优化确定,以上类型供参考。

9 导地线布置

9.1 导线线间距离

9.1.1 非紧凑型输电线路推荐的水平线间距离公式是根据国内外经验提出的。

除了上述实际使用的情况外，各地还有不少经验公式，如式(20)。

$$D = 138 + 0.1U^{1.5} + 0.6L_k \tag{20}$$

国外所使用的公式介绍如下：

德国、比利时：$D = \frac{U}{150} + 0.62\sqrt{f_c + L_k}$ (21)

西班牙：$D = \frac{U}{150} + 0.62\sqrt{f_c}$ (22)

奥地利：$D = \frac{U}{150} + 0.9\sqrt{f_c + L_k}$ (23)

意大利：$D = \frac{U}{100} + 0.5\sqrt{f_c + L_k}$ (24)

荷兰：$D = \frac{U}{125} + 0.8\sqrt{f_c + L_k \sin\alpha}$ (25)

波兰：$D = \frac{U}{150} + 0.65\sqrt{f_c + L_k}$ (26)

瑞典：$D = \frac{U}{150} + 0.5\sqrt{f_c}$ (27)

芬兰：$D = \frac{U}{143} + 0.027\frac{L_k + 10}{\sqrt{d\sigma_0}}$ (28)

苏联：$D = 1 + \frac{U}{110} + 0.6\sqrt{f_c}$ (29)

美国：$D = 0.7L_k + 0.0076U + K\sqrt{f_c}$ (30)

式中，轻、中、重冰区的 K 值分别为 $K=0.635$、0.662、0.69。

捷克：$D=0.25+\dfrac{U}{100}+0.7\sqrt{f_c}$ (31)

上述公式与我们推荐公式(9.1.1-1)形式相近。

间隙距离与电压有关，采用外过电压距离，因此取 $\dfrac{U}{110}$。在大档距大弧垂时，绝缘子串长度并入弧垂考虑，将不起什么影响，而不能反映两者风偏角不同的情况，故推荐公式中将两者分开。

对于直流线路，导线-导线直流对称电极间隙的放电特性可视为与交流相同，直流线路电压可看作等效于交流线路电压峰值，如 ±500kV 直流电压有效值为 $1000/\sqrt{2}=707.1$kV，即和交流不同，水平线间距离计算公式中增加系数 $k_u=\sqrt{2}$。据此按公式求得相应于各档的最小水平线距。另外，直流工程中确定线间距离时可能受电磁环境因素控制，需考虑电磁环境的影响。

考虑到国内外的线间距离公式都是从已有的大量线路的运行经验总结的，而这些线路的档距和弧垂大部分并不很大。虽然 1968 年国际大电网会议收集各国公式并作比较时，将弧垂算到 200m，但考虑到大档距常有特殊情况，很难和小档距一致，因此 k_f 取 0.65 一般在 1000m 以下档距中使用，对于 1000m 以上档距可根据经验确定。《±800kV 直流架空输电线路设计规范》GB 50790—2013 规定了档距在 1000m～2000m 时，k_f 系数取 0.8～1.0；电力行业标准《110kV～750kV 架空输电线路大跨越设计技术规程》DL/T 5485—2013 规定了 k_f 系数取 0.75～0.95，并将本标准公式(9.1.1-1)的适用范围扩大至 2500m；电力行业标准《特高压架空输电线路大跨越设计技术规定》DL/T 5504—2015 规定了 k_f 系数取 0.8～1.0；本标准对于大跨越，k_f 系数统一取 0.8～1.0，该公式是以运行经验为基础，我国大跨越工程的水平线间距离与国外相比是偏大的，也从未发生过线间距离方面的事故，运行经验是安全的。在档距较大(接近 2000m 及以上)的情况下，k_f 可偏小取用，档距大于 2500m 可参照本标准公式(9.1.1-1)及当地运行经验取用。

导线垂直排列时的垂直线间距离 d'，国外也有提及，如德国、比利时与波兰，而且公式也相同，即：

$$d' = \frac{U}{150} + 0.75\sqrt{f_c + L_k} \tag{32}$$

式中单位与前述公式相同，因此所要求的垂直线间距离较水平线间距离大。苏联公式为：

$$d' = \frac{U}{110} + 0.17\sqrt{b + L_k} \tag{33}$$

式中：b——冰厚(mm)。

从式(33)可看出，在 10mm 覆冰区，垂直与水平线间距离基本一样，仅差常数 1m；在 200m 或 400m 档距时即差 25%左右。大档距时差值较小。在 5mm 冰区，该式(33)中弧垂项约为 10mm 覆冰区的 70%，因此垂直线间距离还可减少一些。

垂直线间距离主要是确定于覆冰脱落时的跳跃，因此是与弧垂及冰厚有关的。但一般地区，导线覆冰尤其是重覆冰较为稀少，而且研究相互关系得出一个简单公式也很困难。根据实际运行经验，垂直线间距离较相同的水平线间距离优越一些，即允许的弧垂或档距可以大一些，这是因为覆冰情况甚少见，而导线因风偏也不能使上下导线发生闪络，垂直排列较为安全。以上观点在导线不舞动地区也是正确的。考虑到导线舞动是个别的，垂直线间距离应小于水平线距离。根据我国双回路线路运行经验，推荐垂直线间距离可为水平线间距离的 0.75 倍。应指出，按覆冰脱落 50%，而邻档皆未脱落计算，还考虑到覆冰脱落的动态过程，则上述推荐值在 10mm 冰区不满足要求，因此在覆冰地区垂直排列的线路，水平偏移是不可少的。

导线呈三角型排列时，其工作状态介乎导线垂直排列和水平排列之间。水平排列的二根导线，一根导线往上略微提高时，考虑到导线的摇摆接近基本与水平排列时相同，故在相同的允许弧垂或档距的情况下，其两线的距离不应缩小很多。因此这根导线移动的轨迹，相当于以水平线间距离为长半轴、垂直线间距离为短半轴的椭圆。这就是斜向线间距离化为等值水平线间距离的基本想法。本标准公式（9.1.1-2）是原四川火力设计处提出的。以154kV青营线跨辽河为例，下面两根导线相距7.6m；上导线居中间，距下面两根导线的垂直距离 D_z 为2.8m，即：

$$D_p = \frac{7.6}{2} = 3.8\text{m}, D_z = 2.8\text{m}$$

$$D_x = \sqrt{3.8^2 + \left(\frac{4}{3} \times 2.8\right)^2} = 5.32\text{m}$$

$$\begin{aligned} 5.32 &= 0.4 \times 2.0 + \frac{154}{110} + 0.65\sqrt{f_c} \\ &= 0.8 + 1.4 + 0.65\sqrt{f_c} \\ &= 2.2 + 0.65\sqrt{f_c} \end{aligned}$$

$$f_c = (5.32 - 2.2)^2 / 0.65^2 = 23\text{m}$$

实际弧垂为39.8m，运行30多年未出事故，故该公式是偏于安全的。

上下导线间最小垂直线间距离是根据带电作业的要求确定。

本标准表9.1.1-1中 k_i 的系数按不同串型，列表规定水平线间距离公式中的悬垂绝缘子串系数。

9.1.2 紧凑型线路只有取消相导线间的接地构件，才能较大幅度地压缩线间距离，提高线路的自然输送功率。紧凑型线路三相导线采用等边倒三角对称布置，电气参数平衡度优于三相导线采用水平布置或垂直布置；线路走廊小于三相导线水平布置。以220kV紧凑型线路为例，计算的线路电气参数见表86。

表 86　相间距离为 3m，相导线为 4×LGJ-150 钢芯铝绞线的紧凑型线路电气参数

导线布置方式	相导线分裂间距（m）	自然功率（MW）	工作电容（pF/m）			表面最大场强（kV/cm）	电荷分配不均匀系数	
			A 相	B 相	C 相		F_{min}	F_{max}
水平布置	0.4	289.7	19.0	22.2	19.0	19.0	0.82	1.25
	0.6	323.1	21.1	24.9	21.1	20.6	0.84	1.23
	0.8	350.3	22.9	27.1	22.9	21.9	0.85	1.22
	1.0	373.4	24.4	28.8	24.4	22.9	0.86	1.20
垂直布置	0.4	290.9	19.1	22.2	19.2	19.0	0.82	1.24
	0.6	324.1	21.2	24.9	21.3	20.6	0.84	1.23
	0.8	350.7	22.8	27.1	23.0	21.9	0.85	1.22
	1.0	372.6	24.4	28.8	24.2	22.9	0.86	1.21
等边倒三角布置	0.4	303.0	20.6	20.3	20.6	15.7	0.97	1.03
	0.6	318.0	22.0	21.7	22.0	16.5	0.95	1.05
	0.8	338.5	23.4	23.1	23.4	17.6	0.93	1.07
	1.0	355.0	24.6	24.1	24.6	18.6	0.92	1.08

每相分裂导线采用等边对称布置，既能保证电气特性的优越性，又可方便金具加工制造和紧凑型线路的安装施工。

较大幅度地压缩线间距离，增加子导线根数，增大子导线分裂间距，可提高线路的自然输送功率。以 500kV 紧凑型线路为例，导线相间距离在 5.5m～7.5m 范围内，相间距离每减小 1m，自然输送功率约增大 5%；分裂子导线外接圆直径在 60cm～100cm 范围内，每增加 10cm，自然输送功率约增大 3.5%；子导线分裂数在 4～8 范围内，每增加 1 根，自然输送功率约增大 2.5%。

目前已运行的 500kV 紧凑型线路，导线相间距离 6.7m，分裂子导线外接圆直径 0.75m，自然输送功率 1333MW，已运行的

220kV 紧凑型线路，导线相间距离 3.4m，分裂子导线外接圆直径 0.636m，自然输送功率 278.6MW。

500kV 紧凑型线路，三相导线采用等边倒三角对称布置，导线线间距离为 6.7m，每相子导线采用 6 分裂等边对称均匀布置，子导线外接圆直径为 0.75m；成县—天水 330kV 紧凑型线路，海拔高度 2000m，相间距离 5.2m，每相子导线采用丝分裂等边对称布置，子导线外接圆直径为 0.495m；220kV 紧凑型线路，三相导线采用等边倒三角对称布置，导线线间距离为 3.4m，每相子导线采用四分裂等边对称均匀布置，子导线外接圆直径为 0.636m；通过工程的实践，已有定型金具零件可供选择，并有成熟的施工工艺。

9.1.3 考虑到多回路杆塔上不同回路间导线闪络将影响到两个以上回路的安全供电，而且继电保护也不反映回路之间的闪络，易使事故扩大。故将不同回路的不同相导线间距离的要求增大 0.5m，其最小距离仍保持不变。

9.2 导地线水平偏移

9.2.1 本条文做出下列几点说明：

1 关于水平偏移的资料，在一般覆冰地区不多见，因较厚的覆冰是十数年罕见的现象，而足够的水平偏移不易出事故，更不被人们发现和注意。

1970 年 3 月上海大雪，导线覆冰严重，折算到比重 0.9 相当覆冰厚 10mm，220kV 上望线及郊区另一条线路，未考虑水平偏移，致脱冰跳跃时上下导线闪络。而 220kV 上杭线因有 500mm 的水平偏移，就未发生类似事故。

1972 年 1 月 23 日上午山东 110kV 枣临线因下雨雪而结冰，下午 18 时 24 分，在 5min 内连续跳闸五次，经检查有四档上下导线在四处烧伤，附近树上已结 5mm 以上的冰凌。

重覆冰区导线间或导线与地线间发生闪络则较多见。如云南的110kV宣以线、以东线，导线及地线结冰在100mm以上，曾多次闪络跳闸。该线路导线为水平排列，闪络多在与地线无水平偏移的三联杆间档距或与三联杆相邻的档距上。

湖南110kV岳阳桃林线情况与云南相同，导地线间的闪络发生在三联杆上。另一条110kV柘湘线，导线与地线的水平偏移有1.25m，但仅导线有融冰措施，导线覆冰因融冰而先脱落，此时地线反低于导线约2m，在风力作用下，导地线间闪络将地线烧断。

一般地区覆冰事故较少，水平偏移值可较重冰区适当减少。考虑到导线与地线间，虽为相电压，但覆冰脱落的时间先后相差较长，这段时间内常因起风而发生导地线间闪络，故导地线间水平偏移与导线间水平偏移取同一数值。

2008年1月的覆冰事故表明，导地线间及导线间水平偏移是必要的。

为避免中层、下层横担施工架线时牵引绳或导引绳损伤上层已架导线，对于无冰区垂直排列的塔型，上下层相邻导线间或地线与相邻导线间可取0.2m～0.5m的水平偏移值。

以上上下层相邻导线间或地线与相邻导线间的水平偏移，均指的是导线（分裂导线为分裂中心）、地线中心的偏移。

2 在直流线路中，按照导线和地线覆冰不均匀以及覆冰脱落时的跳跃或舞动情况下导地线间的工作间隙求得塔头上最小垂直距离和水平偏移的最佳组合。按以上情况分别进行校验，求得塔头上最小垂直距离和水平偏移的最佳组合。跳跃接近要满足工作电压要求的最小空气间隙，静态接近要满足操作过电压要求的最小空气间隙。

根据实际工程经验，校验计算档距组合取为Y-Y-Y-X-Y-Y-Y连续上山，脱冰档X档距为550m、高差为33%，其余档Y档距为400m、高差为15%，导线悬垂串10m、地线悬垂串1m，计算结果见下。

（1）不均匀覆冰静态接近情况下要求的档中电气距离对塔头

不起控制作用；

(2)脱冰跳跃动态接近情况下要求的档中电气距离对所要求的最小垂直距离和水平偏移如表87。

表87　脱冰跳跃动态接近时最小垂直距离和水平偏移

覆冰10mm				
水平偏移(m)	要求的垂直距离(m)			
	100%脱冰	75%脱冰	50%脱冰	25%脱冰
0	7.9482	1.82188	－1.4064	－4.26847
1	7.9186726	1.775578	－1.47253	－4.37535
2	7.8297797	1.635464	－1.67451	－4.71195
3	7.680572	1.397744	－2.02413	－5.34112
4	7.4694105	1.0555	－2.54533	－6.47267
覆冰15mm				
水平偏移(m)	要求的垂直距离(m)			
	100%脱冰	75%脱冰	50%脱冰	25%脱冰
0	14.95155	5.533445	0.463143	－3.85176
1	14.93067	5.499001	0.410158	－3.94981
2	14.8679	5.395174	0.249382	－4.25612
3	14.76293	5.220444	－0.02497	－4.81618
4	14.61518	4.972152	－0.42381	－5.75895

注：以±800kV特高压输电线路为例。

由表87看出，增大水平偏移对地线支架意义不大，因此特高压交直流示范工程水平偏移取大于1m(10mm冰区)，具体由保护角控制水平偏移。

(3)导线舞动的情况下要求的档中电气距离对塔头的最小垂直距离和水平偏移不起控制作用。

(4)校验导线间和导线与地线间在不均匀脱冰情况下危险

接近时，一般取验算档的上层导线或地线的冰重为100%设计冰重，下层导线脱冰重量可取50%～100%设计冰重(覆冰厚度5mm～10mm时脱冰重量宜取100%)。跳跃接近应满足工作电压要求的最小空气间隙，静态接近应满足操作过电压要求的最小空气间隙。

地线弧垂最低点不能低于导线弧垂最低点，上层导线弧垂最低点不能低于下层导线弧垂最低点。

3 在1000kV晋东南—南阳—荆门交流特高压试验示范工程设计中，酒杯塔和猫头塔导线间或导地线间档距中的静态接近距离不受导地线水平或垂直距离的控制，轻冰区可不考虑水平偏移，重覆冰地区宜根据工程设计覆冰厚度、档距等条件计算确定。酒杯塔导地线按50%脱冰计算，导地线间脱冰跳跃动态接近距离不受导地线水平或垂直距离的控制，按75%脱冰计算，导地线间水平偏移从0m到4m，脱冰跳跃动态接近要求导地线间最大垂直投影距离约0.6m。考虑到导线的分裂半径，1000kV晋东南—南阳—荆门交流特高压试验示范工程酒杯塔上导地线间水平偏移取1m;1000kV淮南—上海(皖电东送)同塔双回交流特高压工程施工图设计优化取消了上下层相邻导线间的水平偏移。

覆冰地区导线和地线间的水平偏移应满足导线和地线在不均匀覆冰、不同期脱冰时静态和动态接近的电气间隙要求。

9.2.2 ±500kV、±660kV直流大跨越线路上下层相邻导线间或地线与相邻导线间的水平偏移，结合以往工程的设计经验以及110kV～750kV交流大跨越与一般线路设计规范的对比，建议在本标准第9.2.1条第2款规定的基础上增大0.5m取值。

本标准表9.2.2-1采用电力行业标准《110kV～750kV架空输电线路大跨越设计技术规程》DL/T 5485—2013第9.0.4条的规定。

目前，我国的1000kV特高压线路运行时间较短，也没有750kV的大跨越线路，关于超高压线路水平偏移的运行资料，在一般覆冰地区的线路已不多见，大跨越线路则更罕见。由于水平偏移所发生的事故少见，运行单位的关注则更少。本条结合了晋东南—南阳—荆门 1000kV 特高压试验示范工程一沿山头汉江大跨越和黄河大跨越的设计经验，对水平偏移提出 1m 限值的要求。

校验导线间和导线与地线间在不均匀脱冰情况下危险接近时，一般取验算档的上层导线或地线的冰重为 100%设计冰重，下层导线脱冰重量可取 50%～100%设计冰重（覆冰厚度 5mm～10mm 时脱冰重量宜取 100%）。

跳跃接近应满足运行电压要求的最小空气间隙；静态接近应满足内过电压要求的最小空气间隙。地线弧垂最低点不应低于导线弧垂最低点，上层导线弧垂最低点不应低于下层导线弧垂最低点。

9.2.3、9.2.4 导地线的水平偏移主要取决于导线和地线覆冰不均匀以及覆冰脱落时的跳跃或舞动的情况下导地线间的工作间隙，静态接近距离不小于操作过电压的间隙值，动态接近距离不小于工频（工作）电压的间隙值。

9.3 导地线风偏设计风荷载

9.3.1 粗糙地表引起的摩擦效应使得大气边界层中的自然风具有紊流特性。由大量的实测资料可知，在瞬时风速的时程中主要包含了长周期和短周期两种成分，其中，长周期在 10min 左右或以上，而短周期只有几秒至几十秒，甚至更小。由于长周期成分的周期远远大于工程结构的固有周期，其对结构的作用基本是不随时间变化或变化十分缓慢，可认为其作用性质是静力的。而短周期成分是由风的不规则脉动引起，其强度是随时间呈随机变化的，对结构既有静力作用也有动力作用。

图 24 为某水平风速能量谱，此能量谱反映了湍流能量在各个频率成分所占的比重，其中 f 为涡旋频率，T 为相应的周期。可

以明显看到，各频率成分对应的周期在约 16min 到 2h 这一时段出现所谓的谱谷，谷底在 1h 左右。故一般规定以周期 1h 处分界，左边为宏观气象带，又称候风带，右边为微观气象带，又称阵风带。对于候风带，其能量谱有三个能量集中的峰值，对应周期分别为 1 年、4 天和 1 天左右。由于建筑物的自振周期至多也只有几秒这样的数量级，比风速候风带中三个峰值的频率成分所对应的周期小得多。因此，位于候风带的风成分对结构作用可视为静力的，一般称为平均风。而对阵风带，其能量谱中有一个峰值（对应周期为 1min 左右），但由于其频带较宽，包括了结构自振周期在内的频率段，因此它对结构的作用可看作为动力的，将其称为脉动风。

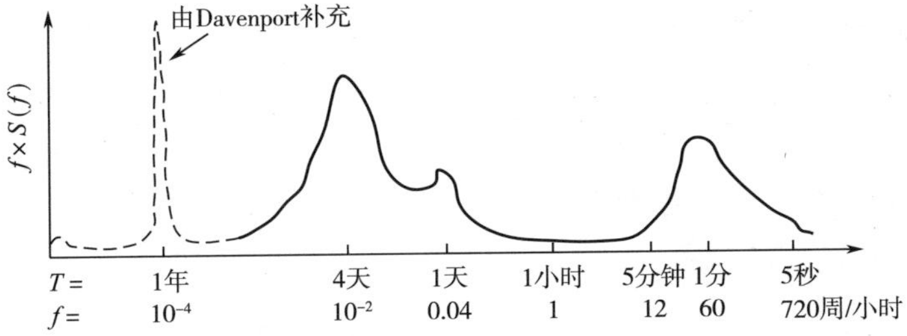

图 24　风速能量谱

在工程实践中，湍流的瞬时风速可以看成是由平均风速和脉动风速的叠加，对结构的作用也可按平均风的静力作用和脉动风的动力作用分开处理，通过分析计算可得到结构的平均风响应与脉动风响应，将两者叠加可最终获得风的总响应。

IEC 标准 IEC 60826—2017 *Design criteria of overhead transmission lines* 采用风对线条的综合影响系数和档距折减系数来体现脉动风的影响。

$$A_C = q_0 \cdot C_{XC} \cdot G_C \cdot G_L \cdot d \cdot L \cdot \sin^2 \Omega \tag{34}$$

式中：C_{XC}——线条体型系数；

G_C——风对线条的综合影响因数（包含了脉动增大系数和

高空风压变化系数两项因素）；

G_L——档距折减系数；

d——线条直径；

L——水平档距。

美国标准 ASCE Manual No. 74-3rd *Guidelines for electrical transmission line structure loading* 采用阵风响应系数来考虑脉动风的影响，线条风荷载计算公式如下：

$$F = \gamma_w \cdot Q \cdot K_z \cdot K_{zt} \cdot V_{50}^2 \cdot G_w \cdot \cos^2\psi \cdot C_f \cdot A \tag{35}$$

式中：γ_w——重现期换算系数；

Q——单位转换常数；

K_z——风压高度变化系数；

K_{zt}——地形系数；

V_{50}——50 年重现期 3s 阵风风速；

G_w——阵风响应系数；

C_f——线条体型系数。

阵风响应系数 G_w 按下式计算：

$$G_w = \frac{1 + 2.7E\sqrt{B_w}}{{K_v}^2} \tag{36}$$

式中：K_v——3s 阵风风速与 10min 平均风速的转换系数；

E——与湍流度和离地高度有关的影响系数；

B_w——背景因子。

由此，可将该规程阵风响应系数转换至与平均风风压对应的阵风响应系数，具体如下式：

$$\beta_c = 1 + 2.7E\sqrt{B_w} \tag{37}$$

欧洲标准 EN 50341—1—2012 *Overhead electrical lines exceeding AC 1kV Part 1 General requirements-Common specifications* 中规定线条风荷载计算公式如下：

$$Q_{Wc\_v} = q_p(h) \cdot G_c \cdot C_c \cdot d$$

$$\left[\pm\frac{L_1}{2}\cos^2\left(\varphi+\frac{\theta_1}{2}\right)\cos\left(\frac{\theta_1}{2}\right)+\frac{L_2}{2}\cos^2\left(\varphi-\frac{\theta_2}{2}\right)\cos\left(\frac{\theta_2}{2}\right)\right] \tag{38}$$

$$Q_{\mathrm{Wc\_u}}=q_{\mathrm{p}}(h)\cdot G_{\mathrm{c}}\cdot C_{\mathrm{c}}\cdot d$$
$$\left[\pm\frac{L_1}{2}\cos^2\left(\varphi+\frac{\theta_1}{2}\right)\cos\left(\frac{\theta_1}{2}\right)-\frac{L_2}{2}\cos^2\left(\varphi-\frac{\theta_2}{2}\right)\sin\left(\frac{\theta_2}{2}\right)\right] \tag{39}$$

式中：$q_{\mathrm{p}}(h)$——阵风风压；

G_{c}——阵风响应系数；

C_{c}——线条体型系数。

阵风风压 $q_{\mathrm{p}}(h)$按下式计算，式中 $q_{\mathrm{h}}(h)$为平均风风压：

$$q_{\mathrm{p}}(h)=[1+7I_{\mathrm{V}}(h)]\cdot q_{\mathrm{h}}(h) \tag{40}$$

阵风响应系数 G_{c} 计算公式如下：

$$G_{\mathrm{c}}=\frac{1+2k_{\mathrm{p}}\cdot I_{\mathrm{v}}(h)\sqrt{B^2+R^2}}{1+7I_{\mathrm{v}}(h)} \tag{41}$$

式中：k_{p}——峰值因子；

R^2——共振因子，可取 0；

B^2——背景因子。

由式(40)、式(41)，可将该规程阵风响应系数转换至与平均风压对应的风振系数，具体如下式：

$$\beta_{\mathrm{c}}=1+2k_{\mathrm{p}}I_{\mathrm{v}}(h)\sqrt{B^2+R^2} \tag{42}$$

根据风工程理论，脉动风速具有零均值和随机特性，可以采用湍流强度和湍流积分尺度进行描述，或者根据脉动风速谱和相干函数等概率特性进行描述。在结构工程中，对结构产生动力作用的脉动风就是由大气湍流所引起的，大气湍流的特性通常是由其湍流整体尺度、湍流强度、湍流脉动风速自谱和互谱来描述的。

风脉动对导地线的影响效应计算系按两档悬链线进行推导所得，如图 25 所示，前后侧两跨导地线风荷载共同作用在中间塔上(坐标原点)。

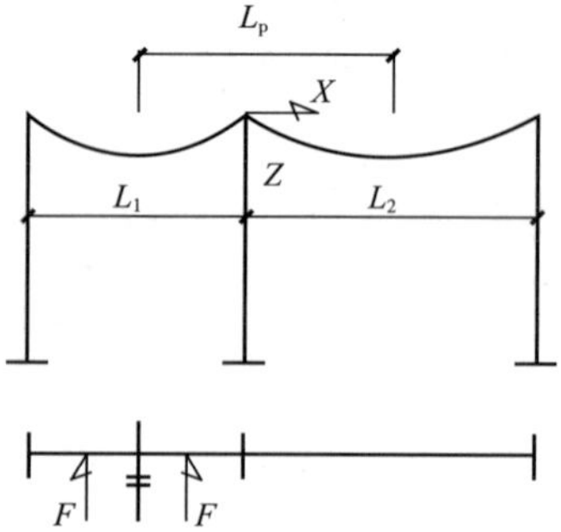

图 25　导地线计算模型

若假定横向大风工况下导地线在张力、风荷载和自重共同作用下张紧，在脉动风波动范围内近似保持线性，且忽略导地线共振，则中间挂点处导地线的风振系数按随机振动理论可表示为：

$$\beta_z = \frac{\overline{\gamma}_{Dk} + \hat{\gamma}_{Dk,B}}{\overline{\gamma}_{Dk}} \tag{43}$$

式中：β_z——导地线风振系数；

$\overline{\gamma}_{Dk}$——导地线平均风力标准值(kN)；

$\hat{\gamma}_{Dk,B}$——导地线峰值脉动风力背景部分(kN)。

$$\overline{\gamma}_{Dk} = w_0 \mu_s \mu_z D(L_1 + L_2) \tag{44}$$

$$\hat{\gamma}_{Dk,B} = 5\varepsilon_c w_0 \mu_s \mu_z D I_z \sqrt{\int_{-L_1}^{L_2}\int_{-L_1}^{L_2} \mathrm{coh}_x(x_1, x_2) i(x_1) i(x_2) \mathrm{d}x_1 \mathrm{d}x_2} \tag{45}$$

式中：w_0——基准风压；

D——导地线直径；

μ_s——导地线体型系数；

μ_z——高空风压系数；

L_1、L_2——杆塔的左、右侧档距；

I_z——导地线计算高度处湍流度；

x——导地线纵向坐标；

$\mathrm{coh}_x(x_1, x_2)$——坐标 x_1 和 x_2 处的脉动风水平相干函数；

$i(x)$——影响线函数。

$$I_z = I_{10}(z/10)^{-\alpha} \tag{46}$$

式中：I_{10}——10m 高度名义湍流强度，对应 A、B、C 和 D 类地貌分别取 0.12、0.14、0.23 和 0.39；

α——地面粗糙度指数，对应 A、B、C 和 D 类地貌分别取 0.12、0.15、0.22 和 0.30；

z——导地线计算高度，需考虑截断高度和梯度风高度的影响，对应 A、B、C 和 D 类地貌分别取 5m～300m、10m～350m、15m～450m、30m～550m。

$$\mathrm{coh_x}(x_1, x_2) = e^{-|x_1 - x_2|/L_x} \tag{47}$$

式中：L_x——水平向相关函数的积分长度，可取 50m。

$$i(x) = \begin{cases} \dfrac{L_1 + x}{L_1}, -L_1 \leqslant x \leqslant 0 \\ \dfrac{L_2 - x}{L_2}, 0 < x \leqslant L_2 \end{cases} \tag{48}$$

取 $L_1 = L_2 = L_p$ 时，式(43)可积分并化简为：

$$\beta_z = 1 + 2g \cdot \varepsilon_c \cdot I_z \frac{\sqrt{12L_xL_p^3 + 54L_x^4 - 36L_x^3L_p - 72L_x^4 e^{-\frac{L_p}{L_x}} + 18L_x^4 e^{-\frac{2L_p}{L_x}}}}{3L_p^2} \tag{49}$$

式(49)同时与导地线计算高度 z 和水平档距 L_p 两个参数有关。为方便对标和工程应用，本标准参照 IEC 表达形式，以阵风系数 β_c 和档距折减系数 α_L 考虑风脉动的影响，将式(49)分解为如下所示仅与高度有关的阵风系数 β_c 和与档距有关的档距折减系数 α_L：

$$\beta_z = \alpha_L \cdot \beta_c \tag{50}$$

β_c 还需考虑导地线风荷载折减系数 γ_c，γ_c 是综合考虑了导地线风偏与风作用角度概率的强相关性及风偏事故接受概率因素所做的折减。

综上所述，β_c 和 α_L 的计算式如下：

$$\beta_c = \gamma_c\left[1 + 2gI_{10}\left(\frac{z}{10}\right)^{-\alpha}\right] \tag{51}$$

$$\alpha_{L} = \frac{1 + 2g \cdot \varepsilon_{c} \cdot I_{Z} \cdot \delta_{L}}{1 + 2gI_{Z}} \tag{52}$$

对于水面大跨越或滨海台风区线路，有可靠资料证实水平向相关函数积分长度资料大于50m时，L_{x}可按实际情况取值。

ε_{c}为考虑结构敏感性与塔线叠加相关性的脉动折减系数，由于风偏设计风荷载计算时仅与导地线、跳线相关，而与铁塔无关，故不考虑该折减，ε_{c}取1.0；计算张力时，ε_{c}取0，即完全忽略脉动风的影响，是考虑到整个耐张段长度一般远大于代表档距，风的作用趋于平均风。

由于电气响应远较结构响应敏感（在10min内的数次结构应力瞬间超越并不会造成结构破坏，但风偏的瞬间超越使电气间隙不足即可能造成闪络），因此风偏计算时峰值因子g取值较杆塔荷载计算时大。本标准取高值3.6，与国外标准基本相当。

《110kV～750kV架空输电线路设计规范》GB 50545—2010（以下简称GB 50545—2010）中风偏计算引入了风压不均匀系数α，其与风速相关，并在风偏校验时与档距相关。GB 50545—2010的计算方法经长期工程运行经验的检验是合适的，因此本标准风偏计算结果原则上与GB 50545—2010基本一致（对其他电压等级设计标准同样此原则，因计算方法沿用GB 50545—2010，此处以GB 50545—2010为代表）。

本标准风荷载折减系数γ_{c}的取值与风速相关，随风速呈连续变化曲线，消除了GB 50545—2010中在α分界点处风偏荷载与风速倒挂的情况。

γ_{c}系数在高风速时较低风速时小，并且均不大于杆塔荷载计算时的0.9，这是考虑到以下几个因素：①由于杆塔风偏闪络对电网的损害远小于结构倒塔，因此防风偏闪络的要求可以低于结构抗风要求，欧美规范在风偏计算时一般也采用更低重现期风荷载或更大时距的平均风荷载，采用风荷载瞬间效应计算的欧美规范对于风偏风速的重现期取值最小甚至只有数年，因此风偏荷载宜在设计重现期风荷载标准值基础上再做一定的折减；②风洞试验证明，导地线体型系数在低风速时高于高风速时，该现象并未在体型系数取值中进行体现；③由于极大风统计分布模型中低风速区的标准差一般小于高风速区，因此设防重现期较小的风偏风荷载在设计重现期风荷载的基础上所乘折减系数应随着设计风速的降低而增大。风荷载的变化会引起张力的变化，因此计算张力时 γ_c 需同样随风速变化。GB 50545—2010 风偏计算时风压与张力采用相同的 α，对本标准，由于计算张力时忽略了脉动风的影响，并且即使不考虑转角下的张力影响因素，当 K_v 值与 1.0 偏差较大时，张力对风偏的影响也较大，因此考虑标准间风偏基本一致的原则，计算张力时的 γ_c 必然与计算风压时不同。

综上，γ_c 随风速连续变化，并与风速呈反向关系，高风速时较低风速时小，计算张力时与计算风压时取值不同，且均不大于 0.9。

风不是一直以同样的程度作用在输电线路上，同一时刻每一点的风速也是不均匀的，为表征风场的上述特征，GB 50545—2010 在风偏校验时引入了随档距变化的 α（以下简称校验用 α）。本标准档距折减系数 α_L 在 B 类地貌下的取值见表 88，通过对比校验用 α 与 α_L 可以看出，从物理意义上，α_L 已对校验用 α 进行了体现。

表 88　导地线、跳线档距折减系数 α_L（B 类地貌，ε_c＝1.0）

档距（m）	高度（m）													
	10	15	20	25	30	35	40	45	50	60	70	80	90	100
跳线	1.0	1.0	1.0	1.0	1.0	1.0	1.0	1.0	1.0	1.0	1.0	1.0	1.0	1.0
100	0.844	0.849	0.852	0.855	0.857	0.859	0.861	0.862	0.863	0.865	0.867	0.868	0.87	0.871
150	0.802	0.808	0.812	0.815	0.818	0.82	0.822	0.824	0.825	0.828	0.83	0.832	0.834	0.835
200	0.77	0.777	0.782	0.786	0.789	0.792	0.794	0.796	0.798	0.801	0.803	0.806	0.807	0.809
250	0.746	0.754	0.759	0.763	0.767	0.77	0.772	0.774	0.776	0.78	0.783	0.785	0.787	0.789
300	0.727	0.735	0.741	0.746	0.749	0.753	0.755	0.758	0.76	0.763	0.767	0.769	0.772	0.774
350	0.712	0.72	0.727	0.731	0.735	0.739	0.742	0.744	0.746	0.75	0.753	0.756	0.759	0.761
400	0.699	0.708	0.715	0.72	0.724	0.727	0.73	0.733	0.735	0.739	0.742	0.745	0.748	0.75

续表 88

档距(m)	高度(m)													
	10	15	20	25	30	35	40	45	50	60	70	80	90	100
450	0.688	0.698	0.704	0.71	0.714	0.717	0.72	0.723	0.726	0.73	0.733	0.736	0.739	0.741
500	0.679	0.689	0.696	0.701	0.705	0.709	0.712	0.715	0.717	0.722	0.725	0.728	0.731	0.734
550	0.671	0.681	0.688	0.693	0.698	0.702	0.705	0.708	0.71	0.715	0.718	0.722	0.724	0.727
600	0.664	0.674	0.681	0.687	0.691	0.695	0.699	0.701	0.704	0.709	0.712	0.716	0.719	0.721
650	0.658	0.668	0.675	0.681	0.686	0.689	0.693	0.696	0.699	0.703	0.707	0.71	0.713	0.716
700	0.652	0.662	0.67	0.676	0.68	0.684	0.688	0.691	0.694	0.698	0.702	0.706	0.709	0.711
750	0.647	0.657	0.665	0.671	0.676	0.68	0.683	0.686	0.689	0.694	0.698	0.701	0.704	0.707
800	0.642	0.653	0.661	0.667	0.671	0.676	0.679	0.682	0.685	0.69	0.694	0.697	0.7	0.703
850	0.638	0.649	0.657	0.663	0.668	0.672	0.675	0.678	0.681	0.686	0.69	0.694	0.697	0.7
900	0.634	0.645	0.653	0.659	0.664	0.668	0.672	0.675	0.678	0.683	0.687	0.69	0.694	0.696
950	0.63	0.642	0.65	0.656	0.661	0.665	0.669	0.672	0.675	0.68	0.684	0.687	0.691	0.693
1000	0.627	0.638	0.646	0.653	0.658	0.662	0.666	0.669	0.672	0.677	0.681	0.685	0.688	0.691

GB 50545—2010 校验用 α 的取值参考了日本、德国、俄罗斯的标准，从差异偏严重考虑，以下选取某 500kV 工程、27m/s 风速、档距 250m 条件为例，对比风偏计算结果如表 89。

表 89　某 500kV 工程、27m/s 风速、档距 250m 条件下风偏算例

类　　别	一般线路
电压等级	500kV
工况	大风
风速(m/s)	27(10m 高)
K_v 值	0.85
导线型号	4×JL/G1A-400/35
水平档距(m)	250

续表 89

类　　别		一般线路
代表档距(m)		400
导线平均高(m)		30
绝缘子串整串重量(kg)		105
绝缘子串整串受风面积(m^2)		1.6384
悬垂串风偏角(°)	①日本标准(α=0.66)	50.769
	②德国标准(α=0.69)	52.092
	③俄罗斯标准(α=0.675)	51.439
	④GB 50545—2010 设计(α=0.61)	48.422
	⑤GB 50545—2010 校验(α=0.74)	54.163
	⑥本标准	50.431
差值(°)	⑥-①	−0.338
	⑥-②	−1.661
	⑥-③	−1.008
	⑥-④	2.009
	⑥-⑤	−3.732

从表 89 的风偏计算结果看，除 GB 50545—2010 校验情况的计算结果差别较大外，其余情况即使差异偏严重考虑时风偏角的差别仍较小。由于 GB 50545—2010 校验用 α 在工程设计中主要用于实际排位条件下的风偏校验，并非在塔头设计时使用，并且在小档距时与设计用 α 的差别也比较大，考虑到本标准已有档距折减系数 α_L，因此本标准风偏设计不再考虑 GB 50545—2010 风偏校验的因素。

对 B 类地貌，一般线路按本标准公式(9.3.1-2)计算的导地线阵风系数 β_c 如表 90 所示。

表 90　风偏计算导地线阵风系数 β_c(B 类地貌,一般线路)

风速(m/s)	高度(m)													
	10	15	20	25	30	35	40	45	50	60	70	80	90	100
20	1.285	1.247	1.221	1.202	1.187	1.174	1.164	1.154	1.146	1.133	1.121	1.112	1.104	1.096
21	1.284	1.246	1.22	1.201	1.186	1.173	1.163	1.154	1.146	1.132	1.121	1.111	1.103	1.096
22	1.281	1.243	1.217	1.198	1.183	1.171	1.16	1.151	1.143	1.129	1.118	1.108	1.1	1.093
23	1.271	1.233	1.208	1.189	1.174	1.162	1.151	1.142	1.134	1.121	1.109	1.1	1.092	1.085
24	1.243	1.206	1.181	1.163	1.148	1.136	1.126	1.117	1.109	1.096	1.085	1.076	1.068	1.061
25	1.181	1.146	1.123	1.105	1.091	1.08	1.07	1.062	1.054	1.042	1.031	1.022	1.015	1.008
26	1.1	1.067	1.045	1.029	1.016	1.005	0.996	0.988	0.981	0.97	0.96	0.952	0.945	0.938
27	1.042	1.011	0.991	0.975	0.963	0.953	0.944	0.937	0.93	0.919	0.91	0.902	0.895	0.889
28	1.017	0.987	0.967	0.952	0.94	0.93	0.921	0.914	0.908	0.897	0.888	0.88	0.874	0.868
29	1.009	0.979	0.959	0.944	0.932	0.922	0.913	0.906	0.9	0.889	0.88	0.873	0.866	0.861
30	1.006	0.976	0.956	0.941	0.929	0.919	0.911	0.904	0.898	0.887	0.878	0.871	0.864	0.858
31	1.005	0.975	0.955	0.94	0.928	0.919	0.91	0.903	0.897	0.886	0.877	0.87	0.863	0.858
32	1.005	0.975	0.955	0.94	0.928	0.918	0.91	0.903	0.897	0.886	0.877	0.87	0.863	0.857
33	1.005	0.975	0.955	0.94	0.928	0.918	0.91	0.903	0.897	0.886	0.877	0.87	0.863	0.857
34	1.005	0.975	0.955	0.94	0.928	0.918	0.91	0.903	0.897	0.886	0.877	0.87	0.863	0.857
35	1.005	0.975	0.955	0.94	0.928	0.918	0.91	0.903	0.897	0.886	0.877	0.87	0.863	0.857
36	1.005	0.975	0.955	0.94	0.928	0.918	0.91	0.903	0.897	0.886	0.877	0.87	0.863	0.857
37	1.005	0.975	0.955	0.94	0.928	0.918	0.91	0.903	0.897	0.886	0.877	0.87	0.863	0.857
38	1.005	0.975	0.955	0.94	0.928	0.918	0.91	0.903	0.897	0.886	0.877	0.87	0.863	0.857
39	1.005	0.975	0.955	0.94	0.928	0.918	0.91	0.903	0.897	0.886	0.877	0.87	0.863	0.857
40	1.005	0.975	0.955	0.94	0.928	0.918	0.91	0.903	0.897	0.886	0.877	0.87	0.863	0.857
41	1.005	0.975	0.955	0.94	0.928	0.918	0.91	0.903	0.897	0.886	0.877	0.87	0.863	0.857
42	1.005	0.975	0.955	0.94	0.928	0.918	0.91	0.903	0.897	0.886	0.877	0.87	0.863	0.857

续表 90

风速(m/s)	高度(m)													
	10	15	20	25	30	35	40	45	50	60	70	80	90	100
43	1.005	0.975	0.955	0.94	0.928	0.918	0.91	0.903	0.897	0.886	0.877	0.87	0.863	0.857
44	1.005	0.975	0.955	0.94	0.928	0.918	0.91	0.903	0.897	0.886	0.877	0.87	0.863	0.857
45	1.005	0.975	0.955	0.94	0.928	0.918	0.91	0.903	0.897	0.886	0.877	0.87	0.863	0.857

输电线路各元件所承受的风压与风速和空气密度有关。本标准中的基准风压 W_0 是根据基本风速按伯努利方程给出的。同时,为简化计算,空气密度取 1.25kg/m³。

本标准导地线体型系数比 GB 50545—2010 取值有所减小。国外标准 IEC 60826—2017 *Design criteria of overhead transmission lines*、EN 50341—1—2012 *Overhead electrical lines exceeding AC 1kV Part 1 General requirements-Common specifications* 和 ASCE Manual No.74-3rd *Guidelines for electrical transmission line structure loading* 等规定导地线体型系数取 1.0,我国中南电力设计院曾对多分裂导线的体型系数进行风洞试验研究,研究表明:

(1)随着风速的提高,雷诺数增加,导线的体型系数整体呈逐渐下降的趋势。

(2)在同一风速下,单根导线的体型系数随着外径尺寸的增大而减小。导线外径尺寸越大,直接迎风面导线的尾流对后部导线的影响越大,即导线的屏蔽效应越显著,体型系数就越小。

(3)在同一风速下,多分裂导线的体型系数随着分裂间距的增大而增大。高风速下,随着间距的增大,增速有放缓的趋势。这是因为分裂间距越小,导线之间的相互影响也越大,也即干扰效应越显著,体型系数就越小。反之,间距越大,干扰效应越不显著,体型系数就越大。

(4)导线体型系数随着分裂根数的增加而减小。整体来看,由于多分裂导线的屏蔽效应，随着分裂根数的增加，位于直接迎风导线后部的导线受到前部导线尾流的影响增大，体型系数则随之减小。

(5)在高风速下，导线的体型系数均小于1.0。

日本标准JEC-TR-00007—2015《送电用铁塔设计标准》中规定形状指数(外层单丝直径/导线外径)大于1/6时，导线的体型系数取1.05；形状指数在1/8和1/6之间时，导线的体型系数取1.0。

结合国内外研究及GB 50545—2010，推荐本标准导地线的体型系数在线径大于或等于17mm时取1.0，线径小于17mm时取1.1。

B_1 为导地线覆冰风荷载增大系数。对各类覆冰情况(如设计覆冰、不均匀覆冰、稀有覆冰等)，5mm冰区时取1.1，10mm冰区时取1.2；对各类无冰情况(如设计大风、安装等)应取1.0。在计算导地线张力时不考虑导地线覆冰风荷载增大系数的影响。

本条文根据国家标准《建筑结构荷载规范》GB 50009—2012给出了风压高度变化系数的取值规定，本标准表9.3.1-1中的风压高度变化系数 μ_z 是基于采用B类地形下的基本风速时换算至各类地面粗糙度的风压修正值，按下列公式计算得出：

$$\mu_z^A = 1.284\left(\frac{Z}{10}\right)^{0.24} \tag{53}$$

$$\mu_z^B = 1.000\left(\frac{Z}{10}\right)^{0.30} \tag{54}$$

$$\mu_z^C = 0.544\left(\frac{Z}{10}\right)^{0.44} \tag{55}$$

$$\mu_z^D = 0.262\left(\frac{Z}{10}\right)^{0.60} \tag{56}$$

式中：Z——对地高度(m)。

输电线路杆塔作为风敏感结构，为确保安全，对于地貌类型接近于C类与D类的架空输电线路，除非有充分论证，否则均宜按B类地貌粗糙度设计。

9.3.2 除设计大风情况下采用基本风速计算导地线风荷载设计

值外，对其他情况（如设计覆冰、雷电过电压、操作过电压等），输电线路行业习惯上采用相应风速计算导地线风荷载组合值。

9.4 绝缘子串风偏设计风荷载

9.4.1 多联绝缘子串水平排列时，后串绝缘子受前串绝缘子影响风压减小。日本标准 JEC-TR-00007—2015《送电用铁塔设计标准》经研究规定绝缘子多联风荷载屏蔽系数，单联耐张串取 1.0，双联耐张串取 1.3，三联耐张串取 1.39，V 串取 2.0，具体如图 26 和图 27 所示。本标准考虑前串对后串的遮挡效应，故对顺风向风荷载屏蔽折减系数进行规定，顺风向绝缘子联数为单联时取 1.0，双联时取 1.5，三联时取 2.0，四联时取 3.0，V 型串时取 2.0。

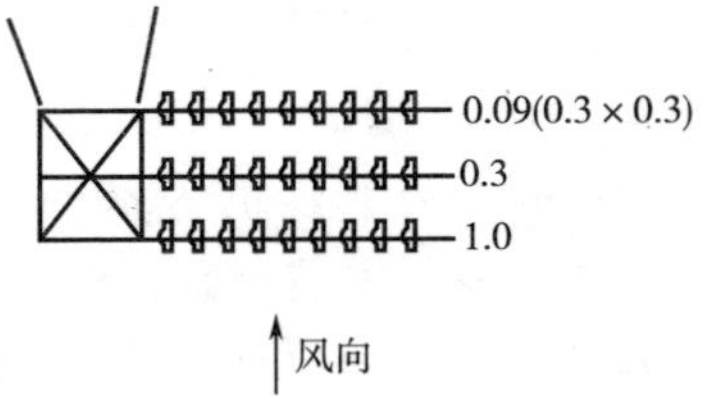

图 26 耐张串多联风荷载屏蔽影响

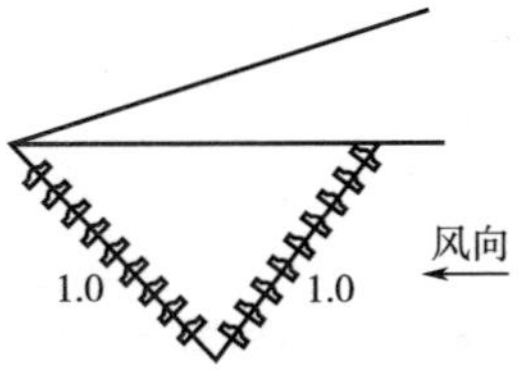

图 27 V 型串多联风荷载屏蔽影响

9.4.2 除设计大风情况下采用基本风速计算绝缘子串风荷载设计值外，对其他情况（如设计覆冰、雷电过电压、操作过电压等），输电线路行业习惯上采用相应风速计算绝缘子串风荷载组合值。

9.5 线 路 换 位

9.5.1 线路换位的作用是为了减少电力系统正常运行时不平衡

电流和不平衡电压。关于通信干扰的“四部协议”，曾参照苏联资料规定了线路换位距离的数值，但是实际上输电线路与某通信线全部平行接近是不可能的，输电线路的换位对通信线的干扰影响很小。而输电线的换位，不仅增加了投资，而且也增加了输电线的事故，还不便于带电作业。故各国输电线的换位是很少的。我国一些旧线路换位距离也很长，我国东北1940年前后建成的青鞍、青营、青锦、松浜、松长线，其换位循环长度为108km、94km、60km、76km、56km。近年来我国新建线路的换位循环长度为50km～100km。

国外瑞典的380kV线路先建的一段长476km，用6个换位循环，后建的一段长478km，只用2个换位循环。美国近年建设了很多没有换位杆塔的输电线路，甚至长达200km～240km的115kV和230kV线路也不换位，而对旧线路的换位杆塔则予以撤出。苏联的400kV古莫线的换位循环长度也达200km～300km。

苏联的1958年《电器设备安装规程》就已改为：“超过100km的110kV～220kV输电线路，为保证三相系统的对称应进行换位。此时一个换位循环长度不应超过250km。为平衡有很多短线路的电网中各相电容，各线路各相的排列应使整个电网中各相电容最可能的对称”这就将输电线路的换位与通信干扰脱离关系。其他各国对输电线路换位的考虑，也只着重限制电力系统中不对称电流和电压。

根据国内外的实际经验，为可靠起见，本标准规定100km以上线路应换位，换位循环长度不得大于200km。对短线路电容平衡的方法也相应做了规定。

为降低电压、电流不平衡度，在1000kV晋东南—南阳—荆门交流特高压试验示范工程设计时，对该工程采用的导线水平排列的酒杯型直线塔和导线三角形排列的猫头型直线塔的电气不平衡度进行了计算。计算表明：线路长度和导线排列方式是影响线路不平衡度的重要因素。

表 91 列出了按照 1000kV 晋东南—南阳—荆门交流特高压试验示范工程两种不同排列方式的铁塔塔头尺寸计算的不同线路长度下三角排列、水平排列的不平衡度。

表 91　1000kV 线路不平衡度计算结果

线路长度(km)	三角排列不平衡度(%)	水平排列不平衡度(%)
100	0.67	1.48
120	0.77	1.76
130	0.82	1.90
140	0.87	2.04
150	0.92	2.18
180	1.06	2.59
200	1.15	2.85
240	1.32	3.37
260	1.41	3.62
300	1.59	4.09
400	1.96	5.18
420	2.04	5.39
440	2.11	5.58
460	2.17	5.77

由表 91 可见，输电线路不平衡度随着线路长度的增加而增大，这是因为不平衡电容电流随着线路长度的增加而增大。同时也可以看出，水平排列(酒杯塔)的不平衡度比三角排列(猫头塔)要高得多，水平排列(酒杯塔)的不平衡度大约是三角排列(猫头塔)的 2.5 倍。采用酒杯塔的线路在长度为 140km 时不平衡度就超过了 2%的限值要求，而采用猫头塔的线路在长度为 420km 时不平衡度才超过 2%的限值要求，从而可以看出导线排列方式对线路不平衡度的影响较大。

考虑到输电线路实际上可能既有猫头塔，也有酒杯塔，比如在山区采用酒杯塔，而在走廊拥挤地区为减少房屋拆迁而采用猫头塔，同时对单回路而言，耐张转角塔均采用三角形排列的干字塔，因此，即使直线塔均采用水平排列酒杯塔，其换位长度亦可较表91中的130km大。条文规定采用水平排列时，线路长度大于120km时应换位，而对于采用三角形排列或两种排列方式均有的线路，其换位长度可适当延长，并建议经过计算确定。

计算表明，输电线路导线换位后，其电气不平衡度可大大降低，图28为线路一次全换位示意图。计算一次全换位后线路不平衡度结果如表92所示。

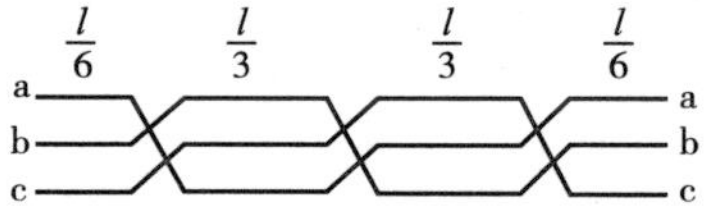

图28　线路一次全换位示意图

表92　一次全换位后线路不平衡度

线路长度(km)	三角排列不平衡度(%)	水平排列不平衡度(%)
90	0.012	0.022
180	0.027	0.076
270	0.056	0.17
360	0.095	0.31
450	0.15	0.49
540	0.22	0.71
630	0.30	0.97
720	0.41	1.28
810	0.52	1.64
900	0.64	2.02

从表92可以看出，经过一次全换位后，不论是三角排列线路还是水平排列线路，不平衡度均满足2%的限值要求，并且一次全换位后能满足电压不平衡度要求的长度可达900km。因此，在满

足线路不平衡度要求的前提下，推荐一次全换位。

在1000kV淮南—上海(皖电东送)同塔双回交流特高压工程设计中，对同塔双回路不同排列方式下的线路不平衡度进行了计算，结果如表93所示。

表93　1000kV线路不平衡度计算结果—EMTP计算

1000kV同塔双回不换位不平衡度											
线路长度(km)		36	72	108	144	180	216	252	288	324	360
逆相序	零序不平衡度(%)	0.32	0.58	0.70	0.71	0.78	0.90	0.90	1.12	1.18	1.17
逆相序	负序不平衡度(%)	0.29	0.58	0.86	1.15	1.42	1.68	1.90	2.15	2.37	2.57
同相序	零序不平衡度(%)	0.74	1.24	1.72	2.02	2.18	2.31	2.61	2.61	2.71	2.92
同相序	负序不平衡度(%)	1.18	2.34	3.55	4.69	5.72	6.88	7.84	8.72	9.55	10.48
异名相	零序不平衡度(%)	0.33	0.55	0.76	0.88	0.96	1.04	1.20	1.20	1.25	1.35
异名相	负序不平衡度(%)	0.11	0.21	0.31	0.42	0.52	0.68	0.84	0.92	1.01	1.02

从表93可以看出，同塔双回路导线排列方式对线路不平衡度影响非常大。同相序排列方式的不平衡度最大，逆相序排列方式次之，异名相排列方式最好。采用同相序排列方式的线路在长度为72km时不平衡度就超过了2%的限值要求，而采用逆相序排列方式的线路在长度为288km时不平衡度才超过2%的限值要求，对于采用异名相排列方式的线路在长度为360km时不平衡度才1.35%。

同塔双回线路的换位方式可分为双回同向换位和双回反向换位两种方式。为保证换位前后导线排列方式保持一致，对于同相序和异相序，必须同向换位，而对于逆相序，则必须反向换位。

表 94 列出了在一个全循环换位情况下，计算得出的不同运行方式下的不平衡度。

表 94　1000kV 线路一个全循环换位不平衡度计算结果—EMTP 计算

线路长度(km)		36	72	108	144	180	216	252	288	324	360
逆相序	零序不平衡度(%)	0	0.01	0.03	0.04	0.05	0.06	0.07	0.08	0.09	0.09
	负序不平衡度(%)	0	0.01	0.01	0.02	0.03	0.05	0.07	0.09	0.11	0.14
同相序	零序不平衡度(%)	0	0.01	0.03	0.04	0.05	0.06	0.08	0.09	0.10	0.09
	负序不平衡度(%)	0	0.02	0.04	0.08	0.12	0.18	0.24	0.32	0.40	0.50
异名相	零序不平衡度(%)	0	0.01	0.01	0.02	0.02	0.03	0.04	0.05	0.05	0.05
	负序不平衡度(%)	0	0.00	0.00	0.01	0.01	0.02	0.03	0.03	0.04	0.05

从表 94 可以看出，经过一次全换位后，线路电压不平衡度显著减小，可降低约 20 倍～30 倍。

1000kV 淮南—上海(皖电东送)同塔双回交流特高压工程输电线路包括三段，即淮南—皖南(317km)、皖南—浙北(152km)、浙北—上海(165km)，通过对各段线路的不平衡度进行计算后，除淮南—皖南段需要换位外，皖南—浙北、浙北—上海段就线路本身来看，均可不换位，但根据特高压输电线路走廊规划情况，皖南—浙北—沪西两段线路大部分长距离平行±800kV 输电线路走线，根据科研结果，如该两段线路不进行换位，将对±800kV 输电线路滤波器造成较大的危害，推荐两段线路各进行一个全循环换位。

另外，同走廊内有多回线路并行走线时，还应考虑线路之间的感应电压，如果感应电压较高时也宜考虑采取换位方式降低感应电压。

考虑同塔双回路逆相序单回运行，另一回停运的情况，单回输送功率为 12000MW 时，按负序电压不平衡度 4％控制，线路长度不超过 145km。

除了计算电压、电流不平衡度外，还要考虑系统其他参数，综合确定工程的换位方式。

华北电力设计院工程有限公司针对昌平—房山 500kV 紧凑型线路，进行了系统运行特性的研究，研究结果表明，导线倒、正三角排列的单回紧凑型线路较常规型线路的对称性好得多，紧凑型线路的序间耦合参数，无论是有名值还是相对各自正序参数的标幺值，均在常规线路序间耦合参数的 9％以下，因此导线倒、正三角排列的单回紧凑型线路可不换位。

华北电力设计院工程有限公司对政平—宜兴 500kV 同塔双回紧凑型线路也进行了系统运行特性研究，研究结果表明，同塔双回紧凑型线路中的回路间存在耦合，其零序耦合参数较大，在系统计算分析中必须考虑；不换位时的正序耦合参数在线路较长时也应予以考虑。

10　交叉跨越与对地距离

10.1　基本要求

10.1.1　导线与地面、建筑物、树木、铁路、公路、河流、管道、索道及各种架空线路的垂直距离，以往设计规程是按最高气温或覆冰情况求得的最大弧垂来计算。

1　提高导线允许温度到 80℃时，按经济电流密度选择导线的线路，按 50℃弧垂计算垂直距离。

适当提高导线的允许温度至 80℃时，可以增大系统事故稳定载流量，计算表明导线 40℃～50℃弧垂差大于 70℃～80℃弧垂差。为简化按经济电流密度设计线路的工作，可在导线允许温度从 70℃提高到 80℃时，将定位弧垂的温度相应从 40℃提高到 50℃。这样的调整可以获得与现行规范相似的良好配合和运行效果。

有单位提出可否将导线允许温度作为定位弧垂温度，理由是目前部分电力系统负荷较重，导线存在运行温度较高的现象，以及国际上许多国家是按导线允许温度弧垂定位的。对于该意见，本标准编制组认为：

(1)国外许多线路按允许发热条件选择导线截面，并考虑 N－1 等事故短时过负荷的情况，适当提高导线的温度限值，所选导线截面比按经济电流密度选择的小一些；国内以往线路设计大多按经济电流密度选择导线截面，按此设计的线路，按系统稳定要求输送最大负荷的运行时间占全年的比重很小，即使系统事故调度时，由于负荷小于导线发热允许温度的输送容量以及导线载流温升计算中环境温度、日照与风速取值均存在一定裕度，尤其日照强度和风速取值已属较极端情况，因此导线很难达到允许温度。对于按经济电流密度选择导线的线路，导线温度通常不高，线路设计大都以最高气温时的弧垂，配合规定的操作过电压间隙和裕度，以及电磁环境要求，来校验对地和交叉跨越的安全间距，一般不要求按导线允许温度时的弧垂校验安全距离；特定的交叉跨越例外，可按允许温度弧垂校验交叉跨越间距。长期实践表明，按 40℃(50℃)定位的线路是能够保证安全运行的。另外，据 IEEE1980 年 No. 2 论文介绍，美国 BPA 公司对线路导线允许温度和定位弧垂温度的取值也分别为 80℃和 50℃。

表 95 为各国计算导线载流温升时的边界条件取值：

表 95　各国边界条件取值

边界条件	中国	日本	法国	印尼	美国	IEC	英国		
							冬季	夏季	酷热
环境温度(℃)	35	—	—	35	—	—	5	20	35
风速(m/s)	0.5	0.5	1.0	0.5	0.61	1.0	0.45	0.45	0.22
日照强度(W/m^2)	1000	1000	900	1250	—	900	850	850	1050
吸热系数	0.9	0.9	0.5	—	0.5	0.5	0.9	0.9	0.9
辐射系数	0.9	0.9	0.6	—	0.5	0.6	0.9	0.9	0.9

(2)定位弧垂的计算条件和安全距离要求是相对应的，它决定了杆塔的高度。多年来，按照以往设计规程设计的线路，在对地距离和交叉跨越方面，运行情况是好的。导线在短时过负荷温度下时，安全间距一般可小于定位弧垂下的间距要求，即可采用操作过电压间隙加适当裕度来校验对地和交叉跨越。如果所有线路定位弧垂温度改为导线允许温度，在现有情况下，设计必将过于保守，抬高了杆塔高度，增加了基建投资，因此目前对于普遍的线路，不建议采用导线允许温度作为定位弧垂温度。但对于个别线路，若负荷较重、环境温度较高，全年中导线弧垂大于 40℃或 50℃定位弧垂的时间较长，则可根据实际工程条件进行计算，确有必要的可

适当提高定位弧垂温度。

3 为解决架线过程中由于设计和施工的误差而引起导线对地距离的减少，一般采用在定位过程预留“裕度”的方法来补偿。

在输电线路的设计和施工过程中，由于技术上和设备工具上的原因，往往使计算所得的导线弧垂数值与竣工后的数值之间存在着一定的差距。其产生的原因有测量误差，定位误差和施工误差三种情况。因此，杆塔定位时要考虑“导线弧垂误差裕度”，该值视档距大小、地形条件、断面图比例尺寸大小而定。一般情况下，可根据线路电压等级确定，110kV及以下线路不宜小于0.5m，220kV及以上线路不宜小于0.8m。

对于大跨越线路的误差，根据现行电力行业标准《110kV～750kV架空输电线路大跨越设计技术规程》DL/T 5485—2013和《特高压架空输电线路大跨越设计技术规定》DL/T 5504—2015，大跨越输电线路的综合误差主要包括含测量、设计和施工几个方面。

测量误差主要包括档距测量误差、高差测量误差、塔位高程联测误差和水位高程联测误差。对于塔位桩高程联测，采用四等水准时，往返测较差为$\pm 0.02\times\sqrt{20}=\pm 0.09$；采用图根水准时，往返测较差为$\pm 0.04\times\sqrt{10}=\pm 0.126$，取塔位高程联测中误差为±0.1m，取水位高程联测中误差也为±0.1m；对于塔位高差测量误差，参照现行电力行业标准《架空输电线路大跨越工程勘测技术规程》DL/T 5049—2016中关于高差测量的规定，其允许值见表96。

表96 塔位高差测量允许误差

跨越档档距(m)	1500	2000	2500	3000	3500
GPS测量误差(m)	±0.07				
两测回观测高差较差(m)	±0.3	±0.4	±0.5	±0.6	±0.7
检验测量高差较差(m)	±0.3				

为安全起见，可取三者中较大值。而对于档距的测量误差，考虑到目前我国大跨越施工时大都采用直接法观测、控制架线弧垂，其档距的测量误差不会对塔高的计算产生影响，因此不予考虑。

施工误差主要包括基础的坑深误差和架线时的弧垂施工误差。基础的坑深允许误差取±0.1m，弧垂施工误差按现行国家标准《110kV～750kV 架空输电线路施工及验收规范》GB 50233—2014 表 8.5.6 以及现行电力行业标准《架空输电线路大跨越工程施工及验收规范》DL 5319—2014 第 8.4.4 条要求“大跨越档弧垂允许偏差不应大于±1%，其正偏差不应超过 1m”，最大弧垂时误差也取 1m。

导线弧垂计算误差一般是由于导线参数（W、d）、物理特性（E、α）的实际数值与计算采用的数据间存在差异所致，其误差值与档距长度有关，可达 0.6m～1.5m。

根据误差传播定律，取 2 倍中误差作为综合误差，综合误差取为 1.8m～3.0m。

综上所述，大跨越塔悬挂点高度的计算应考虑测量、设计和施工的综合误差，综合误差一般取表 97 所列数值。

表 97 测量、设计和施工的综合误差

跨越档档距(m)	1500 以下	1500～1800	1800～2000	2000～2500	2500 以上
综合误差(m)	1.8	2.0	2.2	2.8	3.0

4 大跨越的导线截面往往是按发热条件确定的。导线允许温度大于本条规定的一般线路的数值，而且大跨越在线路中的地位又比较重要，因此为考虑电流过热引起弧垂增大的影响，故补充规定了在大跨越段，确定导线至地面、建筑物、树木、铁路、公路、河流、管道、索道及各种架空线路的距离，按导线实际能够达到的最高温度计算最大弧垂。

5 稀有覆冰条件、导线最高温度及导线覆冰不均匀情况下对被交叉跨越物的间隙距离按操作过电压间隙校验。

10.1.2 考虑到线路跨越铁路，高速公路，一级公路，电车道，一、二级通航河流，110kV及以上电力线，特殊管道，索道的重要性，减小导地线断线的概率，导地线在上述跨越处不得接头。钻越已建线路时，若钻越处已建线路存在接头，可不对已建线路进行改造，但应对接头处采用预绞式接续条进行加固。

10.1.3 考虑到线路跨越220kV及以上线路，铁路，高速公路，一级公路，一、二级通航河流及特殊管道的重要性，减小绝缘子串断串、掉串事故概率，跨越档两侧直线塔绝缘子串型式和挂点考虑加强。按照《国家电网有限公司关于印发十八项电网重大反事故措施（修订版）的通知》（国家电网设备〔2018〕979号）文件要求，500kV及以下“三跨”线路的悬垂绝缘子串应采用独立双串设计，对于山区高差大、连续上下山的线路可采用单挂点双联，耐张绝缘子应采用双联及以上结构形式，单联强度应满足正常运行状态下受力要求。“三跨”地线悬垂应采用独立双串设计，耐张串连接金具应提高一个强度等级。南方电网公司《南方电网输配电线路交叉跨越专项反事故措施》（南方电网生技〔2017〕22号）中，对于重要交叉跨越，要求导线悬垂绝缘子串应采用双挂点双联串，地线悬垂金具串应采用双线夹。

10.1.4 为了降低输电线路对电信线路（不包括光缆和埋地电缆）的互感，减少电磁感应的影响，本条规定了输电线路与电信线路的交叉角。

10.1.5 国家标准《110kV～750kV架空输电线路设计规范》GB 50545—2010、《±800kV直流架空输电线路设计规范》GB 50790—2013、《1000kV架空输电线路设计规范》GB 50665—2011以及电力行业标准《高压直流架空输电线路设计技术规程》DL 5497—2015规定输电线路与甲类火灾危险性的生产厂房、甲类物品库房、易燃、易爆材料堆场以及可燃或易燃、易爆液（气）体储罐的防火间距不小于杆塔高度加3m。根据现行国家标准《建筑设计防火规范》GB 50016 的要求，做以下补充和修改。

(1)散发可燃气体的甲类生产厂房如与明火接近，有可能发生燃烧或爆炸。考虑到输电线路运行过程有可能产生电弧或火花，为安全起见，参照《建筑设计防火规范》GB 50016 的要求，输电线路与散发可燃气体的甲类生产厂房的防火间距还应大于 40m 的要求。

(2)关于输电线路与爆炸物的接近距离，按照爆炸物的布置方式(开口布置或闭口布置)有不同的要求，设计时可参考有关专业规范。

以上规定，均是针对输电线路事故时不致危及接近的易燃易爆场所。但在输电线路设计中，往往还要考虑易燃易爆物事故时不危及线路的安全运行。如果有此需要，可参照有关专业规范或与有关单位协商解决。

10.1.6 输电线路对管道的电磁影响主要涉及对人身安全的影响、对管道安全的影响以及对管道的交流腐蚀等问题。

交流输电线路正常运行时，线路中工作电流会通过磁耦合长时间在管道上产生纵向感应电动势，使得管道涂层电压升高。若该电压较高，可能影响施工、维修或测量人员的正常工作。直流输电线路正常运行时，输电线路上往往还伴随有谐波电流，该谐波电流通过空间电磁耦合会在邻近埋地金属管道上感应出干扰电压和干扰电流。人体长时间安全电压限值应按照职业人员来确定，取 60V(有效值)。

输电线路发生短路故障时，故障相中短路电流远大于线路正常运行时的工作电流，在管道上产生的感性耦合电压大大增加，同时短路入地电流使土壤电位抬高，通过阻性耦合进一步影响管道的涂层电压。此时如果有人正好接触管道的金属部分，在感性耦合和阻性耦合的综合影响下，其遭受的接触电压可能会很大，严重时有可能危及人身安全。考虑到在线路发生故障时恰好有相关工作人员碰触到管道的裸露金属部分的概率很小，人体瞬间安全电压限值可参考电力行业标准《输电线路对电信线路危险和干扰影响防护设计规程》DL/T 5033—2006 规定，取 1500V。

输油输气管道的金属表面一般都会敷设防腐层，具有较高电阻和较高介电常数，以防止土壤中有害物质腐蚀管道金属部分。交流输电线路发生短路故障时，短路电流通过感性耦合和阻性耦合的综合影响在管道防腐层两侧产生较高的电压，可能击穿防腐层。根据武汉大学高压实验室 2007 年的研究项目《输电线路接地系统对地下金属管道的影响研究》中的相关成果：FBE 层金属管道在工频情况下其耐压为 14kV～15kV（对应的峰值约 20kV），雷电冲击耐压为 28kV；PE 层金属管道的工频耐压为 57kV（对应的峰值约 80kV），雷电冲击耐压为 109kV。

交流输电线路在正常运行情况下，工作电流通过感性耦合在管道上产生感应电压，此感应电压通过管道纵向阻抗、对地阻抗及大地构成的回路产生对地泄漏电流，可能会对管道产生交流腐蚀。在国家标准《埋地钢质管道交流干扰防护技术标准》GB/T 50698—2011 中规定：当管道上的交流干扰电压小于 4V 时，可不采取交流干扰防护措施。高于 4V 时应采用交流电流密度进行评估，当交流电流密度大于 $10mA/cm^2$ 时判定为“强”，需采取交流干扰防护措施；当交流电流密度小于 $10mA/cm^2$ 但大于 $3mA/cm^2$ 时判定为“中”，宜采取交流干扰防护措施；交流电流密度小于 $3mA/cm^2$ 时判定为“弱”，可不采取交流干扰防护措施。上述评价交流线路对输油输气管道的腐蚀程度的指标，并非防腐层完好状态下管道的交流泄漏电流密度，而是假设防腐层有缺陷时，缺陷处管道向土壤流散的电流密度。由直流输电线路谐波电流引起的管道交流腐蚀方面，国内外还没有关于针对直流谐波造成腐蚀影响的限值要求。因此，暂用国家标准《埋地钢质管道交流干扰防护技术标准》GB 50698—2011 中规定的工频管道交流腐蚀限值作为 100Hz 的腐蚀限值。

10.2 交流线路的交叉跨越及对地距离

10.2.1 本条线路经过居民区、非居民区及交通困难地区时导线对地面的最小距离做出规定。

(1)电场对人体的影响。

输电线路周围的电场对线路附近的人、动植物等会产生一定程度的影响,对动植物的影响问题,结合我国超高压线路的设计运行经验,主要考虑电场对人体的影响。电场对人体的作用可分为以下几类:

1)直接作用:通过线路与人体之间的电容耦合,在人体产生位移电流,其影响程度取决于位移电流大小、人在电场停留的时间及频度;

2)冲击电荷:积累在其他物体上的感应电荷通过人体瞬间或间断放电(暂态电击),其影响程度取决于因放电而流经人体的电荷;

3)稳态电流:人接触对地绝缘的大型物体时,线路与物体间的电容耦合电流通过人体入地,其影响程度取决于流经人体的持续电流大小。

当输电线路的杆塔尺寸、导线结构确定后,降低线路周围电场强度的主要措施就是提高导线的高度,场强由10kV/m降低到7kV/m,塔高需增加约4m,而场强由7kV/m降低到5kV/m,塔高需增加约4.5m。这将导致线路造价的迅速增大。因此,不应对输电线路全线的场强规定一个统一的较小的限值,而应根据在不同地区或场合,电场对人体的作用效应及允许程度规定相应的场强限值。

(2)地面电场强度的限值。

1)居民区的场强限值:我国输电线路的居民区标准主要用于乡镇、车站附近过往的人较多的地区。参考已有线路的运行经验,我国超高压线路在居民区的地面最大场强计算值限制在7kV/m,

多年来运行情况良好，极少发生在居民区的电击引起的投诉。根据我国线路设计的实际运行情况，110kV～1000kV 交流线路在居民区的线下最大场强限值为 7kV/m。

2）非居民区的场强限值：根据我国超高压线路的设计运行经验，以及国内外对特高压线路的研究成果和经验，结合生态环境部对特高压线路环境影响的评估意见，并参考国内外的有关标准，对于非居民区，110kV～1000kV 线路取同一标准，线下最大电场强度按 10kV/m 控制。同时，对于部分人烟稀少的非农业地区，为了降低工程造价，必要时可以适当提高场强限值，对地距离按 12kV/m 控制。

3）交通困难区的场强限值：我国 500kV 线路在线路在交通困难地区、步行可达和不可达山坡的对地距离均按操作过电压的放电间隙，再根据人体、物体的高度并考虑一定的裕度而确定，750kV 线路在满足电气绝缘强度的前提下，最大地面场强低于 20kV/m。1000kV 特高压输电线路操作过电压间隙取 7.0m，交通困难地区最小对地距离仅为 12.5m，相应的地面最大电场强度将超过 20kV/m，经对电场强度校核，交通困难地区的最小对地距离宜取 15m。

（3）最小对地距离取值。

1）110kV～330kV 线路的对地距离是以不发生危险的电气间隙放电事故，即考虑正常的绝缘水平来确定的。

如 330kV 在非居民区按城乡郊区在夏收季节用汽车运输时，按交通部门规定载高以 4.0m 计算，操作过电压的等效间隙取 1.95m，裕度取 0.5m，则导线对地距离为 4.0＋0.5＋1.95＝6.45m。

如按日本标准计算（对地距离数值按每 10kV 增加 0.12m 计算），现以 220kV 的对地距离数值为基准，得 330kV 导线对地距离值为：6.5＋11×0.12＝7.82m。

此外，苏联 1972 年《电工手册》规定取 7.5m；加拿大标准取 8.25m。

根据上述情况，经讨论确定，330kV 对地距离数值采用 7.5m。

2)500kV 输电线路导线对非居民区地面的距离除要考虑正常的绝缘水平外，还要考虑静电场强的影响。

鉴于对线路线下电场的限制，主要出于减轻由暂态电击给人们造成的不舒服感，没有涉及人身伤亡的问题，还考虑到人们在线路走廊内从事农业劳动时，在各个地方停留的机会是均等的不可能全集中在高场强的地方。如前所述，高场强区只占整个走廊中很少的地方，它又只在气温最高弧垂最大时才出现在档距中央边线外侧的狭长范围内，全年中气温最高的日子是有限的，而农事活动季节性很强，春种秋收农忙季节气温不高，线路弧垂不是最大。在考虑一个档距内的静电感应水平时，应综合考虑这些因素，为此建议 500kV 线路跨越农田对地距离取 10.5m。在该距离时线下场强接近 10kV/m 的范围位于档距中央边相线下，两个狭长地段约占总面积的百分之几，并且只在一年中气温最高时出现(见图 29 阴影面积)。

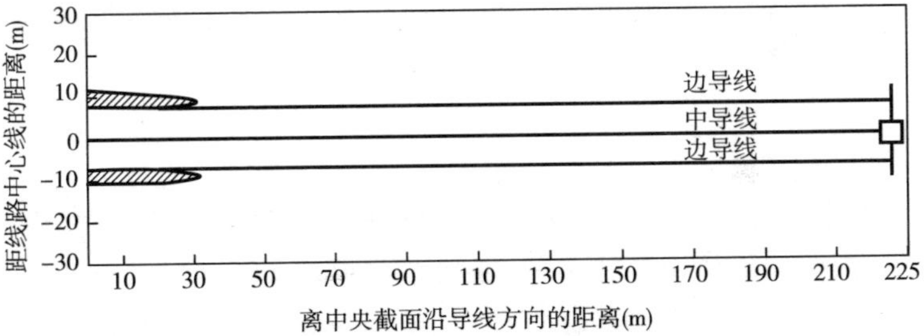

注：导线对地距离10.5m,离地面1m接近10kV/m场强的范围(图中阴影部分)。

图 29　导线场强分布示意图

如图 29 所示，500kV 三角排列线路按 10.5m 对地距离设计，线路附近地面场强超过 10kV/m 的区域为数不多。

3)我国的 750kV 输电线路大都集中在西北地区，人烟相对较少，为了控制工程造价，将非居民区分为农业耕作地区和人烟稀少的非农业耕作地区两种情况，前者地面最大电场强度按 10kV/m 控制，后者按 12kV/m 控制。居民区最大电场强度按照 7kV/m 控制。

按照 750kV 线路典型条件，单回路导线水平排列计算，综合考虑各种因素，现行国家标准《110kV～750kV 架空输电线路设计规范》GB 50545 规定：对农业耕作地区导线的最小对地距离取 15.5m，对人烟稀少的非农业耕作地区取 13.7m。对于居民区最小对地距离取 19.5m。

4）对于 1000kV 线路而言，以典型杆塔尺寸为例，按上述不同场强控制值进行最小对地距离计算，其结果如表 98。

表 98　1000kV 导线最小对地距离计算值(m)

<table>
<tr><th rowspan="2">地区</th><th colspan="4">塔　　型</th></tr>
<tr><th>酒杯塔、猫头塔
中相Ⅴ串</th><th>酒杯塔、猫头塔
三相Ⅴ串</th><th>双回塔Ⅰ串
（逆相序）</th><th>双回塔Ⅴ串
（逆相序）</th></tr>
<tr><td>居民区</td><td>27</td><td>26</td><td>25</td><td>24</td></tr>
<tr><td>非居民地区</td><td>22</td><td>21</td><td>21</td><td>20</td></tr>
<tr><td>人烟稀少的
非农业耕作地区</td><td colspan="2">19</td><td colspan="2">18</td></tr>
<tr><td>交通困难地区</td><td colspan="4">15</td></tr>
</table>

考虑到在实际工程中采用绝缘子串类型的可能性，条文中仅按单、双回路塔给出了较大值，必要时应根据实际情况进行调整。

表 98 是按基本塔型计算的，随着塔型的变化，最小对地距离值发生变化，线间距离变化很大时，也宜根据情况进行校核。

人烟稀少的非农业耕作地区和交通困难地区的最小对地距离值仅作参考，原则上统一按非居民地区考虑。

5）导线对山坡、峭壁距离：

线路在交通困难地区、步行可达和不可达山坡的对地距离均按操作过电压的放电间隙，再根据人体、物体的高度并考虑一定的裕度而确定。

500kV 线路对步行可达山坡按人放牧时挥鞭合并考虑取 6.5m，再给予 2m 的裕度，取 8.5m（交通困难地区也取此值）；1000kV 线路按照同样的原则，对步行可达山坡距离取为 13m；步行不可达山坡仅考虑操作过电压间隙和人鞭高度，故取值 6.5m，1000kV 线路取为 11m。

10.2.2 通过调查，多数单位认为输电线路不应跨越屋顶为燃烧材料做成的建筑，故保留以往设计规程的条文。输电线路不应跨越屋顶为燃烧材料做成的建筑，主要是指有人居住的房屋。对其他虽是燃烧材料（例如草料）为顶盖但无人居住的建筑，如无重要物品的仓库、猪圈、牛棚等，可视具体情况酌情处理。

对人员不经常活动的耐火屋顶建筑物，如必须跨越且经与有关方面协商或取得当地政府同意时，导线与建筑物之间的最小垂直距离，从电场强度来看，可采用交通困难地区的标准。输电线路对建筑物距离按交通困难地区对地距离的基础上增加 0.5m 考虑，并尚需满足房屋所在位置离地 1.5m 高处最大未畸变电场不得超过 4kV/m 的要求。

导线在最大计算风偏时对建筑物的最小净空距离，考虑导线的最大计算风偏仅是短时性的，故风偏后的净距按跨越时按交通困难地区对地距离取值。

规划建筑物指不明结构和层高的规划建筑物，设计中应按多层建筑物考虑。

10.2.3 经过世界各国大量的试验研究，到目前为止，普遍认为长期处于超高压线路附近的电场中，对人体不至于产生不良影响。目前规定 500kV 及以上电压级线路暂不考虑跨越经常住人的建筑物，并按运行线路实际情况，对 500kV 和 750kV 线路分别规定边相导线地面投影外 5m 和 6m 以内不允许有经常住人的建筑物（日本规定 500kV 线路边相地面投影 3m 以内不允许有住房），以保证安全。

对被跨越的非长期住人建筑物和邻近民房，控制房屋所在位置离地面 1.5m 处未畸变电场不超过 4kV/m，以满足环保部门的要求。根据实测，此时户内的电场小到接近于零。参照现行规程规定：330kV 线路同 220kV 线路一样，在某些情况下是允许跨越房屋的。330kV 线路线距一般为 7m、8m 和 9m，若被跨越的民房高度为 4m 或 5m，按规程规定，线路架线相应的高度为 11m 或 12m，其相应的最大地面未畸变场强如表 99。

表 99　线下最大地面未畸变场强

线距(m)	7	7	8	8	9	9
导线对地高度(m)	11	12	11	12	11	12
线下最大地面未畸变场强(kV/m)	4.05	3.49	4.3	3.72	4.51	3.93

可见，330kV 线路跨越民房时，其最大地面未畸变场强在 4kV/m 上下。500kV 线路即按此经验选取 4kV/m 作为界限，多年来华东地区以及国内其他地区的绝大部分 500kV 线路拆迁房屋的实际标准均为 4kV/m。

10.2.4　随着社会环保意识的不断加强，线路在经过林区、植被覆盖茂密等地区，应考虑树木的自然生长高度，采取高塔跨越方案，原则上不砍林木，更好地保护生态环境。林木的自然生长高度，需经调查收资，并取得当地林木管理部门的认可。对于高跨绿化带困难且不经济时，可与有关部门协商考虑更换树种。

1　导线与林区树木之间的垂直距离。

110kV～750kV 输电线路导线与树木、果树、经济作物的垂直距离、净空距离，都是电气安全绝缘间隙加上一定的裕度而计算得到的。

对于 1000kV 特高压线路，测量表明，引起植物端部烧伤的电场强度在 20kV/m 以上，因此，1000kV 线路按不超过 20kV/m 场强控制，单、双回路导线与树木的最小垂直距离分别取 14m、13m。

2　导线最大风偏时与公园、绿化区、防护林带树木之间的净空距离。

导线与树木之间的净空距离，1000kV 线路按操作过电压的放电间隙(7m)并考虑一定裕度(3m)，取为 10m。

4 导线与果树、经济作物、城市绿化灌木及街道树之间的垂直距离。

该类树木的自然生长高度一般较低，超高生长的可能性也很小，但考虑人对该类树木接触、作业的机会较多，且大多采用跨越方案，故留有一定裕度。

线路经过集中林区时，一般按跨越考虑，在受地形地物限制或重覆冰区段时采用砍跨结合的原则，一般不砍伐通道，仅部分砍伐无法跨越的林木，砍伐范围应按导线与树木之间的最小净空距离要求确定，并且对树木倾倒距离进行校核。

以图 30 为例，图中为某一线路横断面，OA 点为导线弧垂最低点，OB 为导线最大风偏位置，OC 为平地上某树种满足导线风偏跨树最小水平距离的林木边界点，OD 为满足林木倾倒的林木边界点。H_1 为导线最小对地距离，H_2 为林木自然生长高度。

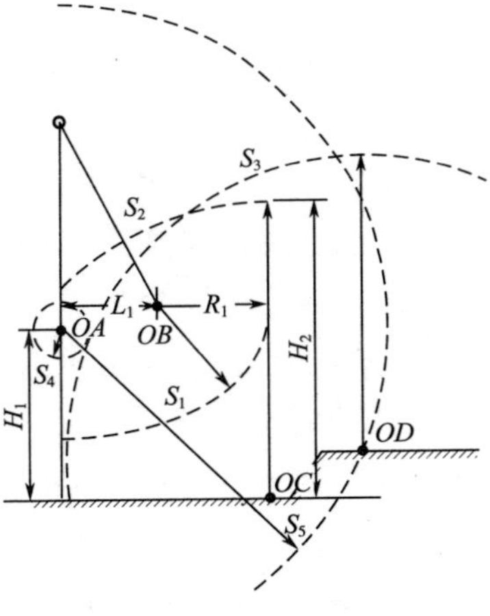

图 30 按照倾倒校验的林木砍伐范围示意图

实际绘制林木砍伐图时，首先计算并在图上绘制出导线最大风偏位置 OB，以导线风偏+导线风偏时对林木的要求距离 R_1 为基础，绘制风偏时导线对林木的间隙圆 S_1，在此范围内的超高林木均需按照砍伐处理。如图 30 所示，满足导线风偏后对林木距离要求的林木砍伐范围为边导线右侧 L_1+R_1，砍伐位置到 OC 点处即可。

如考虑林木倾倒时，对静止导线要满足工频间隙要求。如图 30 所示，OC 点处林木按照自然生长高度画圆，形成弧线 S_2，此时弧线与 OA 点处铅垂线交点位于 OA 点上方，即 OC 点处林木按照自然生长高度倾倒时，将危及线路安全，造成线路事故。为此，考虑倾倒情况下的林木砍伐范围，需以 OA 作圆，考虑工频间隙（图中弧线 S_4）和林木自然生长高度 H_2，绘制间隙圆 S_5，此时与地面交于 OD 点，此处的林木按照自然生长高度 H_2 向线路方向倾倒（即弧线 S_3），与导线最低点处的距离刚好满足工频间隙要求。

因此，图 30 中考虑倾倒校验的林木砍伐范围应以 OD 点为边界，在导线 OA 与 OD 点水平方向间林木自然生长高度为 H_2 的林木均需砍伐。

以±800kV 直流线路杨树砍伐范围的确定为例，按 6×1250/70 导线对地距离 $H_1=16.0$m、档距 500m，档中导线最大水平偏移 $L_1=9.1$m，导线对杨树的净空距离要求为 $R_1=10.5$m，满足电气净空距离要求的导线最低处砍伐宽度为线路边线左右各 $L_1+R_1=9.1\text{m}+10.5\text{m}=19.6\text{m}$，导线最低处 OA 点对砍伐范围边缘地面 OC 点的净空距离为 25.3m（$\sqrt{19.6^2+16.0^2}$），杨树自然生长高度 $H_2=28$m，杨树倾倒时按导线不摆动，则杨树倾倒时对导线最低处的距离不满足工作电压间隙 2.3m 的要求。上述算例中按电气净空距离要求的砍伐宽度小于按杨树倾倒校验的砍伐宽度，但随着导线高度提升，杨树倾倒校验控制的砍伐宽度也随之减小。

10.2.5 输电线路对各种交叉跨越物的距离，其取值原则由电场强度、电气绝缘间隙以及其他因素决定。输电线路与交叉跨越物的水平距离主要是为了避免输电线路对其他部门设施产生影响，如车辆行驶时电力线杆塔对司机视线的阻挡、电力线倒塔时对其他设施造成危害等。在现行线路设计规程中，其取值大多与电压等级无关，相关部门也已认可，个别与电压等级相关的距离按各电压等级取值的级差递增取值。

(1)导线与铁路之间的垂直距离。

国外及我国500kV以上交流线路的规定如表100。

表100 各国不同电压等级对铁路交叉垂直距离

国别	电压等级(kV)	至铁路轨顶的垂直距离(m)	至接触网的垂直距离(m)
苏联	1150	17.5	14.5(网线、杆顶)
苏联	750	12	10(网线、杆顶)
苏联	±750	13	10.5(网)、12(杆顶)
加拿大	735	13.7	
中国	500	电气轨16、标轨14、窄轨13	6(网)、8.5(杆顶)
中国	750	电气轨21.5、标轨19.5、窄轨18.5	7(网)、10(杆顶)
中国	1000	电气轨、标轨及窄轨27	16

导线至窄轨铁路轨顶的最小垂直距离比标准轨铁路可减少一些，国家标准《110kV～750kV架空输电线路设计规范》GB 50545—2010中，一般均减少1m。

对于1000kV输电线路，考虑到特高压线路因电压等级较高，对所有铁路轨顶均按7kV/m场强控制，单、双回路对应的导线对轨顶距离分别为27m和25m。

(2)导线与铁路之间的水平距离。

交叉铁路时，杆塔基础外缘至轨道中心的最小水平距离，国家标准《110kV～750kV 架空输电线路设计规范》GB 50545—2010 中各级电压均为 30m，1000kV 特高压线路因电压等级较高，为提高安全运行可靠性建议最小水平距离提高到 40m 或按协议要求取值。

《关于特高压交流输电线路跨越铁轨有关标准的函》(铁建设函〔2009〕327 号)规定，线路交叉跨越铁路时，杆塔外缘至轨道中心水平距离不应小于"塔高加 3.1m"。无法满足此要求时，可适当减小距离，但 1000kV 特高压线路不得小于 40m。线路与铁路平行接近时，杆塔外缘至轨道中心的水平距离不小于塔高加 3.1m，困难时协商确定。

《中国铁路总公司办公厅关于±1100kV 特高压直流输电线路跨越铁路有关标准的复函》(铁总办科技函〔2016〕165 号)规定，特高压输电线路跨越铁路处采取的加强措施如下。

1)基本风速、基本覆冰重现期应按 100 年一遇设计；

2)杆塔结构重要性系数应取 1.1；

3)跨越铁路时采用独立耐张段，跨越档导地线不得设有任何接头；

4)不应在铁路车站出站信号机以内跨越；

5)跨越时交叉角不应小于 45°。困难情况下双方协商确定，但不得小于 30°；

6)为提高特高压线路的抗冰能力，跨越段应因地制宜，实行差异化设计。覆冰区段导线最大设计稀有覆冰厚度应比同区域常规线路增加 10mm，地线设计稀有覆冰厚度增加 15mm；

7)跨越段绝缘子串采用双挂点、双联Ⅰ型串或Ⅴ型串；

8)导线最大弧垂温度按照相关国家标准执行，且不应小于 70℃；

9)跨越铁路的特高压输电线路零部件要考虑防脱落措施；

10)跨越铁路的特高压线路铁塔处应设置标志牌，标明以下信息：电压等级、走廊宽度、轨顶的导线最低点高度、相对轨顶的设施限高、安全绝缘距离等。

(3)导线对公路交叉跨越距离。

1)导线对公路路面的最小垂直距离。

我国在第一批500kV线路设计时，控制地面场强小于9kV/m，线下大型车辆感应的短路电流不超过5mA电流。考虑以后车辆尺寸还可能增大，以及降低电击的影响，我国500kV线路跨越公路的场强标准控制在7kV/m。

对高速公路、一级公路需按导线最高温度70℃校核，必要时按80℃校核。

2)交叉公路的最小水平距离。

对公路各地均有相应法律及相关条例规定，不同等级的公路，交叉跨越要求的最小距离也不一致。这里仅规定最低要求值，具体情况应与各地交通主管部门协商，按协议要求取值。

线路与一级及以下公路交叉时，在开阔地区，铁塔基础外缘至路基边缘的最小水平距离：国家标准《110kV～750kV架空输电线路设计规范》GB 50545—2010对电压等级110kV～500kV均为8m，750kV线路取10m；1000kV特高压线路取值15m。交叉高速公路时，最新公路法要求已大为提高，如广东、湖北等地要求80m。因此，线路铁塔基础外缘至高速公路隔离栏的最小水平距离与公路部门协商，按协议要求取值。

3)与公路平行的水平距离。

线路与公路平行接近时，在开阔地区，电力线对公路的水平距离不小于最高杆塔高度。在路径受限制地区，为保证对行人及车辆的安全，最小水平距离按以往设计规程取值或按协议要求确定。

(4)导线与电车道(有轨及无轨)的交叉跨越距离。

1)导线与电车道(有轨及无轨)的垂直距离。

500kV线路对电车道路面及对承力索或接触线：日本标准为10.05m和7.28m；苏联标准为13m(无轨电车)、11.5m(有轨电车)和5m。我国500kV线路跨电车轨道按跨电气铁路同样考虑取16m，750kV按照同样原则取值21.5m。

1000kV线路至铁路轨顶的最小垂直距离，单、双回路分别为27m和25m，对电车道路面最小垂直距离参照取值。

500kV线路跨越索道的承力索可按步行不可达山坡的情况考虑，其最小垂直距离取6.5m。750kV和1000kV线路按照此原则取值。

2)导线与电车道(有轨及无轨)的水平距离。

线路与电车道平行接近时，在开阔地区，电力线对电车道的水平距离不小于最高杆塔高度。在路径受限制地区，为保证安全，最小水平距离参照导线与公路的取值确定。

(5)导线与河流的交叉跨越距离。

1)导线与通航河流的垂直距离。

一般来说，内河船舶由主船体和上层建筑及其他配套设备组成。大、中型船舶的上层建筑的甲板可分为下列几种。

罗经甲板：是船舶最高一层露天甲板，位于驾驶台顶部，其上设有桅桁及信号灯架，无线电天线，探照灯和标准罗经等。

驾驶甲板：设置驾驶台的一层甲板，操舵室、报务室和引航员房间均布置在该层甲板上。

艇甲板：是放置救生艇和救助艇的甲板，要求该层甲板位置较高，艇的周围要有一定的空旷区域，以便在紧急情况下能集合人员，并能迅速登艇，救生艇布置于两舷侧，并能迅速降落水中，船长室，轮机长室，会议室，接待室一般均布置在该层甲板上。

起居甲板：在艇甲板下方，主要用来布置居住舱及生活服务的辅助舱室的一层甲板，大部分船员房间及公共场所一般均布置在该层甲板上。

甲板间高主要根据货种及作业条件等使用特点来决定。杂货船甲板间高一般在 2.45m 以上，目前杂货船有加大甲板间高的趋势，有的达到 2.75m；多用途干货船甲板间高近年来也有增高趋势，以往的多用途干货船，甲板间高在 2.5m～3.5m 之间，而现在则在 3.5m～5.0m 之间，船长在 150m 左右的船多在 4.4m 以上，甲板间高度增大的原因是所载运的货物（如设备、车辆等）的尺度增大，同时需要在甲板间使用叉车；滚装船甲板间高度一般在 3.0m～6.0m 左右，要根据滚装工艺（带轮运输还是拖车系统）、货物种类（车辆还是集装箱）及货物堆放层数等因素来决定；客船设双层铺的甲板间高不宜低于 2.4m～2.6m，以保证有适宜的净高度。

舰船桅杆源于帆船时代，在挂帆扬航的同时也悬挂旌旗。随着社会进步和舰船技术发展，风帆时代的桅杆渐渐失去了动力源支柱的功能，演变为纯粹的舰船信息源载体。现代舰船桅杆的最主要功能是提供雷达等探测设备的安装平台。

结合船舶结构，以船舶驾驶室为人员活动区，桅杆顶部与人员活动的驾驶室甲板之间距离要考虑船舶驾驶室甲板与罗经甲板（顶甲板）之间的甲板间高以及罗经甲板上的通信天线、旗杆等设备高度，具体需要根据航道内通航船舶的吨位和类型来确定，根据相关调查，桅杆顶部与人员活动的驾驶室甲板之间最小垂直高度在 5.5m～7m。

跨越河流时，我国 500kV 第一代线路设计标准：通航河流距 5 年一遇洪水位 10m，距最高船桅 6m；不通航河流距 100 年一遇洪水位 7m，冬季至冰面 12m。目前第二代设计：全国大部分地区的设计距通航河流 5 年一遇洪水位 9.5m，距最高船桅：东北地区为 5.5m，其余地区多为 6m；不通航河流距 100 年一遇洪水位，东北、华东地区为 6.5m，其余地区仍多为 7m。冬季至冰面都按 11m 设计（三角排列铁塔取 10.5m）。根据上述情况，在跨越通航河流时，导线至 5 年一遇洪水位的最小垂直距离参照我国 500kV 线路的要求首先考虑最大操作过电压间隙，按照小型船只活动高度3.5m，加裕度3m，500kV线路取9.5m，750kV线路取11.5m。1000kV线路为保证洪水面场强不大于20kV/m，最小交叉垂直距离单、双回路分别取14m和13m。

根据目前工程办理通航河流跨越手续情况，航道部门对输电线路跨越通航河流的垂直距离主要考虑两方面因素：一是导线最大弧垂时至最高航行水位桅顶要满足操作过电压间隙加上合理裕度；二是导线最大弧垂至最高航行水位最高层甲板满足人员活动时的电磁环境限制要求。

±1100kV昌吉—古泉输电线路工程在办理通航协议时，航运部门提出，电力线路跨越通航河流，导线距船舶人员活动范围（驾驶室甲板）的垂直距离要按照场强限值来校核。

对于交流线路，考虑到以往设计规程中导线距离5年一遇洪水位垂直距离均满足最大场强不超过20kV/m，且相应考虑了操作过电压间隙和一定的裕度，因此，本标准对最高航行水位桅顶垂直距离在按照在操作过电压间隙的基础上，再加上一定的裕度来考虑，同时按照线路对人员活动面最大场强不超过20kV/m进行校核。实际工程中需根据航道内通航船舶情况进行核算。

导线至最高航行水位的最高船桅顶的最小垂直距离按导线最大操作过电压间隙加裕度考虑，对于1000kV线路取10m。

1000kV线路导线至最高航行水位的最小垂直距离按水面最大场强10kV/m控制另加2m裕度，单、双回路分别取24m、23m。

2）导线与不通航河流的垂直距离。

跨越不通航河流时，导线至百年一遇洪水位的最小垂直距离500kV线路取为6.5m，750kV线路取为8m，1000kV线路取为10m。冬季导线至冰面的最小垂直距离按非居民区（农业耕作区）的要求取值。最高洪水位时，有抢险船只航行的河流垂直距离应通过协商确定。

3)导线与河流的水平距离。

导线与河流的水平距离,塔位至河堤的最小水平距离,按河堤保护范围之外或按协议取值。

(6)导线与电力线路交叉跨越距离。

1)对电力线路导(地)线的最小垂直距离。

苏联规定,环境空气温度+15℃,1150kV、±750kV 线路与电力线交叉跨越最小距离满足 12m、11m 要求时,被跨越档的电力线铁塔不需采用特殊防雷措施。

以往设计规程规定与电力线交叉跨越应根据最高气温情况或覆冰无风情况的最大弧垂进行校核,比苏联规定更严格。线路跨越电力线时,对导(地)线的最小垂直距离,按操作过电压间隙加上一定裕度考虑。

2)导线对电力线杆塔顶的垂直距离。

导线对被跨越线路电力线杆塔顶的最小垂直距离参照线路交叉铁路接触网杆顶的标准及取值。

3)对电力线的最小水平距离。

在开阔地区线路与电力线平行接近时,线路边导线至电力线边导线的最小水平距离不小于平行地段线路的最高杆塔高度。

在路径受限制地区,二回平行的输电线路杆塔同步排列时,二回输电线路邻近的边相导线间的最小水平距离类同于同塔双回路上不同回路的不同相导线间的水平线距。

同一回路导线的水平线间距离,1000m 以下档距按档距中导线接近条件考虑,按照本标准公式(9.1.1-1)计算。不同回路的不同相导线间水平线间距离应比该公式计算结果加大 0.5m。路径受限制地区大都在发电厂、变电站进出线段或邻近城市的走廊拥挤地段,多为平原和丘陵地区,档距一般为 400m～600m,大风一般为 30m/s～35m/s,覆冰一般为 10mm,导线一般为标称截面

$400mm^2$、$500mm^2$、$630mm^2$、$720mm^2$的钢芯铝绞线，考虑一定的安全裕度后，路径受限制地区同步排列输电线路边导线间的最小水平距离，110kV 取 5m、220kV 取 7m、330kV 取 9m、500kV 取 13m、750kV 取 16m、1000kV 取 20m。

路径受限制地区，如果两线路杆塔位置交错排列，综合考虑操作过电压间隙、电磁环境、施工运维等因素，导线在最大风偏情况下对相邻线路杆塔的最小距离，110kV 取 3m、220kV 取 4m、330kV 取 5m、500kV 取 7m、750kV 取 9.5m、1000kV 取 13m。

(7)导线与电信线路交叉跨越距离。

1)与电信线路垂直距离。

电信线线路相对于一般高压电力线杆塔、电气化铁路承力索或接触线杆塔，保护措施相对较为宽松，同时杆塔高度较低，容易攀爬，应降低被跨电信线的电场强度，且经计算可知，随着被跨越物高度的降低，电场强度增大，较跨越高压电力线杆塔、电气化铁路承力索或接触线杆塔增加 1m～2m。

另外，由于跨越高速公路广告牌等类似构筑物，需要考虑人员登上构筑物作业等情况，所以需要考虑适合人员活动的电场强度，即宜按导线至电信线的最小垂直距离考虑。

2)与电信线路的水平距离。

在开阔地区，与线路电力线平行时相同，暂取最高塔高。在路径受限制地区，边导线在最大风偏情况下对电信线的水平距离，在 500kV 为 8m，750kV 取为 10m，1000kV 单、双回路分别取 13m、12m，或按协议取值。

(8)对特殊管道及索道的交叉跨越距离。

1)对特殊管道及索道的最小垂直距离。

特殊管道是架设在地面上输送易燃易爆物品的管道，导线对此类管道的最小垂直距离，我国 500kV 线路实际采用 7.5m 或按协议要求取值，750kV 线路取为 9.5m 或按协议要求取值，

1000kV 线路与跨越电信线路相同取为 18m 或按协议要求取值。跨越索道可与跨越电力线相同，取为 10.5m。

线路跨越索道的承力索可按步行不可达山坡的情况考虑，500kV 取 6.5m，750kV 对顶部 8.5m，对底部取 11m，1000kV 对顶部取 11m，对底部取 13.5m。

2)对特殊管道及索道的最小水平距离。

金属管道和索道应该在同线路交叉的范围内接地，而 750kV 及以上架空线路同管道和索道平行架设和接近时，在架空线路两侧距中心线各 100m 以内的地段也应该接地，接地电阻不超过 25Ω。

在开阔地区，线路与特殊管道平行接近时，线路边导线至管道任何部分的最小水平距离按不小于平行地段线路的最高杆塔高度考虑。

在路径受限制地区，边导线在最大风偏情况下对特殊管道的水平距离，1000kV 线路按步行可以到达山坡考虑，取值为 13m。

(9)1000kV 交流线路与低压用电线路和通信线路的平行长度。

中国电科院曾就 1000kV 皖电东送交流特高压线路对低压用电线路和通信线路的影响进行了专题研究，主要结论如下：

1)1000kV 皖电东送线路对 10kV 低压电力线路的防护距离，结合对应的故障电流系数，根据 24000V 的限值要求进行确定。

2)1000kV 皖电东送线路对架空明线电信线路的防护距离，取 3 个防护距离的最大值：①输电线路在正常运行情况下对架空电信线路感性耦合危险影响感应电压允许值为 60V(有效值)。②1000kV 交流输电线路发生单相接地短路故障情况下，短路电流通过感性耦合在电信线路上产生感应电压允许值不超过 1500V。③输电线路在正常运行情况下对架空电信线路容性耦合危险影响感应电流允许值，按照 10mA 或 15mA 限值进行评估。由于特高压交流线路单相接地故障时对架空明线电信线路的危险影响防护距离较大，建议在设计时予以重点考虑。

3)特高压线路对光缆电信线路的电磁影响只针对有金属加强构件而无金属线对的光缆，无金属构件和无金属线对的光缆线路不考虑电磁危险影响。在计算分析时主要考虑特高压线路单相接地故障时对光缆电信线路产生的感性耦合对光缆绝缘的影响，按照 12000V 的限值要求进行确定。

图 31～图 37 为该专题中相关计算结果。

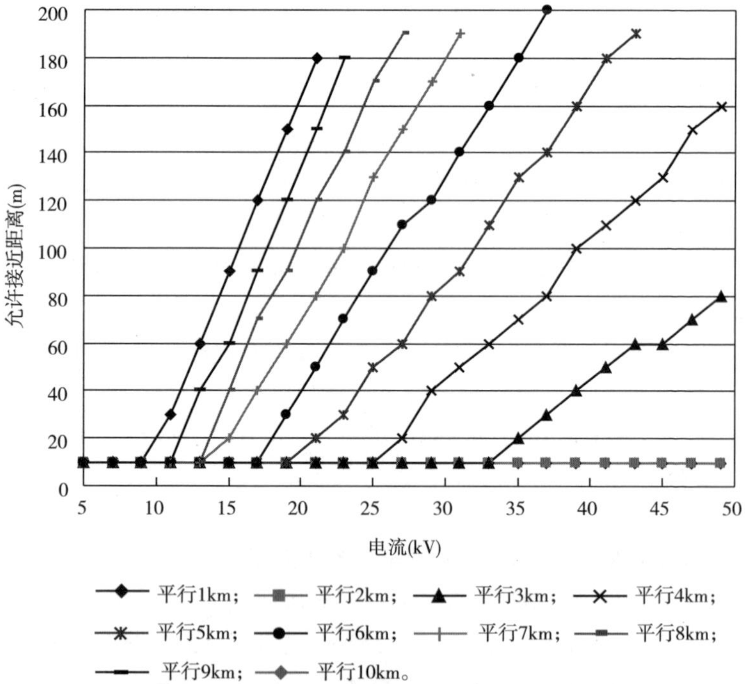

图 31　皖电东送输电线路单相接地故障时对邻近低压电力线路的防护距离

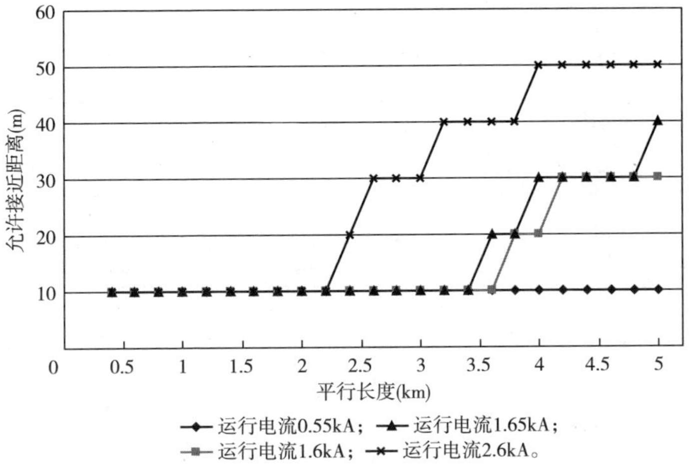

图 32　皖电东送输电线路正常运行时在架空明线电信线路上产生的防护距离(感性耦合)

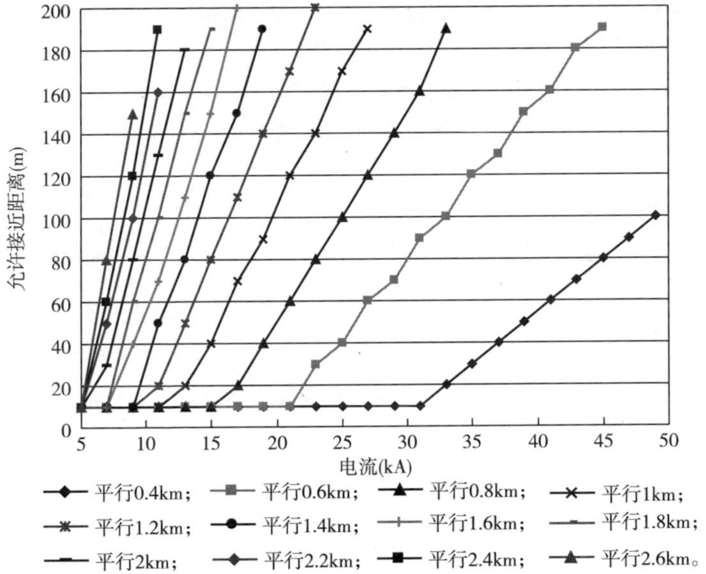

图 33　皖电东送输电线路单相接地故障时对架空明线电信线路的防护距离(平行长度 0.4km～2.6km)

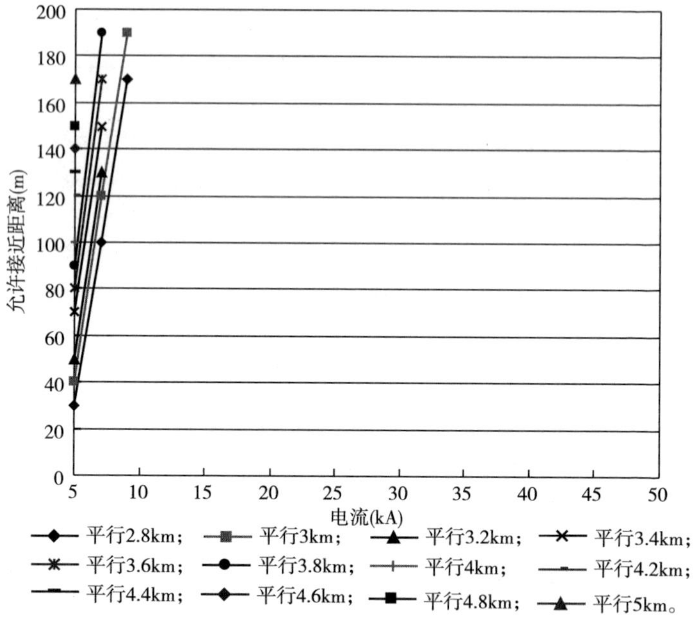

图 34　皖电东送输电线路单相接地故障时对架空明线电信线路的防护距离（平行长度 2.8km～5km）

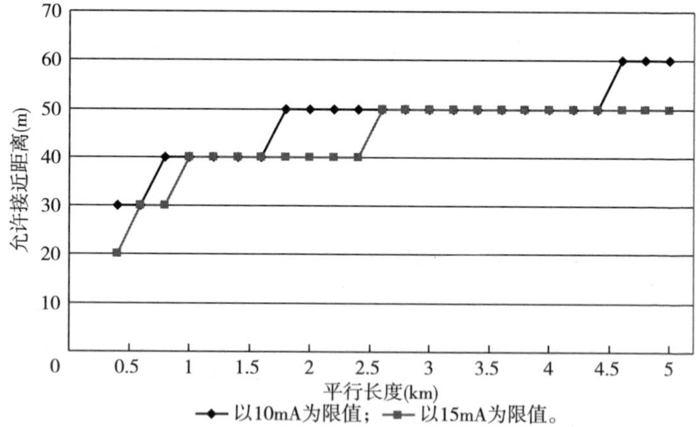

图 35　皖电东送输电线路正常运行时在架空明线电信线路上产生的防护距离（容性耦合）

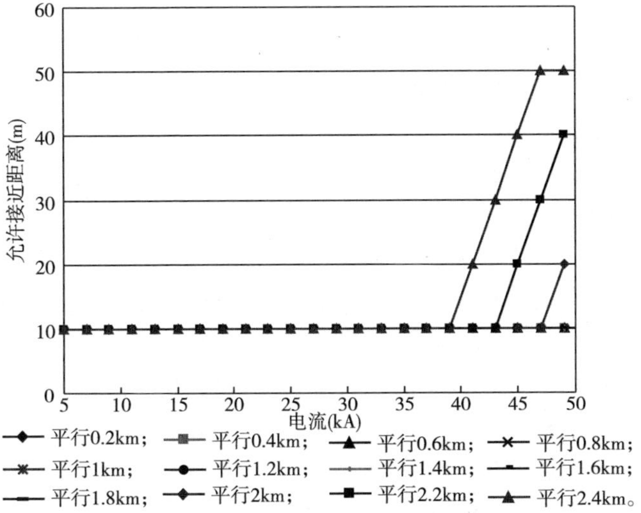

图 36 皖电东送输电线路对光缆电信线路的防护距离(平行长度 0.4km～2.6km)

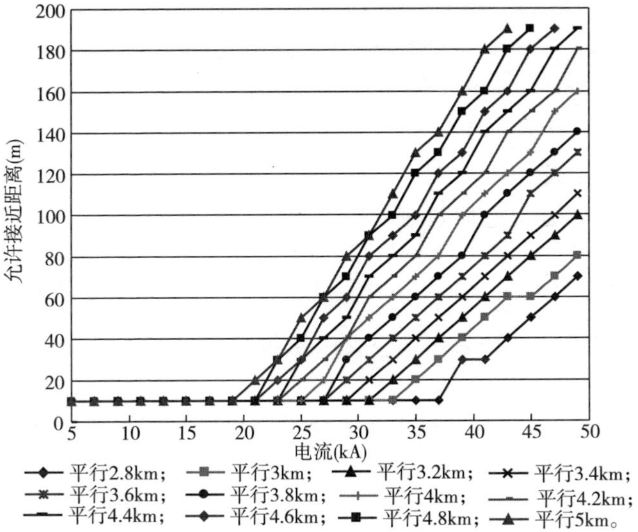

图 37 皖电东送输电线路对光缆电信线路的防护距离(平行长度 2.8km～5km)

10.3 直流线路的交叉跨越及对地距离

10.3.1 直流输电线路导线对地面的距离除要考虑正常的绝缘水平外，还要考虑静电场强、合成场强的影响。线路设计中采用的各种对地及交叉跨越间隙值，按其取值原则可分为三大类：①由电场强度决定的距离；②由电气绝缘强度决定的距离；③由其他因素决定的距离。

第三类距离主要是为避免输电线路与其他部门设施之间的影响，如车辆行驶时电力线杆塔对司机视线的阻挡、电力线倒塔时对其他设施造成危害等，在现行线路设计规程中，其取值大多与电压等级无关，相关部门也已认可，故基本上沿用规程的值。个别与电压等级相关的距离按各电压等级取值的级差递增取值。

(1)居民区、非居民区最小对地距离取值。

直流输电线路导线对地面的距离主要由电场效应决定，按公众及交通工具可能到达的频繁程度分类的。在不同的分类场所，有不同的场强要求和标准，还应注意到人们在线路走廊内从事农业劳动时，在各个地方停留的机会是均等的，不可能全部集中在高场强的地方。在考虑输电线下最大场强限值时应综合考虑最大地面场强出现的概率、设计时对地距离的裕度等因素。

根据国内外直流超高压、特高压输电线路下电场限制值的研究成果，确定直流特高压架空输电线下地面处电场强度、离子流密度控制值取值如下：

1)对于一般非居民地区(如跨越农田)，合成场强限定在雨天36kV/m，晴天30kV/m，离子流密度限定在雨天150nA/m^2，晴天100nA/m^2。

2)对于居民区，合成场强限定在雨天30kV/m，晴天25kV/m，离子流密度限定在雨天100nA/m^2，晴天80nA/m^2。

3)对于人烟稀少的非农业耕作地区，合成场强限定在雨天42kV/m，晴天35kV/m，离子流密度限定在雨天180nA/m^2，晴天150nA/m^2。

目前我国已建±500kV直流线路采用的导线型号为4×300mm^2（葛上直流）、4×400mm^2（天广直流）、4×720mm^2（三常直流、贵广直流、三广直流、荆枫同塔双回路等），4×900mm^2（溪洛渡至广东同塔双回路）四种，如采用4×500mm^{2}或4×630mm^2，对地距离可取12.5m和11.5m中间值12m，此时地面合成场强和离子流密度是满足要求的，具体见表101。

表101　±500kV线路导线最小对地高度(m)

导线型号	4×300mm^2	4×400mm^2	4×500mm^2	4×630mm^2	4×720mm^2	4×900mm^2
居民区	16	16	15.5	15.5	15	15
非居民区	12.5	12.5	12	12	11.5	11.5

注：同塔双回路采用＋－/－＋极性布置。

±500kV同塔双回直流线路极导线最小对地高度不比单回直流线路的高。考虑当±500kV同塔双回直流线路中的一回线路发生故障时，另一回线路产生的地面合成电场也应满足限值要求，因此±500kV同塔双回直流线路极导线对地最小高度取值与单回线路的相同。

对于相同导线布置，与4×720mm^{2}导线方案相比，4×900mm^{2}导线方案的地面合成场强减小，而标称场强有所增大。考虑直流线路对人的影响实际上是合成场强，标称场强只是合成场强的一部分，因此，直流输电线路的电场对人的影响原则应以合成电场衡量。

溪洛渡右岸电站送电广东±500kV同塔双回直流输电线路工程在设计时，按导线排列方式（＋－/－＋），对4×900mm^{2}导线方案的地面电场进行了计算。对于非居民区，对地11m时，地面合成电场即可满足限值要求，考虑一定裕度，工程非居民区最小对地距离仍建议取11.5m。对于居民区，对地距离取14.5m时即可满足场强要求，考虑一定裕度，仍建议取值15m。

中国电力科学研究院对±660kV线路的6×630mm²和4×1000mm²两种导线方案，在不同海拔下，极间距分别取18m和20m时的导线最小对地高度进行了计算，结果见表102。

表102 ±660kV单回线路导线最小对地高度计算结果(m)

导线型号	海拔0m、1000m、2000m时的极导线最小对地高度(m)			
	极间距18m		极间距20m	
	非居民区	居民区	非居民区	居民区
4×1000mm²	14.6、15.2、15.8	16.6、17.4、18.1	14.7、15.3、14.6	16.7、17.4、18.3
6×630mm²	14.3、15.0、15.7	16.2、17.1、17.9	14.3、15.1、15.8	16.3、17.2、18.0

我国直流±500kV导线采用4×300mm²时最小对地距离居民区取16m，非居民区取不小于12.5m。导线采用4×720mm²时最小对地距离居民区取15m，非居民区取不小于11.5m。综上考虑，结合最小对地距离计算结果，确定的±500kV和±660kV线路导线在1000m海拔以下最小对地距离详见本标准表10.3.1-1。当海拔高度超过1000m，每增加1000m海拔高度，线路对地距离增加6%；线路经过灰尘严重地区时，线路对地距离还需至少增加1m。

对云南—广东±800kV直流线路导线最大表面电位梯度、静电场强、合成场强及离子流密度计算结果见表103，对±800kV直流线路采用其他导线的计算结果见表104。

表 103 云南—广东±800kV 直流线路导线最大表面电位梯度、静电场强、合成场强及离子流密度计算结果(V 串)

极间距(m)	分裂间距(cm)	离地高(m)	电压(kV)	起晕梯度(kV/cm)	子导线直径(cm)	分裂数	分裂导线直径(cm)	等效直径(cm)	最大表面电位梯度 G_{max}(kV/cm)	静电场强 E_e(kV/m)	合成场强 E_s(kV/m)	离子流密度 J_s(nA/m²)	备注	导线型号
22	45.0	21.0	800.0	14.00	3.36	6.0	90.0	70.1375	24.1789	−10.81	−29.217	−72.59	雨天	630/45
22	45.0	18.0	800.0	14.00	3.36	6.0	90.0	70.1375	24.4063	−14.104	−35.48	−116.68	雨天	630/45
22	45.0	16.0	800.0	14.00	3.36	6.0	90.0	70.1375	24.622	−17.16	−41.357	−171.06	雨天	630/45
22	45.0	15.0	800.0	14.00	3.36	6.0	90.0	70.1375	24.6871	−19.07	−44.91	−213.43	雨天	630/45
22	45.0	21.0	800.0	18.00	3.36	6.0	90.0	70.1375	24.1789	−10.81	−22.883	−50.13	晴天	630/45
22	45.0	18.0	800.0	18.00	3.36	6.0	90.0	70.1375	24.4603	−14.104	−28.33	−81.84	晴天	630/45
22	45.0	16.0	800.0	18.00	3.36	6.0	90.0	70.1375	24.622	−17.16	−33.482	−121.14	晴天	630/45
22	45.0	15.0	800.0	18.00	3.36	6.0	90.0	70.1375	24.6871	−19.07	−36.64	−152.20	晴天	630/45

表 104　±800kV 直流线路导线最大表面电位梯度、静电场强、合成场强及离子流密度计算结果(V 串)

极间距(m)	分裂间距(cm)	离地高(m)	电压(kV)	起晕梯度(kV/cm)	子导线直径(cm)	分裂数	分裂导线直径(cm)	等效直径(cm)	最大表面电位梯度 G_{max}(kV/cm)	静电场强 E_e(kV/m)	合成场强 E_s(kV/m)	离子流密度 J_s(nA/m^2)	备注	导线型号
22	45.0	20.5	800.0	14.00	3.84	6.0	90.0	71.716	21.25	−11.23	−29.31	−41.15	雨天	800/55
22	45.0	18.0	800.0	14.00	3.84	6.0	90.0	71.716	21.42	−14.05	−35.05	−65.73	雨天	800/55
22	45.0	16.0	800.0	14.00	3.84	6.0	90.0	71.716	21.60	−17.12	−41.21	−100.45	雨天	800/55
22	45.0	15.0	800.0	14.00	3.84	6.0	90.0	71.716	21.72	−19.04	−44.92	−126.25	雨天	800/55
22	45.0	20.5	800.0	18.00	3.84	6.0	90.0	71.716	21.25	−11.23	−21.10	−18.28	晴天	800/55
22	45.0	18.0	800.0	18.00	3.84	6.0	90.0	71.716	21.42	−14.05	−25.74	−30.24	晴天	800/55
22	45.0	16.0	800.0	18.00	3.84	6.0	90.0	71.716	21.60	−17.12	−30.81	−47.86	晴天	800/55
22	45.0	15.0	800.0	18.00	3.84	6.0	90.0	71.716	21.72	−19.04	−33.93	−61.38	晴天	800/55
20	45.0	20.0	800.0	14.00	3.99	6.0	90.0	72.1754	21.04	−11.18	−29.30	−42.20	雨天	900/40
20	45.0	17.5	800.0	14.00	3.99	6.0	90.0	72.1754	21.19	−14.17	−35.35	−69.37	雨天	900/40
20	45.0	15.5	800.0	14.00	3.99	6.0	90.0	72.1754	21.37	−17.44	−41.85	−108.05	雨天	900/40
20	45.0	14.5	800.0	14.00	3.99	6.0	90.0	72.1754	21.48	−19.51	−45.86	−137.29	雨天	900/40

续表 104

极间距(m)	分裂间距(cm)	离地高(m)	电压(kV)	起晕梯度(kV/cm)	子导线直径(cm)	分裂数	分裂导线直径(cm)	等效直径(cm)	最大表面电位梯度 G_{max}(kV/cm)	静电场强 E_e(kV/m)	合成场强 E_s(kV/m)	离子流密度 J_s(nA/m^2)	备注	导线型号
20	45.0	20.0	800.0	18.00	3.99	6.0	90.0	72.1754	21.04	−11.18	−20.80	−18.06	晴天	900/40
20	45.0	17.5	800.0	18.00	3.99	6.0	90.0	72.1754	21.19	−14.17	−25.64	−30.83	晴天	900/40
20	45.0	15.5	800.0	18.00	3.99	6.0	90.0	72.1754	21.37	−17.44	−30.95	−49.83	晴天	900/40
20	45.0	14.5	800.0	18.00	3.99	6.0	90.0	72.1754	21.48	−19.51	−34.28	−64.70	晴天	900/40
20	50.0	19.5	800.0	14.00	4.32	6.0	100.0	79.8496	20.29	−12.01	−29.67	−43.94	雨天	1000/45
20	50.0	17.0	800.0	14.00	4.32	6.0	100.0	79.8496	20.45	−15.26	−36.00	−72.50	雨天	1000/45
20	50.0	15.5	800.0	14.00	4.32	6.0	100.0	79.8496	20.59	−17.89	−41.05	−102.41	雨天	1000/45
20	50.0	14.5	800.0	14.00	4.32	6.0	100.0	79.8496	20.70	−20.01	−45.04	−130.62	雨天	1000/45
20	50.0	19.5	800.0	18.00	4.32	6.0	100.0	79.8496	20.29	−12.01	−20.31	−16.37	晴天	1000/45
20	50.0	17.0	800.0	18.00	4.32	6.0	100.0	79.8496	20.45	−15.26	−25.29	−28.38	晴天	1000/45
20	50.0	15.5	800.0	18.00	4.32	6.0	100.0	79.8496	20.59	−17.89	−29.36	−41.67	晴天	1000/45
20	50.0	14.5	800.0	18.00	4.32	6.0	100.0	79.8496	20.70	−20.01	−32.64	−54.64	晴天	1000/45

续表 104

极间距（m）	分裂间距（cm）	离地高（m）	电压（kV）	起晕梯度（kV/cm）	子导线直径（cm）	分裂数	分裂导线直径（cm）	等效直径（cm）	最大表面电位梯度 G_{max}（kV/cm）	静电场强 E_e（kV/m）	合成场强 E_s（kV/m）	离子流密度 J_s（nA/m²）	备注	导线型号
20	50.0	19.0	800.0	14.00	4.45	6.0	100.0	80.2451	19.46	−12.59	−29.45	−43.42	雨天	1125/50
20	50.0	17.0	800.0	14.00	4.45	6.0	100.0	80.2451	19.59	−15.29	−34.54	−65.61	雨天	1125/50
20	50.0	15.0	800.0	14.00	4.45	6.0	100.0	80.2451	19.77	−18.91	−41.27	−104.20	雨天	1125/50
20	50.0	14.0	800.0	14.00	4.45	6.0	100.0	80.2451	19.88	−21.21	−45.44	−134.04	雨天	1125/50
20	50.0	19.0	800.0	18.00	4.45	6.0	100.0	80.2451	19.46	−12.59	−18.92	−12.54	晴天	1125/50
20	50.0	17.0	800.0	18.00	4.45	6.0	100.0	80.2451	19.59	−15.29	−22.83	−20.14	晴天	1125/50
20	50.0	15.0	800.0	18.00	4.45	6.0	100.0	80.2451	19.77	−18.91	−28.13	−34.41	晴天	1125/50
20	50.0	14.0	800.0	18.00	4.45	6.0	100.0	80.2451	19.88	−21.21	−31.49	−46.15	晴天	1125/50
20	50.0	18.5	800.0	14.00	4.735	6.0	100.0	81.0797	18.58	−13.25	−29.05	−42.33	雨天	1250/70
20	50.0	16.0	800.0	14.00	4.735	6.0	100.0	81.0797	18.76	−17.00	−35.85	−72.65	雨天	1250/70
20	50.0	14.5	800.0	14.00	4.735	6.0	100.0	81.0797	18.91	−20.12	−41.36	−105.75	雨天	1250/70
20	50.0	13.5	800.0	14.00	4.735	6.0	100.0	81.0797	19.03	−22.62	−45.80	−137.84	雨天	1250/70

续表 104

极间距(m)	分裂间距(cm)	离地高(m)	电压(kV)	起晕梯度(kV/cm)	子导线直径(cm)	分裂数	分裂导线直径(cm)	等效直径(cm)	最大表面电位梯度 G_{max}(kV/cm)	静电场强 E_e(kV/m)	合成场强 E_s(kV/m)	离子流密度 J_s(nA/m^2)	备注	导线型号
20	50.0	18.5	800.0	18.00	4.735	6.0	100.0	81.0797	18.58	−13.25	−16.97	−7.34	晴天	1250/70
20	50.0	16.0	800.0	18.00	4.735	6.0	100.0	81.0797	18.76	−17.00	−22.01	−14.71	晴天	1250/70
20	50.0	14.5	800.0	18.00	4.735	6.0	100.0	81.0797	18.91	−20.12	−26.31	−24.02	晴天	1250/70
20	50.0	13.5	800.0	18.00	4.735	6.0	100.0	81.0797	19.03	−22.62	−29.81	−33.87	晴天	1250/70
20	50.0	18.0	800.0	14.00	3.99	8.0	130.6563	109.5524	17.61	−15.22	−29.57	−42.23	雨天	900/40
20	50.0	16.0	800.0	14.00	3.99	8.0	130.6563	109.5524	17.76	−18.63	−35.25	−66.56	雨天	900/40
20	50.0	14.5	800.0	14.00	3.99	8.0	130.6563	109.5524	17.92	−22.04	−40.88	−98.02	雨天	900/40
20	50.0	13.5	800.0	14.00	3.99	8.0	130.6563	109.5524	18.05	−24.79	−45.43	−129.24	雨天	900/40
20	50.0	18.0	800.0	18.00	3.99	8.0	130.6563	109.5524	17.61	−15.22	−15.49	−0.58	晴天	900/40
20	50.0	16.0	800.0	18.00	3.99	8.0	130.6563	109.5524	17.76	−18.63	−19.72	−3.22	晴天	900/40
20	50.0	14.5	800.0	18.00	3.99	8.0	130.6563	109.5524	17.92	−22.04	−24.09	−8.18	晴天	900/40
20	50.0	13.5	800.0	18.00	3.99	8.0	130.6563	109.5524	18.05	−24.79	−27.67	−14.18	晴天	900/40

续表 104

极间距(m)	分裂间距(cm)	离地高(m)	电压(kV)	起晕梯度(kV/cm)	子导线直径(cm)	分裂数	分裂导线直径(cm)	等效直径(cm)	最大表面电位梯度 G_{max}(kV/cm)	静电场强 E_e(kV/m)	合成场强 E_s(kV/m)	离子流密度 J_s(nA/m²)	备注	导线型号
20	55.0	16.0	800.0	14.00	4.735	8.0	143.7219	121.6561	15.66	−19.22	−29.38	−37.52	雨天	1250/70
20	55.0	14.5	800.0	14.00	4.735	8.0	143.7219	121.6561	15.80	−22.75	−34.58	−57.38	雨天	1250/70
20	55.0	13.0	800.0	14.00	4.735	8.0	143.7219	121.6561	15.98	−27.11	−41.13	−89.81	雨天	1250/70
20	55.0	12.5	800.0	14.00	4.735	8.0	143.7219	121.6561	16.06	−28.98	−43.95	−107.89	雨天	1250/70
20	55.0	16.0	800.0	18.00	4.735	8.0	143.7219	121.6561	15.66	−19.22	−19.22	0.00	晴天	1250/70
20	55.0	14.5	800.0	18.00	4.735	8.0	143.7219	121.6561	15.80	−22.75	−22.75	0.00	晴天	1250/70
20	55.0	13.0	800.0	18.00	4.735	8.0	143.7219	121.6561	15.98	−27.11	−27.11	0.00	晴天	1250/70
20	55.0	12.5	800.0	18.00	4.735	8.0	143.7219	121.6561	16.06	−28.98	−28.98	0.00	晴天	1250/70

综合考虑以上各种因素，结合最小对地距离计算结果，确定的不同导线最小对地距离如表 105，各导线方案基于工程应用的最小导线直径给出。

表 105 ±800kV 线路导线与地面的最小垂直距离(m)

地区	极导线型号									备注
	6×630/45	6×720/50	6×800/55	6×900/40	6×1000/45	6×1125/50	6×1250/70	8×900/40	8×1250/70	
居民区	21.0	21.0	20.5	20.0	19.5	19.0	18.5	18.0	16.0	—
非居民区	18.0	18.0	18.0	17.5	17.0	17.0	16.0	16.0	14.5	农业耕作区
	16.0	16.0	16.0	15.5	15.5	15.0	14.5	14.5	13.0	人烟稀少的非农业耕作区

注：导线绝缘子串布置均按水平V串考虑。

±800kV 线路由场强控制的对地及交叉跨越距离是按不同截面导线计算确定的，当导线型号变化时，相关数值可根据计算结果调整。我国北方与南方空气质量和湿度存在较大差别，对直流线路的地面合成电场产生明显影响。如线路经过北方地区，线路对地距离还需适当增加。

当海拔高度超过 1000m，每增加 1000m 海拔高度，±800kV 线路导线与地面的最小距离增加 6%的距离；±1100kV 线路非居民区(人烟稀少的非农业耕作区)对地距离增加 5%，居民区及一般非居民区对地距离增加 4%。

(2)交通困难地区最小对地距离。

交通困难地区是指车辆不能达到的地区，该类地区的超高压线路最小对地距离的确定是取人、畜及携带物总高加上操作过电压间隙和裕度。我国现行的线路设计技术规程中，500kV 和

750kV 线路，人、畜及携带物总高按 3.5m 考虑，裕度按 2.0m 考虑。

苏联规定交通困难地区的电场强度限制值为 20kV/m，我国超高压输电线路在此类地区没有规定场强限值。有资料显示，在 18kV/m～20kV/m 电场强度下时，湿润牧场放牧的奶牛并无反常行为；线路下和附近的乔木超过一定高度，树木端部会出现烧伤，引起植物端部烧伤的电场强度要在 20kV/m 以上，且这种现象与电压等级并没有直接关系。

对于交通困难地区，导线对地最小距离按操作过电压的放电间隙，再根据人体高度、物体的高度，并考虑一定的裕度而确定；此外，还需按电场强度限值进行校核。

±800kV 直流输电线路最大操作过电压间隙取 7.5m，地面合成场强限定在雨天 46kV/m，晴天 38kV/m，交通困难地区对地最小距离取 13m。±1100kV 直流输电线路在交通困难地区，按照相同的原则，交通困难地区对地最小距离取 21.0m。当海拔高度超过 1000m，每增加 1000m 海拔高度，线路对地距离增加。如线路经过北方的灰尘严重地区和干燥地区时，线路对地距离也需适当增加。

工程实际设计中还应结合具体环境影响评价报告的要求值进行校核。

我国超高压线路在经过步行可达到的山坡时，导线的净空距离是考虑人在放牧时挥鞭对导线的接近，再留有一定的裕度，取和交通困难地区相同的数值；±800kV 特高压直流输电线路按此原则考虑，对于步行可达到的山坡，导线风偏后的净空距离取 13m；即操作过电压间隙 7.5m，加人、畜及携带物总高按 3.5m 考虑、加裕度 2.0m；对于步行不可达到的山坡、峭壁，导线风偏后的净空距离取 11m。±1100kV 特高压直流输电线路推荐按上述原则考虑，对于步行可达到的山坡，导线风偏后的净空距离推荐 15.5m，即操作过电压间隙 10m，加人、畜及携带物总高按 3.5m 考虑，加裕度 2.0m；对于步行不可达到的山坡、峭壁，导线风偏后的净空距离推荐 13.5m。

10.3.2 本条对导线与建筑物之间的距离做出规定。

(1)导线与建筑物之间的最小垂直距离。

高压直流线路不应跨越经常住人或屋顶为燃烧材料的建筑物，对于非长期住人的耐火屋顶的建筑物，在取得有关方面同意时可以跨越。导线与建筑物之间的最小垂直距离，从电场强度来看，可采用交通困难地区的标准。导线与建筑物之间的最小垂直距离，按电气绝缘强度控制，并进行电场强度校核。最终取值在交通困难地区最小对地距离值的基础上，酌情增加了一定裕度。

±800kV 线路在交通困难地区合成场强不超过雨天 46kV/m，晴天 38kV/m，0m～3000m 海拔不同导线按此合成场强要求的垂直距离见表 106。

表 106 ±800kV 线路导线至房屋顶部距离计算结果(m)

极导线型号(V 串)	海拔高度		
	1000m	2000m	3000m
6×630/45	15.0	15.5	16.0
6×720/50	15.0	15.5	16.0
6×800/55	14.8	15.4	16.0
6×900/40	14.5	15.1	15.8
6×1000/45	14.3	14.9	15.6
6×1120/50	13.9	14.7	15.3
6×1250/70	13.5	14.3	15.0
8×900/40	13.4	14.2	15.0
8×1250/70	12.2	13.1	14.0

为便于工程应用，±800kV 线路不同海拔不同导线与建筑物的最小净空距离统一取 16.0m。

若所跨越的建筑物为非长期住人建筑，尚需满足房屋所在位置地面处湿导线合成场强 15kV/m 控制要求。

（2）导线在最大计算风偏时对建筑物的最小净空距离。

苏联规定为在导线最大风偏下，架空线路边导线至各建筑物及构筑物最近的突出部分的水平距离。

国内 500kV 及 750kV 最大风偏时净距按跨越建筑物时的垂直距离减去 0.5m。考虑导线的最大计算风偏仅是短时性的，1000kV 线路按此原则执行，按跨越时的垂直距离减去 0.5m，取为 15m。±500kV、±600kV、±800kV 以及 ±1100kV 线路均按此原则执行，按跨越时的垂直距离减去 0.5m，分别取 8.5m、13.5m、15.5m 和 21m。

（3）导线与建筑物之间的水平距离。

在无风情况下，导线需对其保持一定的水平间隔。参考《±800kV 直流架空输电线路设计规范》GB 50790—2013 和《高压直流架空输电线路设计技术规程》DL 5497—2015 的规定，±500kV、±600kV、±800kV 以及 ±1100kV 线路导线与建筑物之间的最小水平距离分别取 5m、6.5m、7m 和 7m。

10.3.3 临近民房时，直流线路对人的影响实质上是合成场强，标称场强只是其中的一部分，因此，直流线路电场对人的影响应该以合成场强衡量。从苏联和我国直流线路的运行经验看，地面合成场强没有必要小于 10kV/m，从美国和苏联的规定看，不应大于 15kV/m。我国在原《高压直流架空送电线路技术导则》DL 436—1991 中规定，邻近民房的地面标称场强限值为 3kV/m，而在新的《高压直流架空输电线路设计技术规程》DL/T 5497—2015 中已改为“民房所在地面湿导线情况下未畸变合成场强不应超过 15kV/m”。

原导则是在建设葛上直流工程时确定的，当时中国电力科学研究院对直流合成电场对人的影响进行过大量的试验研究，在晴天，地面合成电场到达 11kV/m 时，人在该电场下打伞，手触摸金属柄，会感受到明显但比较轻微的暂态电击；在雨天，同一地点的地面合成电场达到约 15kV/m，暂态电击更强烈，具有刺痛感。随着电场增加，暂态电击程度也增加。为了防止人在民房所在地打伞时出现较强的暂态电击，民房所在地面的合成电场不应超过 15kV/m（对应于湿导线）。由于合成电场不好计算，而以合成电场对应的标称电场作为限值，便于设计，所以对应葛上直流线路采用的导线为 $4\times300mm^2$，取导线对地最小距离为 12.5m，晴天 11kV/m（或雨天 15kV/m）地面合成电场对应的标称电场约为 3kV/m。所以原导则对应当时的设计条件，取邻近民房的地面标称场强限值为 3kV/m 是合适的。

直流输电线路的合成电场与标称电场之间的量值关系与所采用的导线有关。如果导线电压、导线分裂数、分裂间距和导线对地距离一样，子导线直径越大，导线表面电场越小，空间电荷产生的电场在合成场强中占有的比例就较小，地面的合成电场也越小。在以后的直流工程中，导线为 $4\times720mm^2$，导线对地距离为 12.5m，地面标称电场为 3kV/m 时，对应的合成电场只有 4.5kV/m～7kV/m，比葛上直流的合成场 11kV/m（或雨天 15kV/m）小很多。所以，对采用不同导线的直流线路都采用同一量值的标称电场作为限值，并不能反映实际合成场的情况。对人的影响实际上是合成场强，标称场强只是合成场强的一部分，因此直流输电线路的电场对人的影响原则应以合成电场衡量。

从苏联的规定和我国直流线路运行经验看，直流线路临近民房时，地面合成场强不小于 10kV/m。同时我国为慎重确定直流线路临近民房所在地面的合成电场的限值，在 2005 年 7 月，中国电力科学研究院会同湖北超高压局武汉分局，组织了老中青男女人员，在直流输电线路下进行了感受试验。试验中人处在的地面合成场强的范围为 6.1kV/m～15.1kV/m。人体试验方式为人触摸接地金属、人打伞触摸金属柄和人触摸架设在空中对地绝缘的 13m 长金属线时的感受。感受结果为：①穿普通鞋的人触摸接地金属体时无感觉；穿电工绝缘鞋的人触摸接地金属体时，在

15kV/m的场强下时有明显但轻微的暂态电击感觉，在小于12kV/m的场强下无感觉。②人触摸架设在空中对地绝缘的13m长金属线时无感觉。③人打伞触摸金属柄，在地面合成电场小于9.6kV/m时无感觉；在地面合成电场为11kV/m～13kV/m时有明显但轻微的暂态电击感觉；在地面合成电场为14.6kV/m～15.1kV/m时，放电很明显，放电声较大，有明显刺痛感，与人在干燥的地板上走动后再触摸水龙头的感觉类似。同时这与葛上直流工程时所做的感受试验一致。

±800kV线路设计时，在原国家环保总局组织的专家评审中，经过多方分析讨论，专家认为应充分考虑减少电击对人造成的不适或不快感，按80%测量值不超过15kV/m考虑，这样符合一般合格评定的规则，与无线电干扰限值的意义也一致。按照专家评审的意见，修改合成场强为以25kV/m（晴天）作为邻近民房的最大合成场强，同时满足80%测量值不超过15kV/m为控制指标。最大离子流密度限值晴天不超过100nA/m^2，雨天不超过150nA/m^2。

关于80%值和50%值，假设测量数据为100组，将测量结果按照由小到大的顺序排列，第81（或51）个数值，即80%（或50%）测量值，此时小于或等于15kV/m为满足要求。对于因80%和50%的差距可能带来的问题，建议在监测方法中以规定风向和更小的风速来解决。

推荐±1100kV线路采用±800kV的相同的标准，线路临近民房时，在湿导线情况下房屋所在地面的未畸变合成电场不得超过15kV/m。

10.3.4 随着社会环保意识的不断加强，高压直流线路在跨越林木、植被覆盖等方面，应采取高跨和砍伐相结合，更好地保护生态环境。

（1）导线与林区树木之间的垂直距离。

我国500kV线路与树木的最小垂距，目前采用的数值大部分地区为7.5m,华北地区多为7m,广东地区多为6.5m;线路与树木的净空距离,大部分地区7m,华北、广东为6.5m;线路与果树、经济作物的距离,大部分地区6.5m,华北8.5m,广东6m。

直流线路导线与林区树木之间的最小垂直距离取值,以操作过电压间隙加上一定的裕度为基础,并校核电场强度,比较取其较大者。例如,±660kV线路导线与树木最小垂直距离,按操作过电压间隙5.0m加上3.5m裕度,为8.5m;按静电场强27kV/m,合成场强雨天60kV/m,晴天52kV/m计算则为10.5m。±660kV线路导线对树木最小垂直距离取为10.5m。

±800kV线路导线对树木最小垂直距离可按操作过电压间隙7.5m加上3.5m裕度,取为11m。按合成场强雨天60kV/m,晴天52kV/m校核,±800kV线路导线至树顶距离计算结果见表107。

表107　±800kV线路导线至树顶距离计算结果(m)

极导线型号(V串)	海拔高度		
	1000m	2000m	3000m
6×630/45	12.8	13.2	13.6
6×720/50	12.6	13.0	13.4
6×800/55	12.1	12.6	13.1
6×900/40	11.9	12.4	12.9
6×1000/45	11.8	12.3	12.8
6×1120/50	11.5	12.1	12.6
6×1250/70	11.2	11.8	12.3
8×900/40	11.2	11.8	12.3
8×1250/70	<11	11.0	11.7

为便于工程应用,0m～3000m海拔时不同导线与树木的最小垂直距离统一取13.5m,超过3000m海拔时最小垂直距离应根据合成场强校核确定。

±1100kV线路导线对树木最小垂直距离按操作过电压间隙10m加3.5m裕度，为13.5m。再按合成场强雨天60kV/m，晴天52kV/m校核，±1100kV线路导线对树木最小垂直距离，推荐取值17m。

(2)导线最大风偏时与树木之间的净空距离。

我国110kV～750kV交流输电线路导线与树木之间的最小垂直距离、最小净空距离都是按电气安全绝缘间隙加上一定裕度计算得到的，大都取相近或相同的取值。对于特高压输电线路，考虑到导线最大风偏的短时性，最小净空距离按电气绝缘强度控制，±800kV线路导线与树木的垂直距离值是按合成电场控制的，考虑风偏的短时性，±800kV线路导线最大风偏时与树木之间的净空距离按操作过电压间隙7.5m加上3m裕度，取为10.5m。参照±800kV线路的取值原则，±1100kV线路的该项距离取为14m(对树木的最小垂直距离17m)。

(3)砍伐树木时，树木砍伐范围应按导线与树木之间的最小垂直距离及净空距离要求确定，并且对树木倾倒距离进行校核。

树木倾倒距离要求计算方法具体见本标准条文说明第10.2.4条。

(4)导线与果树、经济作物、城市绿化灌木及街道树之间的垂直距离。

此类树木超高生长的可能性很少，但考虑该类树木人接触的机会较多，且大多采用跨越方案，故应在跨越一般树木的取值基础上适当增加安全裕度。±500kV和±600kV线路按照跨越一般林木的垂直距离的基础上考虑1.5m的裕度，分别取8.5m和12m。

±800kV线路导线对果树、经济作物、城市绿化灌木及街道树之间最小垂直距离按此原则执行，在跨越一般树木的取值基础上增加1.5m，取15m。按合成场强雨天50kV/m，晴天42kV/m以下控制进行校核，±800kV线路导线至果树等树顶距离计算结果见表108。

表108 ±800kV线路导线至果树等树顶距离计算结果(m)

极导线型号(V串)	海拔高度		
	1000m	2000m	3000m
6×630/45	14.6	15.1	15.6
6×720/50	14.4	14.9	15.5
6×800/55	13.9	14.5	15.0
6×900/40	13.7	14.2	14.8
6×1000/45	13.5	14.0	14.7
6×1120/50	13.1	13.8	14.4
6×1250/70	12.8	13.4	14.1
8×900/40	12.7	13.4	14.1
8×1250/70	11.7	12.4	13.3

为便于工程应用,对于上表中所示的各导线型号中,6×800/55及更大截面导线与树木的最小垂直距离在0m～3000m海拔时统一取15m,超过3000m海拔时最小垂直距离应根据合成场强校核确定。6×630/45和6×720/50导线与树木的最小垂直距离在0m～2000m海拔时统一取15m,超过2000m海拔时最小垂直距离应根据合成场强校核确定。

±1100kV线路也按照静电场强22kV/m,合成场强雨天50kV/m、晴天42kV/m取值,推荐取值19.5m。

10.3.5 线路与铁路、公路、河流、管道、索道及各种架空线路交叉或接近。

输电线路对各种交叉跨越物的距离,其取值原则由电场强度、电气绝缘间隙以及其他因素决定。输电线路与交叉跨越物的水平距离主要是为了避免输电线路对其他部门设施产生影响,如车辆行驶时电力线杆塔对司机视线的阻挡、电力线倒塔时对其他设施造成危害等。在现行线路设计规程中,其取值大多与电压等级无关，相关部门也已认可，个别与电压等级相关的距离按各电压等级取值的级差递增取值。

(1)导线与铁路之间的交叉跨越距离。

1)对铁路轨顶的最小垂直距离。

直流线路跨越铁路时，导线对轨顶的最小垂直距离参照跨越公路，即按居民区标准进行取值。

国外及我国500kV以上线路的规定见本标准表10.2.5-1～2、表10.3.5-1～3。考虑我国的实际情况，±500kV、±600kV、±800kV以及±1100kV线路至标准轨距铁路轨顶的最小垂直距离参照跨越公路即居民区的要求，±500kV统一按照16m取值，±600kV统一按照18m取值。

±800kV线路按照合成场强限定在雨天30kV/m，晴天25kV/m，离子流密度限定在雨天100nA/m^2，晴天80nA/m^2标准校验。±800kV线路导线至铁路轨顶距离计算结果见表109。

表109　±800kV线路导线至铁路轨顶距离计算结果(m)

极导线型号(V串)	海拔高度		
	1000m	2000m	3000m
6×630/45	21.0	22.2	23.0
6×720/50	21.0	21.8	22.7
6×800/55	20.2	21.2	22.1
6×900/40	19.7	20.7	21.6
6×1000/45	19.4	20.2	21.4
6×1120/50	18.8	19.9	20.9
6×1250/70	18.1	19.3	20.4
8×900/40	17.9	19.1	20.3
8×1250/70	15.9	17.4	18.8

导线至窄轨铁路轨顶的最小垂直距离比标准轨铁路可减少一些，我国现行线路设计规程中一般均减少1m。1000kV特高压线

路按相同取值，±800kV 线路也按相同取值。

±1100kV 线路至标准轨距铁路轨顶的最小垂直距离参照跨越公路即居民区的要求，推荐取值 28.5m。

跨越电气化铁路时，考虑其等级及重要性较高，500kV 线路规定，导线至轨顶的最小垂直距离一般要求比非电气化铁路大一些，该项距离比标准轨铁路增加 2m。但±500kV、±600kV、±800kV 以及±1100kV 直流线路跨越铁路时的对地距离均由地面场强控制，最大电气间隙已有足够的安全裕度，因此不另外增加安全距离。

由表 109，按合成场强雨天 30kV/m、晴天 25kV/m 取值，对计算结果进行取整，±800kV 特高压直流线路对标准轨距铁路、电气化铁路轨顶及窄轨铁路轨顶最小垂直距离取值见表 110。

表 110　±800kV 线路与铁路交叉对轨顶的最小垂直距离(m)

极导线型号(V串)	海拔高度		
	1000m	2000m	3000m
6×630/45	21.0	22.5	23.0
6×720/50	21.0	22.0	23.0
6×800/55	20.5	21.5	22.5
6×900/40	20.0	21.0	22.0
6×1000/45	19.5	20.5	21.5
6×1120/50	19.0	20.0	21.0
6×1250/70	18.5	19.5	20.5
8×900/40	18.0	19.5	20.5
8×1250/70	16.0	17.5	19.0

当跨越拟建铁路桥梁地段，为保证架桥机上作业人员安全，直流±800kV 线路对铁路架桥机操作室的合成场强按非居民区(农业耕作区)的限值标准控制，即雨天 36kV/m，晴天 30kV/m。±800kV 线路导线至铁路桥梁架桥机操作室距离计算结果见

表 111。

表 111　±800kV 线路导线至铁路桥梁架桥机操作室距离计算结果(m)

极导线型号(V串)	海拔高度		
	1000m	2000m	3000m
6×630/45	18.0	18.7	19.4
6×720/50	18.0	18.7	19.4
6×800/55	17.7	18.5	19.3
6×900/40	17.3	18.1	18.9
6×1000/45	17.0	17.8	18.7
6×1120/50	16.6	17.5	18.4
6×1250/70	16.0	17.0	17.9
8×900/40	15.8	16.9	17.9
8×1250/70	14.2	15.4	16.6

经咨询相关铁路施工单位，铁路架桥机高度 6.5m～13.7m 不等，操作室位于架桥机中下部，操作室距离轨顶的高度可取 7m。由表 111，考虑架桥机操作室距离轨顶高度 7m 后，直流±800kV 线路至有架桥机作业的铁路桥梁轨顶最小垂直距离取值见表 112。

表 112　±800kV 线路导线至有架桥机作业的铁路桥梁轨顶最小垂直距离(m)

极导线型号(V串)	海拔高度		
	1000m	2000m	3000m
6×630/45	25.0	25.7	26.4
6×720/50	25.0	25.7	26.4
6×800/55	24.7	25.5	26.3
6×900/40	24.3	25.1	25.9
6×1000/45	24.0	24.8	25.7
6×1120/50	23.6	24.5	25.4

续表 112

极导线型号(V串)	海拔高度		
	1000m	2000m	3000m
6×1250/70	23.0	24.0	24.9
8×900/40	22.8	23.9	24.9
8×1250/70	21.2	22.4	23.6

工程设计中，跨越拟建铁路桥梁地段时，±800kV 线路对铁路轨顶的垂直距离应根据铁路架桥机操作室距离轨顶的高度校核确定。

此外，《关于特高压交直流电线路跨越铁路有关标准的函》(铁建设函〔2009〕327 号)规定，导线至轨顶的垂直距离，非电气化铁路与电气化铁路取相同的标准，直流±800kV 不小于 21.5m，对于输电线路跨越拟建铁路处，有铁路架桥机作业情况发生时，直流±800kV 不小于 24m。《中国铁路总公司办公厅关于±1100kV 特高压直流输电线路跨越铁路有关标准的复函》(铁总办科技函〔2016〕165 号)规定，线路导线至轨顶的垂直距离，非电气化铁路与电气化铁路取相同的标准，直流±1100kV 不应小于 28.5m，至铁路接触网和杆顶的距离不应小于 19.5m，对于输电线路跨越拟建铁路处，有铁路架桥机作业情况发生时不应小于 30m。

综合考虑以上因素，±500kV、±600kV、±800kV 以及±1100kV 线路跨越铁路时，考虑其重要性，对轨顶的最小垂直距离不区分窄轨铁路、标准轨距铁路和电气化铁路，统一按照最大值取值。

2)对电气化铁路承力索或接触线(杆顶)的最小垂直距离。

导线对铁路承力索或接触线的最小垂直距离按电气绝缘强度控制，并考虑适当裕度而定。如±660kV 直流线路，操作过电压间隙取 5m，考虑 3m 裕度，取为 8m。

确定导线对铁路承力索杆顶或接触线杆顶的最小垂直距离时，考虑到登杆维修人员受到的静电感应影响，对该杆顶的电场强度进行了限制，按合成场强雨天 50kV/m、晴天 42kV/m 进行控制。

±800kV 线路导线至电气化铁路承力索或接触线杆塔顶的距离计算结果见表 113。

表 113　±800kV 线路导线至电气化铁路承力索或接触线杆塔顶的距离计算结果(m)

极导线型号(V串)	海拔高度		
	1000m	2000m	3000m
6×630/45	14.6	15.1	15.6
6×720/50	14.4	14.9	15.5
6×800/55	13.9	14.5	15.0
6×900/40	13.7	14.2	14.8
6×1000/45	13.5	14.0	14.7
6×1120/50	13.1	13.8	14.4
6×1250/70	12.8	13.4	14.1
8×900/40	12.7	13.4	14.1
8×1250/70	11.7	12.4	13.3

由表 113，对计算结果进行取整后，±800kV 线路导线至电气化铁路承力索或接触线杆塔顶的垂直距离推荐取值见表 114。

表 114　±800kV 线路至电气化铁路承力索或接触线杆塔顶的最小垂直距离(m)

极导线型号(V串)	海拔高度		
	1000m	2000m	3000m
6×630/45	15.0	15.5	16.0
6×720/50	14.5	15.0	15.5
6×800/55	14.0	14.5	15.0
6×900/40	14.0	14.5	15.0

续表 114

极导线型号(V串)	海拔高度		
	1000m	2000m	3000m
6×1000/45	13.5	14.0	15.0
6×1120/50	13.5	14.0	14.5
6×1250/70	13.0	13.5	14.5
8×900/40	13.0	13.5	14.5
8×1250/70	12.5	12.5	13.5

±1100kV 参考上述原则,导线跨越电气化铁路承力索或接触线的垂直距离按最大电气间隙控制,操作过电压间隙取 10m,导线动态范围取 2m,裕度取 3m,推荐取值 15m。

3)线路杆塔基础外缘至交叉铁路的最小水平距离。

交叉铁路时,铁塔基础外缘至轨道中心的最小水平距离,按照现行电力行业标准《高压直流架空输电线路设计技术规程》DL 5497—2015,±500kV 电压为 30m,±660kV 电压为 35m 或按照协议取值。±800kV 特高压直流线路因电压等级较高,为提高安全运行可靠性,现行国家标准《±800kV 直流架空输电线路设计规范》GB 50790—2013(2019 年版)中建议最小水平距离提高到 40m 或按协议要求取值。

《中国铁路总公司办公厅关于±1100kV 特高压直流输电线路跨越铁路有关标准的复函》(铁总办科技函〔2016〕165 号)规定,线路交叉跨越铁路时,杆塔外缘至轨道中心水平距离不应小于“塔高加 3.1m”。无法满足此要求时(如跨越处地形受限、大跨越杆塔较高等),可适当减小距离,任何情况下不得小于 40m,并采取必要的安全措施。

推荐±1100kV 特高压直流线路铁塔基础外缘至轨道中心的最小水平距离为塔高加 3.1m,无法满足要求时可适当减小,但不得小于 40m 或按协议要求取值。

4)与铁路平行的最小水平距离。

《中国铁路总公司办公厅关于±1100kV 特高压直流输电线路跨越铁路有关标准的复函》(铁总办科技函〔2016〕165 号)规定,线路与铁路平行接近时,杆塔外缘至轨道中心的水平距离不小于塔高加 3.1m,困难时协商确定。

在路径受限制地段,也应控制直流线路与铁路的平行距离和长度,并对每一交叉段和接近段进行验算,以确定线路对铁路通信、信号和闭锁装置的干扰和危险影响。对电气化铁路,要降低在铁路接触网的导线和承力索上所感应的电压。±500kV、±660kV 和±800kV 在导线最大风偏情况下,线路边导线至接触网导线的距离应大于 45m,至非电气化铁路建筑物的距离应大于 15m。推荐±1100kV 线路在无风条件下边导线至接触网导线的距离应大于 40m,至非电气化铁路建筑物的净空距离在最大风偏时应大于 21m。

5)铁路其他规定。

《中国铁路总公司办公厅关于±1100kV 特高压直流输电线路跨越铁路有关标准的复函》(铁总办科技函〔2016〕165 号)规定,特高压输电线路跨越铁路处采取的加强措施,具体内容见本标准第 10.2.5 条条文说明。

(2)导线对公路交叉跨越距离。

1)导线对公路路面的最小垂直距离。

直流线路跨越公路时导线对公路路面的距离按照居民区标准执行。±500kV 和±660kV 线路跨越公路时导线对公路路面的距离分别为 16m 和 18m。

±800kV 特高压直流输电线路跨越公路时导线对公路路面的距离按照合成场强限定在雨天 30kV/m,晴天 25kV/m,离子流密度限定在雨天 100nA/m^2,晴天 80nA/m^2。±800kV 线路导线至公路距离计算结果见表 115。

表 115　±800kV 线路导线至公路距离计算结果(m)

极导线型号(V 串)	海拔高度		
	1000m	2000m	3000m
6×630/45	21.0	22.2	23.0
6×720/50	21.0	21.8	22.7
6×800/55	20.2	21.2	22.1
6×900/40	19.7	20.7	21.6
6×1000/45	19.4	20.2	21.4
6×1120/50	18.8	19.9	20.9
6×1250/70	18.1	19.3	20.4
8×900/40	17.9	19.1	20.3
8×1250/70	15.9	17.4	18.8

由表 115，按合成场强雨天 30kV/m、晴天 25kV/m 取值，对计算结果进行取整，±800kV 线路不同海拔不同导线与公路交叉的最小垂直距离见表 116。

表 116　±800kV 线路与公路交叉的最小垂直距离(m)

极导线型号(V 串)	海拔高度		
	1000m	2000m	3000m
6×630/45	21.0	22.5	23.0
6×720/50	21.0	22.0	23.0
6×800/55	20.5	21.5	22.5
6×900/40	20.0	21.0	22.0
6×1000/45	19.5	20.5	21.5
6×1120/50	19.0	20.0	21.0
6×1250/70	18.5	19.5	20.5
8×900/40	18.0	19.5	20.5
8×1250/70	16.0	17.5	19.0

±1100kV 线路按照相同原则，线路与公路交叉的最小垂直距离取 28.5m。

因为直流输电线路最大负荷一般为额定负荷的 110%，导线最大弧垂可按±70℃或按实际可能到达的温度计算。

2)交叉公路的最小水平距离。

对公路各地均有相应法律及相关条例规定，不同等级的公路，交叉跨越要求的最小距离也不一致。这里仅规定最低要求值，具体情况应与各地交通主管部门协商，按协议要求取值。

线路与一级及以下公路交叉时，在开阔地区，铁塔基础外缘至路基边缘的最小水平距离，现行电力行业标准《高压直流架空输电线路设计技术规程》DL 5497—2015 中±500kV 和±660kV 线路分别为 8m、15m 或按协议取值；现行国家标准《±800kV 直流架空输电线路设计规范》GB 50790—2013 中±800kV 特高压线路取值 15m 或按协议取值；±1100kV 特高压直流输电线路建议取值 15m 或按协议取值。交叉高速公路时，最新的《中华人民共和国公路法》要求已大为提高，如广东、湖北等地要求 80m。因此，线路铁塔基础外缘至高速公路隔离栏的最小水平距离与公路部门协商，按协议要求取值。

3)与公路平行的水平距离。

线路与公路平行接近时，在开阔地区，电力线对公路的水平距离不小于最高杆塔高度。在路径受限制地区，为保证对行人及车辆的安全，最小水平距离按现行规程取值或按协议要求确定。

考虑到我国土地资源在经济发达地区越发宝贵，电力线路杆塔外缘至路基边缘最小水平距离不宜太大。对于±500kV、±660kV、±800kV 和±1100kV 直流输电线路，建议路径受限制地区边导线至路基边缘最小水平距离分别取 8m、10.5m、12m 和 15m，这一距离足以确保对行人及车辆的安全，或按协议要求。

(3)导线与河流的交叉跨越距离。

1)导线与通航河流的垂直距离。

跨越通航河流时，直流线路导线对5年一遇洪水面的场强按合成场强雨天50kV/m晴天42kV/m控制，±500kV和±660kV推荐取值分别为9m、12.5m。±800kV线路按照海拔高度和导线型号进行详细计算，给出了不同取值。

±800kV特高压直流线路跨越通航河流应考虑船舶航行时不发生危险，应考虑导线对最高航行水位船舶桅顶高度的垂直距离满足最大操作过电压间隙要求，同时需考虑对船舶人员活动面的垂直距离满足合成场强与最大操作过电压间隙要求。

导线至最高航行水位的最高船桅顶的最小垂直距离按导线最大操作过电压间隙加上一定裕度取值，±500kV和±660kV推荐取值分别为6m和8m。

±800kV特高压直流线路导线对于最高通航水位船舶桅顶，需考虑操作过电压间隙取7.5m，裕度取3m，最小垂直距离取10.5m。±1100kV线路跨越通航河流时，导线至最高航行水位的最高船桅顶的最小垂直距离按导线最大操作过电压间隙10m加上3m裕度，取值13m。

±800kV特高压直流线路导线对于最高通航水位船舶人员活动面的电场强度按合成场强不超过雨天50kV/m、晴天42kV/m控制，±800kV线路导线至最高航行水位船舶人员活动面的距离计算结果见表117。

表117　±800kV线路导线至最高航行水位船舶人员活动面的距离计算结果(m)

极导线型号(V串)	海拔高度		
	1000m	2000m	3000m
6×630/45	14.6	15.1	15.6
6×720/50	14.4	14.9	15.5
6×800/55	13.9	14.5	15.0
6×900/40	13.7	14.2	14.8

续表 117

极导线型号(V串)	海拔高度		
	1000m	2000m	3000m
6×1000/45	13.5	14.0	14.7
6×1120/50	13.1	13.8	14.4
6×1250/70	12.8	13.4	14.1
8×900/40	12.7	13.4	14.1
8×1250/70	11.7	12.4	13.3

同时考虑小型船舶桅杆顶部至人员活动面距离3.5m,操作过电压间隙取7.5m,裕度取3m,最小垂直距离取14m。根据调查,内河300吨级、500吨级船舶桅杆顶部至人员活动面一般为5.5m,长江万吨级海轮和内河千吨级船舶桅杆顶部至人员活动面一般为7m。对此类大型船舶,满足导线对船舶桅杆顶部最小垂直距离10.5m时,导线至人员活动面距离将分别达到16m和17.5m,合成场强对最小垂直距离不起控制作用。由表117,±800kV线路至最高航行水位船舶人员活动面的最小垂直距离取值见表118。

表118 ±800kV线路至最高航行水位船舶人员活动面的最小垂直距离(m)

极导线型号(V串)	海拔高度		
	1000m	2000m	3000m
6×630/45	15.0	15.5	16.0
6×720/50	14.5	15.0	15.5
6×800/55	14.0	14.5	15.0
6×900/40	14.0	14.5	15.0
6×1000/45	14.0	14.0	15.0
6×1120/50	14.0	14.0	14.5

续表 118

极导线 型号(V串)	海拔高度		
	1000m	2000m	3000m
6×1250/70	14.0	14.0	14.5
8×900/40	14.0	14.0	14.5
8×1250/70	14.0	14.0	14.0

对于±1100kV线路，按照桅杆顶部与驾驶室甲板的距离6.5m计算，导线距船舶人员活动范围（驾驶室甲板）的垂直距离为19.5m，大于合成场强雨天50kV/m、晴天42kV/m要求的19.4m（没有计入船体甲板、设备及驾驶室对电场的屏蔽作用）。

2）导线与不通航河流的垂直距离。

跨越不通航河流时，导线至百年一遇洪水位的最小垂直距离±500kV直流线路按照操作过电压间隙3m，考虑漂浮物高度2m，加上3m的裕度，取为8m；±660kV直流线路按照操作过电压间隙5m，考虑漂浮物高度2m，加上3m的裕度，取为10m。±800kV特高压直流线路按照最大操作过电压间隙7.5m，考虑漂浮物高度2m，加裕度3m，取值12.5m；±1100kV直流线路跨越不通航河流时，距百年一遇洪水位的距离考虑最大操作过电压间隙10m，考虑漂浮物高度2m，加裕度3m，取值15m。

直流线路冬季导线至冰面的最小垂直距离按非居民区的要求考虑。

±800kV特高压直流线路按合成场强雨天36kV/m，晴天30kV/m，导线至冰面的距离计算结果见表119。

表119　±800kV线路导线至冰面的距离计算结果(m)

极导线 型号(V串)	海拔高度		
	1000m	2000m	3000m
6×630/45	18.0	18.7	19.4
6×720/50	18.0	18.7	19.4

续表 119

极导线型号(V串)	海拔高度		
	1000m	2000m	3000m
6×800/55	17.7	18.5	19.3
6×900/40	17.3	18.1	18.9
6×1000/45	17.0	17.8	18.7
6×1120/50	16.6	17.5	18.4
6×1250/70	16.0	17.0	17.9
8×900/40	15.8	16.9	17.9
8×1250/70	14.2	15.4	16.6

由表 119，±800kV 线路导线至冰面的最小垂直距离推荐取值见表 120。

表 120 ±800kV 线路至冰面的最小垂直距离推荐值(m)

极导线型号(V串)	海拔高度		
	1000m	2000m	3000m
6×630/45	18.0	19.0	19.5
6×720/50	18.0	19.0	19.5
6×800/55	18.0	18.5	19.5
6×900/40	17.5	18.5	19.0
6×1000/45	17.0	18.0	19.0
6×1120/50	17.0	17.5	18.5
6×1250/70	16.0	17.0	18.0
8×900/40	16.0	17.0	18.0
8×1250/70	14.5	15.5	17.0

按照上述原则，±500kV、±660kV、±800kV 和±1100kV 推荐取值详见本标准表 10.3.5-1 和表 10.3.5-2。

最高洪水位时，有抢险船只航行的河流，垂直距离应通过协商确定。

3)导线与河流的水平距离。

导线与河流的水平距离，塔位至河堤的最小水平距离按河堤保护范围之外或按协议取值。

(4)导线与电力线路交叉跨越距离。

1)对电力线路导(地)线的最小垂直距离。

我国规程规定与电力线交叉跨越应根据最高气温情况或覆冰无风情况的最大弧垂进行校核。线路跨越电力线时，对导(地)线的最小垂直距离按操作过电压间隙加上一定裕度考虑。±500kV、±660kV、±800kV 和±1100kV 线路跨越电力线的最小垂直距离推荐取值见本标准表 10.3.5-1 和表 10.3.5-2。

2)导线对电力线杆塔顶的垂直距离。

导线对被跨越线路电力线杆塔顶的最小垂直距离参照线路交叉铁路接触网杆顶的标准及取值。±500kV、±660kV、±800kV 和±1100kV 线路跨越电力线杆顶的最小垂直距离推荐取值见本标准表 10.3.5-1 和表 10.3.5-2。

3)对电力线的最小水平距离。

在开阔地区，线路与电力线平行接近时，线路边导线至电力线边导线的最小水平距离不小于平行地段线路的最高杆塔高度。

在路径受限制地区，两回平行的输电线路杆塔同步排列时，两回输电线路临近的边极(相)导线间的最小水平距离类同于同杆双回路上不同回路的不同极(相)导线间的水平距离。同一回路导线的水平线间距离按档距中导线接近条件考虑，按本标准公式(9.1.1-1)计算。

以±800kV 架空输电线路为例，V 型悬垂绝缘子串长 $L_k=11m$，路径受限制地区大都在发电厂、变电站进出线段或邻近城市的走廊拥挤地段，多为平丘地区，档距一般为 400m～600m，气象条件：最大风速 30m/s～35m/s，最大覆冰 10mm，导线按 LGJ-630/45，最大弧垂 $f_c=30m$(对应 $L=600m$)。

$$D = k_i L_k + \sqrt{2} \times U/110 + 0.65\sqrt{f_c}$$
$$= 0 \times 11 + \sqrt{2} \times 800/110 + 0.65\sqrt{30} = 13.85\text{m}$$

考虑一定的裕度，取为 20m。工程应用中按实际条件进行校验。

对路径狭窄地带，两线路杆塔位置交错排列时，直流线路在导线最大风偏情况下对相邻线路杆塔的最小水平距离取最大操作过电压间隙值，同时考虑杆塔在无风时上人检修，并留有适当裕度，参照直流线路导线对步行可以到达山坡距离，±500kV、±660kV、±800kV 和±1100kV 线路分别取值为 8.5m、11m、13m 和 15.5m。

(5)导线与电信线路交叉跨越距离。

我国 500kV 线路对通信线路的最小垂直距离为 8.5m，±500kV 直流线路输电线路仍参照此标准。±660kV 单回直流线路导线至电信线的最小垂直距离可按静电场强 18kV/m，合成场强雨天 42kV/m、晴天 35kV/m 控制，推荐取值 14m，较交叉铁路接触网杆顶的标准增加 1.5m。

±800kV 特高压直流线路导线至电信线路的最小垂直距离可按合成场强雨天 42kV/m、晴天 35kV/m 控制，±800kV 线路导线至电信线路的垂直距离计算结果见表 121。

表 121　±800kV 线路导线至电信线路的垂直距离计算结果(m)

极导线型号(V 串)	海拔高度		
	1000m	2000m	3000m
6×630/45	16.0	16.6	17.2
6×720/50	16.0	16.6	17.2
6×800/55	15.8	16.5	17.1
6×900/40	15.5	16.2	16.9
6×1000/45	15.3	15.9	16.7

续表 121

极导线型号(V串)	海拔高度		
	1000m	2000m	3000m
6×1120/50	14.9	15.7	16.4
6×1250/70	14.4	15.4	16.0
8×900/40	14.3	15.2	16.0
8×1250/70	12.9	13.9	15.0

由表 121，±800kV 特高压直流线路导线至电信线路的最小垂直距离见表 122。

表 122 ±800kV 特高压直流线路导线至电信线路的最小垂直距离(m)

极导线型号(V串)	海拔高度		
	1000m	2000m	3000m
6×630/45	16.0	17.0	17.5
6×720/50	16.0	17.0	17.5
6×800/55	16.0	16.5	17.5
6×900/40	15.5	16.5	17.0
6×1000/45	15.5	16.0	17.0
6×1120/50	15.0	16.0	16.5
6×1250/70	14.5	15.5	16.0
8×900/40	14.5	15.5	16.0
8×1250/70	13.0	14.0	15.0

±1100kV 线路参照此标准，导线至电信线路的最小垂直距离取值 22m，较交叉铁路接触网杆顶的标准增加 2.5m。

在路径走廊受限制地区，边导线在最大风偏情况下对电信线的最小水平距离，现行国家标准《110kV～750kV 架空输电线路设计规范》GB 50545—2010 中 500kV 为 8m，±500kV 线路参照该标准，取值 8m；±660kV、±800kV 和±1100kV 直流线路按与步行可以到达的山坡取值相同，分别取值 11m、13m 和 15.5m。

(6)对特殊管道及索道的交叉跨越距离。

1)对特殊管道及索道的最小垂直距离。

特殊管道是架设在地面上输送易燃易爆物品的管道，导线对此类管道的最小垂直距离，建议与跨越电信线相同或按协议要求取值。跨越索道可与跨越电力线相同。直流线路对特殊管道及索道的最小垂直距离取值详见本标准表 10.3.5-1 和表 10.3.5-2。

2)对特殊管道及索道的最小水平距离。

金属管道和索道应该在同线路交叉的范围内接地，而 750kV 及以上架空线路同管道和索道平行架设和接近时，在架空线路两侧距中心线各 100m 以内的地段也应该接地，接地电阻不超过 25Ω。

在开阔地区，线路与特殊管道平行接近时，线路边导线至管道任何部分的最小水平距离不小于平行地段线路的最高杆塔高度。

在路径受限制地区，边导线在最大风偏情况下对特殊管道的水平距离，1000kV 线路按步行可以到达山坡考虑，取值为 13m。

直流超高压线路同地下管道接近时，应考虑对钢管道采取保护措施，以防止由于地中电流引起的腐蚀。预防地下管道腐蚀最有效的办法是采取阴极保护。

国内相关标准、规范主要内容如下：

①国家标准《城镇燃气设计规范》GB 50028—2006 规定如下：

地下燃气管道与建(构)筑物和相邻管道之间的水平净距，大于 35kV 电杆(塔)的基础之间的水平净距不小于 5m。

地下燃气管道与交流电力线接地体的净距，220kV 铁塔或电杆接地体为 10m。

地下液态液化石油气管道与建(构)筑物和相邻管道之间的水平净距，架空电力线(中心线)1 倍杆高(考虑倒杆影响)，且不小于

10m(考虑电力线路运行时对液化石油气管道感应电位的影响)。

门站和储备站集中放散装置的放散管与站外建(构)筑物的防火间距,大于380V架空电力线2.0倍杆高。

液化石油气供应基地全压力式、全冷冻式储罐与基地外建、构筑物的防火间距,架空电力线(中心线)1.5倍杆高,但35kV以上架空电力线应大于40m。

②国家标准《输油管道工程设计规范》GB 50253—2014规定如下:

管道与架空电力线路平行敷设时,其距离应符合现行国家标准《66kV及以下架空电力线路设计规范》GB 50061及《110kV～750kV架空输电线路设计规范》GB 50545的规定。管道与干扰源接地体的距离应符合现行国家标准《埋地钢质管道交流干扰防护技术标准》GB/T 50698的相关规定。埋地输油管道与埋地电力电缆平行敷设的最小距离应符合现行国家标准《钢质管道外腐蚀控制规范》GB/T 21447的有关规定。

③国家标准《石油天然气工程设计防火规范》GB 50183—2004规定如下:

石油天然气站场区域布置防火间距,35kV以上架空电力线(中心线)1.5倍杆高,且不应小于30m(液化石油气和天然气凝液站场不应小于40m)。

油气井与周围建(构)筑物、设施防火间距,35kV以上及以下架空电力线(中心线)1.5倍杆高。

埋地集输管道与其他地下管道、通信电缆、电力系统的各种接地装置等平行或交叉敷设时,其间距应符合现行行业标准《钢质管道及储管腐蚀控制工程设计规范》SY 0007的有关规定。

集输管道与架空输电线路平行敷设时,其安全距离应符合下列要求:

管道埋地敷设时,其安全距离不应小于表123的规定。

管道地面敷设时,其间距不应小于本段最高杆(塔)高度。

表123　架空线路对管道安全距离

名称	3kV以下	3kV～10kV	35kV～66kV	110kV	220kV
开阔地区	最高杆(塔)高				
路径受限制地区(m)	1.5	2.0	4.0	4.0	5.0

注：1　表中距离为边导线至管道任何部分的水平距离。

2　对路径受限制地区的最小水平距离要求应计及架空电力线路导线的最大风偏。

3　管道地面敷设时，其间距不小于本段最高杆(塔)高度。

④《石油天然气管道保护条例》(国务院令第313号)规定如下：

第十五条　禁止任何单位和个人从事下列危及管道设施安全的活动：

(一)移动、拆除、损坏管道设施以及为保护管道设施安全而设置的标志、标识；

(二)在管道中心线两侧各5m范围内，取土、挖塘、修渠、修建养殖水场，排放腐蚀性物质，堆放大宗物资，采石、盖房、建温室、垒家畜棚圈、修筑其他建筑物、构筑物或者种植深根植物；

(三)在管道中心线两侧或者管道设施场区外各50m范围内，爆破、开山和修筑大型建筑物、构筑物工程；

(四)在埋地管道设施上方巡查便道上行驶机动车辆或者在地面管道设施、架空管道设施上行走；

(五)危害管道设施安全的其他行为。

第十六条　在管道中心线两侧各50m至500m范围内进行爆破的，应当事先征得管道企业同意，在采取安全保护措施后方可进行。

第二十三条　任何单位在管道设施安全保护范围内进行下列施工时，应当事先通知管道企业，并采取相应的保护措施：

(一)新建、改(扩)建铁路、公路、桥梁、河渠、架空电力线路；

(二)埋设地下电(光)缆；

(三)设置安全或者避雷接地体。

⑤国家标准《埋地钢质管道交流干扰防护技术标准》GB/T 50698—2011规定如下：

a. 管道与输电线路杆塔、通信铁塔等及其接地装置间应保证足够的安全距离。在路径受限地区难以满足安全距离时，应采取故障屏蔽、接地、隔离等防护措施；宜根据工程实际情况在分析计算的基础上进行管道安全评估。

b. 埋地管道与高压交流输电线路的距离宜符合下列规定：

a)在开阔地区，埋地管道与高压交流输电线路杆塔基脚间控制的最小距离不宜小于杆塔高度。

b)在路径受限地区，埋地管道与交流输电系统的各种接地装置之间的最小水平距离一般情况下不宜小于表124的规定。在采取故障屏蔽、接地、隔离等防护措施后，表124规定的距离可适当减小。

表124　埋地管道与交流接地体的最小水平距离(m)

电压等级(kV)	≤220	330	500
铁塔或电杆接地	5.0	6.0	7.5

c)管道与110kV及以上高压交流输电线路的交叉角度不宜小于55。在不能满足要求时，宜根据工程实际情况进行管道安全评估，结合防护措施，交叉角度可适当减小。

⑥国家标准《埋地钢质管道直流干扰防护技术标准》GB 50991—2014规定如下：

a. 管道与高压直流输电系统、直流牵引系统等干扰源宜保持防护间距。

b. 在系统设计阶段，应充分考虑干扰源对外部埋地金属构筑物的直流干扰以及管道可能受到的直流干扰影响，并应对管道可能受到的直流干扰影响进行分析和评价。

c. 对管道造成直流干扰的干扰源方，应根据国家相关法规及标准采取减少杂散电流的措施，并应为管道直流干扰的调查测试和防护工作提供支持。

d. 处于高压直流输电系统、直流牵引系统等干扰源附近的管道，应进行干扰源侧和管道侧两方面的调查测试。

e. 确认管道受直流干扰影响和危害时必须采取防护措施。

f. 干扰源侧应采取措施减少入地电流及其对管道的影响中直流牵引系统和高压直流输电系统应符合下列规定：

a)直流牵引系统应按现行国家标准《轨道交通　地面装置　电气安全、接地和回流　第2部分：直流牵引供电系统杂散电流的防护措施》GB/T 28026.2的有关规定采取控制杂散电流的措施，其中地铁系统还应符合现行国家标准《地铁设计规范》GB 50157的有关规定；

b)高压直流输电系统接地极与管道之间的距离及干扰防护应符合现行行业标准《高压直流输电大地返回系统设计技术规范》DL/T 5224的有关规定。

综合国内外相关规定，对特殊管道的交叉跨越距离，在开阔地区，线路与特殊管道平行接近时，线路边导线至管道任何部分的最小水平距离不小于平行地段线路的最高杆塔高度加3m。在路径受限制地区，边导线在最大风偏情况下对特殊管道的水平距离，按步行可以到达山坡考虑并适当增加裕度，±500kV、±660kV、±800kV和±1100kV直流线路分别取值9m、13m、15m和17.5m，直流架空线路对管道和索道最小水平距离见表125。

表125　直流架空线路对管道和索道最小水平距离

线路与管道和索道交叉或接近特征	最小水平距离(m)			备注
	±660kV	±800kV	±1100kV	—
交叉、开阔地区，基础至架空管道、索道水平距离	杆塔高度	杆塔高度	杆塔高度	—
交叉、受限地区，基础至架空管道、索道水平距离	13.0	15.0	17.5	—

续表 125

线路与管道和索道交叉或接近特征	最小水平距离(m)			备注
	±660kV	±800kV	±1100kV	—
平行,边导线至架空天然气主管道	2倍杆塔高度	2倍杆塔高度	2倍杆塔高度	无风时
平行,边导线至架空石油主管道	50,且不小于杆塔高度	50,且不小于杆塔高度	55,且不小于杆塔高度	无风时
平行,边导线至其他架空管道	13	15	20	最大风偏
平行,边导线至埋地油气主管道	55	55	60	无风时
平行或交叉,杆塔接地体或基础至埋地油气主管道	25	25	30	—
线路中心线至天然气主管道排气阀	300	300	300	—

(7)对低压电力线路和电信线路的平行接近距离。

中国电力科学研究院对典型条件下直流特高压线路与低压线路和电信线路平行接近时的影响做过相应研究,主要结论如下:

1)正常运行时,由容性耦合产生的感应电压可不考虑。

2)±800kV 直流输电线路对低压线的危险影响感应电压允许值为 2121V。

3)±800kV 直流输电线路发生接地短路,与低压线平行接近时(平行长度不超过 5km),按最严重情况考虑;与低压线和架空电信线的平行接近距离保持 630m 以上时,可以不考虑其危险影响。平行长度小于 5km 时,以上平行接近距离可适当减小,具体见表 126(短路电流 15kA,土壤电阻率 100Ω·m)。

表 126　±800kV 直流线路与低压线平行接近，线路短路时由感性耦合产生的纵向电动势(V)

(横列为平行距离，纵列为平行长度)

长度(km)	7m	57m	107m	157m	207m	257m	307m	357m	407m	457m	507m	557m	607m	657m	707m	807m	907m	1007m	1507m	2007m	3007m
0.2	331	260	217	188	167	150	136	125	115	107	100	93	87	82	77	69	62	56	39	32	28
0.4	662	520	434	376	333	300	273	250	231	214	199	186	175	164	154	137	124	112	77	64	56
0.6	992	780	651	564	500	450	409	375	346	321	299	280	262	246	231	206	186	169	116	96	85
0.8	1323	1041	868	752	667	600	546	501	462	428	399	373	349	328	308	275	248	225	155	128	113
1	1654	1301	1085	940	833	750	682	626	577	535	499	466	437	411	384	343	309	281	194	160	141
1.2	1985	1561	1302	1128	1000	900	819	751	693	642	598	559	524	493	461	412	371	337	232	193	169
1.4	2316	1821	1518	1315	1166	1050	955	876	808	750	698	652	611	575	538	481	433	393	271	225	197
1.6	2646	2081	1735	1503	1333	1200	1092	1001	924	857	798	745	699	657	615	550	495	449	310	257	226
1.8	2977	2341	1952	1691	1500	1350	1228	1126	1039	964	897	839	786	739	692	618	557	506	348	289	254
2	3308	2601	2169	1879	1666	1500	1365	1251	1155	1071	997	932	874	821	769	687	619	562	387	321	282
2.2	3639	2861	2386	2067	1833	1650	1501	1377	1270	1178	1097	1025	961	903	846	756	681	618	426	353	310
2.4	3970	3122	2603	2255	2000	1800	1638	1502	1386	1285	1196	1118	1048	985	923	824	743	674	465	385	338
2.6	4300	3382	2820	2443	2166	1950	1774	1627	1501	1392	1296	1211	1136	1068	1000	893	805	730	503	417	366

续表 126

长度(km)	7m	57m	107m	157m	207m	257m	307m	357m	407m	457m	507m	557m	607m	657m	707m	807m	907m	1007m	1507m	2007m	3007m
2. 8	4631	3642	3037	2631	2333	2100	1911	1752	1617	1499	1396	1305	1223	1150	1076	962	866	787	542	449	395
3	4962	3902	3254	2819	2500	2250	2047	1877	1732	1606	1496	1398	1310	1232	1153	1030	928	843	581	481	423
3. 2	5293	4162	3471	3007	2666	2400	2184	2002	1847	1713	1595	1491	1398	1314	1230	1099	990	899	620	514	451
3. 4	5624	4422	3688	3195	2833	2550	2320	2127	1963	1820	1695	1584	1485	1396	1307	1168	1052	955	658	546	479
3. 6	5954	4682	3905	3383	2999	2700	2456	2253	2078	1927	1795	1677	1572	1478	1384	1237	1114	1011	697	578	507
3. 8	6285	4943	4122	3571	3166	2850	2593	2378	2194	2034	1894	1770	1660	1560	1461	1305	1176	1067	736	610	536
4	6616	5203	4338	3759	3333	3000	2729	2503	2309	2141	1994	1864	1747	1642	1538	1374	1238	1124	774	642	564
4. 2	6947	5463	4555	3946	3499	3150	2866	2628	2425	2249	2094	1957	1834	1725	1615	1443	1300	1180	813	674	592
4. 4	7278	5723	4772	4134	3666	3300	3002	2753	2540	2356	2194	2050	1922	1807	1692	1511	1361	1236	852	706	620
4. 6	7608	5983	4989	4322	3833	3450	3139	2878	2656	2463	2293	2143	2009	1889	1768	1580	1423	1292	891	738	648
4. 8	7939	6243	5206	4510	3999	3600	3275	3003	2771	2570	2393	2236	2096	1971	1845	1649	1485	1348	929	770	677
5	8270	6503	5423	4698	4166	3750	3412	3129	2887	2677	2493	2329	2184	2053	1922	1717	1547	1405	968	802	705

4)±800kV 直流输电线路发生接地短路，交叉跨越低压线和电信线(跨越长度不超过 5km)，按最严重情况考虑；当与低压线和架空电信线的交叉跨越角度约大于 70°时，不考虑其危险影响。当跨越长度小于 5km 时，以上交叉跨越角度可适当减小，具体见表 127(短路电流 15kA，土壤电阻率 100Ω·m)。

表 127　±800kV 直流线路与低压线交叉跨越，线路短路时由感性耦合产生的纵向电动势(V)(横列为交叉角度，纵列为跨越长度)

长度(km)	10°	20°	30°	40°	50°	60°	70°	80°	90°
0.2	433	404	364	316	262	201	137	69	0
0.4	847	773	689	594	490	376	255	129	0
0.6	1240	1118	992	854	703	539	365	184	0
0.8	1617	1449	1282	1102	906	695	470	237	0
1	1983	1769	1562	1342	1103	845	572	289	0
1.2	2340	2080	1836	1575	1294	991	671	338	0
1.4	2689	2385	2102	1803	1480	1133	767	387	0
1.6	3031	2684	2364	2027	1663	1273	861	434	0
1.8	3369	2978	2621	2246	1842	1409	953	481	0
2	3701	3268	2874	2461	2018	1544	1044	527	0
2.2	4029	3554	3123	2674	2191	1676	1134	572	0
2.4	4353	3836	3369	2883	2362	1806	1222	616	0
2.6	4674	4114	3612	3090	2531	1935	1308	660	0
2.8	4991	4390	3852	3294	2698	2062	1394	703	0
3	5305	4663	4090	3496	2862	2188	1479	746	0
3.2	5617	4933	4325	3696	3025	2312	1562	788	0
3.4	5925	5200	4557	3893	3186	2435	1645	830	0
3.6	6232	5465	4788	4089	3346	2556	1727	871	0

续表 127

长度(km)	10°	20°	30°	40°	50°	60°	70°	80°	90°
3.8	6536	5728	5016	4283	3504	2676	1808	912	0
4	6837	5989	5243	4476	3660	2796	1889	952	0
4.2	7137	6248	5468	4666	3816	2914	1969	992	0
4.4	7435	6505	5691	4855	3970	3031	2048	1032	0
4.6	7731	6761	5912	5043	4123	3147	2126	1071	0
4.8	8024	7014	6132	5230	4274	3263	2204	1111	0
5	8317	7266	6350	5414	4425	3377	2281	1149	0

11 附属设施

本节规定了根据目前架空线路运行管理部门的需求，在杆塔上应设置固定标志。

11.0.4 对航路有影响的新建输电线路应与航空管理部门协商装设航空障碍标志。线路可能影响航路的情况一般有：

(1)线路在机场障碍物限制面内；

(2)线路在机场障碍物限制面外、净空区范围内；

(3)航空主管部门认为对航空器飞行构成影响的其他情况，如横跨河流、山谷、公路、铁路等。